D0295706

Arkadien brennt

Kai Meyer

ARKADIEN
brennt

Die *Arkadien*-Reihe bei Carlsen:
Arkadien erwacht (Band 1)
Arkadien brennt (Band 2)

FSC

Mix

Produktgruppe aus vorbildlich
bewirtschafteten Wäldern und
anderen kontrollierten Herkünften

Zert.-Nr. SGS-COC-001940
www.fsc.org
©1996 Forest Stewardship Council

CARLSEN-Newsletter
Tolle neue Lesetipps kostenlos per E-Mail!
www.carlsen.de

1 2 3   12 11 10
Copyright © Kai Meyer, 2010
Copyright deutsche Erstausgabe © 2010 by Carlsen Verlag GmbH
Dieses Werk wurde vermittelt durch die Michael Meller Literary Agency, München
Umschlag: unimak, Hamburg
Umschlagfotos: iStockphoto.com © Fred_DL/© Kirill Zdorov/© Suzana Cotar/
© John Anderson/© Selahattin Bayram/© Eric Isselée/© Graeme Purdy/© mike capps
Umschlagtypografie: Kerstin Schürmann, formlabor
Herstellung: Nicole Boehringer
Lektorat: Kerstin Claussen
Satz: Dörlemann Satz, Lemförde
Druck und Bindung: GGP Media GmbH, Pößneck
Printed in Germany
ISBN 978-3-551-58202-7

Inhalt

Sie aber glänzt in bunten Farbenringen,
Und achtet nicht der Beute, die sie hält,
Die Macht nur ist's, der Sieg und das Gelingen,
Es ist das grause Spiel, das ihr gefällt.

So bist auch Du! Dein Bild ist's, das ich male,
Der dunklen Sterne unglücksel'ge Pracht;
Mit ihrem Glanz, mit ihrem Zauberstrahle,
Mit ihrem Reiz, mit ihrer Todesmacht.

Das Auge der Schlange
Joseph Christian von Zedlitz

Das erste Kapitel

Daddy?« Sie zog an seinem Ärmel. »Vor der Tür liegt eine tote Katze.«

»Gut. Eine weniger.«

»Wenn ich groß bin, will ich eine eigene. Eine nur für mich.«

»Katzen lassen sich nicht zähmen.«

»Meine schon.«

»Sie wird dich verletzen.«

»Niemals.«

Schweigen.

»Niemals. Niemals.«

Flucht

Draußen auf der Startbahn stieg eine Maschine in den Himmel, und die Welt um Rosa wurde still.

Nirgends eine Spur von Alessandro.

Während sie durch die Abflughalle hetzte, vorbei am Panoramafenster, blendete sie die Stimmen ihrer sechs Begleiter aus. Für einen endlosen Augenblick nahm sie nur den Flugzeugstart in Zeitlupe wahr, das Funkeln der Mittagssonne auf dem weißen Rumpf, dahinter die majestätischen Klippen der Bucht von Palermo.

Wo ist er?

Sie wusste, dass die sechs Männer sie nicht aus den Augen lassen würden. Dass sie ihr Ratschläge und Fragen und Belehrungen aufdrängen wollten. Aber Rosa lauschte nur ihrem eigenen Herzschlag, dem Blut in ihren Schläfen.

Mit wehendem Haar stürmte sie vorneweg, während ihre Berater ihr dicht auf den Fersen blieben, redend, gestikulierend, ein Chor aus Quälgeistern: Zecken in dem dicken Fell, das sie sich während der vergangenen Monate zugelegt hatte.

Ein halbes Dutzend Männer in feinen Anzügen, mit handgefertigten Schuhen und Seidenkrawatten, gut frisiert und maniкürt – blitzsaubere Geschäftsleute für jeden, der sie sah, und in Wahrheit doch nur sechs von unzähligen Verbrechern, die das Vermögen des Alcantara-Clans verwalteten.

Rosas Vermögen.

Sie hätte sich dafür interessieren müssen. Stattdessen begegnete sie den Fragen und Forderungen ihrer Berater mit Gleichgültigkeit, als wäre es nicht ihr Geld, um das es ging. Die sechs sorgten sich ohnehin vor allem um ihre eigenen Beteiligungen. Aus Gründen, die ihnen gehörig gegen den Strich gingen, waren sie auf Gedeih und Verderb den Launen einer Achtzehnjährigen ausgeliefert.

Immerhin, *das* wusste Rosa zu schätzen. Nicht mit ihnen zu reden war ein bisschen, wie von ihnen zu stehlen. Damit kannte sie sich aus. Schwierig, lieb gewordene Angewohnheiten abzulegen. Schweigen gleich Stehlen gleich Adrenalin. Das war gerade so viel Mathematik, wie sie in einer übervollen Flughafenhalle ertragen konnte.

Ihr hellblondes Hexenhaar fiel wild und wirr über ihre schmalen Schultern, so resistent gegen Bürsten wie Rosas blasser Teint gegen Bräune. Die Schatten um ihre Augen ließen sich durch nichts vertreiben und waren im letzten Jahr noch dunkler geworden; einige hielten sie für Make-up, Kajalstift für den gemäßigten Gothic-Look, aber Rosa war damit geboren worden. Sie gehörten zu ihr wie so vieles, was sie nicht wieder loswurde. Ihre Schwächen: von Nägelkauen bis Neurosen. Und ihre Abstammung samt den gewöhnungsbedürftigen Eigenschaften, die damit einhergingen.

Wo, zum Teufel, steckte Alessandro? Er hätte hier sein müssen. »Zum Abschied bin ich bei dir«, hatte er gesagt.

Einer der Männer holte auf und versuchte, ihr den Weg zu verstellen. Ausblenden, taub sein. Seine Bemühungen, ihre Aufmerksamkeit zu erregen, wirkten wie absurde Pantomime. Sie trat an ihm vorbei und eilte weiter.

Alessandro, verdammt!

Vor vier Monaten, im Herbst, war sie auf der Flucht vor ihrer Vergangenheit nach Sizilien gekommen. Und nun, Mitte Februar, floh sie abermals, diesmal vor der Gegenwart, fort von dieser Insel.

Nach außen war sie die Erbin eines Firmenimperiums. Seit ihrem achtzehnten Geburtstag vor zwei Wochen hielt sie auch vor dem Gesetz den Kopf hin für das Treiben ihrer Geschäftsführer. Selbst ihr wurde schwindelig, wenn sie an die Folgen dachte, die es haben mochte, einem Clan der Cosa Nostra vorzustehen.

Vor ihr tauchte die Sicherheitskontrolle auf. Kein Alessandro weit und breit. Mistkerl.

Sie beschleunigte ihre Schritte, ignorierte das Papier, das ihr einer der sechs im letzten Moment unter die Nase hielt, murmelte etwas von »In ein paar Tagen wieder da« und atmete erst wieder ein, als die Männer auf der anderen Seite der Sicherheitsschleuse zurückblieben.

Rosa schaute sich um. Die sechs traten fluchend den Rückzug an. Unter all den Menschen im Abflugbereich suchte sie den einen ganz bestimmten. Ein Gesicht, das ihr vertrauter geworden war als ihr eigenes.

War sie in ihrer Eile an ihm vorbeigehetzt? Wohl kaum. Hatte er sich ferngehalten, als er ihren Tross gesehen hatte? Schon eher. Ein Spross des Carnevare-Clans, der sich mit einer Alcantara abgab – viele Mitglieder der anderen Clans sahen darin noch immer eine Kriegserklärung. Rosa und Alessandro wussten beide, dass es genug Stimmen in ihren eigenen Familien gab, die hinter vorgehaltener Hand forderten, die Leichen der beiden im Meer zu versenken. Für Rosa hätte es ein gewagtes Spiel sein können, ihre nötige Dosis Risiko, wäre ihr nicht zu bewusst gewesen, dass sie bei diesem Balanceakt beide in den Abgrund stürzen konnten. Am Ende lief es darauf hinaus, sich zu trennen – oder für diese Liebe ihr Leben einzusetzen.

Die sechs Männer außerhalb der Absperrung ertrugen Rosas Desinteresse, weil sie wussten, dass für sie dadurch auf lange Sicht größere Befugnisse heraussprangen. Aber Rosas Verhältnis mit einem Carnevare wog schwer. Alcantaras und Carnevares waren seit jeher Todfeinde, die es nur einem mysteriösen Friedenspakt aus uralter Zeit verdankten, dass sie einander nicht längst ausgelöscht hatten. Mit erzwungener Koexistenz konnten die Clans notgedrungen leben. Ein Bündnis aber, das im Bett zweier Teenager geschlossen wurde, war für die meisten nicht zu tolerieren.

»Wie lange werden die anderen sich das ansehen?«, hatte Rosa einmal gefragt.

»Bis wir sie zwingen können, davor die Augen zu verschließen«, hatte Alessandro erwidert. »Und sie am besten gar nicht wieder aufzumachen.«

Wenn einer von ihnen verstand, was es bedeutete, der *capo* eines Mafiaclans zu sein, dann er. Rosa war gegen ihren Willen zum Oberhaupt ihrer Familie geworden. Alessandro aber hatte für seine Position gekämpft. Er hatte den Mörder seiner Eltern getötet; und in den vergangenen Wochen waren weitere seiner Widersacher verstummt, auf die eine oder andere Weise. Selbstschutz, er hielt sich den Rücken frei. Während Rosa vor der Verantwortung davonlief, stellte sich Alessandro allen Anfeindungen, warnte, drohte und bewies Konsequenz.

Shit. Er war tatsächlich nicht hier. Sie kämpfte mit Enttäuschung, mit Wut und Besorgnis, und davon bekam sie Bauchschmerzen.

Lass das nicht zu. Du bist nicht *süchtig* nach ihm.

Sie rückte den Schultergurt ihrer Umhängetasche zurecht. Dadurch spannte der schwarze Rollkragenpullover über ihrer Brust, was nun beileibe nicht alltäglich war. Wird noch, hatte ihre Schwester Zoe einmal gesagt, und Rosa hatte es manchmal nachgebetet. Jetzt lag Zoe im Grab und Rosas Oberweite nach wie vor im Argen.

Immer wenn Alessandro zu spät kam oder nicht rechtzeitig anrief, hatte sie Angst um ihn. Was sie taten, war Irrsinn. Sie hatten darüber gesprochen, gemeinsam wegzugehen, alles hinter sich zu lassen. Aber Rosa wollte nicht, dass er um ihretwillen etwas aufgab. Sie würde niemals Forderungen stellen. Wenn sie eines Tages wirklich gehen wollte, dann würde sie ihn auf keinen Fall mit sich zerren. Das war nicht ihre Art. Lieber wollte sie ohne ihn todunglücklich sein, als ihn zögern zu sehen. Es gab Risiken, auf die auch sie verzichten konnte.

Ihr blieb noch eine gute Stunde bis zum Abflug. Sie schlug den Weg zur Lounge ein, zeigte am Empfang ihr Ticket und betrat den Wartebereich für die Businessclass. Sessel und Sofas, zu Sitzgruppen angeordnet; ein üppiges Buffet, auch für Vegetarier wie sie; Reihen von Computerterminals mit Online-Zugang; klassische Musik aus Lautsprechern in der Decke. Und Kaffee, na also!

Geschäftsmänner taxierten sie. Ihr Rollkragenpullover fiel bis auf ihre Oberschenkel, dazu trug sie schwarze Jeans. Klapprig fand sie sich, mit ihren vorstehenden Hüftknochen und den viel zu dünnen Beinen. Offenbar sahen ein paar der Managertypen in den Sesseln das anders. Rosas Lippen formten ein herzliches »Kinderficker!« und lächelten lieblich.

Über eine der Trennwände zwischen den Sitzecken ragte ein Kopf hinaus. Wandte sich in eine andere Richtung, tauchte ab, kam wieder hoch. Der Blick traf direkt ihre Augen. Seine waren grün und leuchtend. Hätte sie ihn nicht gekannt, sie hätte sich beim Anblick dieser Augen ein Leben für ihn ausgedacht.

Seine Grübchen vertieften sich, sein Strahlen war so ansteckend wie am ersten Tag. Sein Gesicht machte die Welt zu einem besseren Ort.

»Ist nicht wahr, oder?« Sie fiel ihm um den Hals, quetschte dabei die Tasche zwischen ihren Körpern ein, ruckelte sie umständlich frei und presste sich wieder an ihn. Noch ein bisschen enger, damit die Gaffer was zu sehen bekamen.

Er küsste sie, betrachtete sie strahlend und küsste sie erneut. Das machte er oft so. Kurzer Kuss, Lächeln, langer Kuss. Wie ein geheimes Morsezeichen.

»Was tust du hier?« Sie klang atemloser, als ihr lieb war. Er wedelte mit einem Ticket. »Hab ich gekauft.«

»Aber du hast gesagt, du fliegst nicht mit!«

»Tu ich auch nicht. Aber ich wollte dich noch mal sehen. Ohne deinen Anhang da draußen.«

Sie starrte ihn an. »Du hast *viertausend Euro* für ein Ticket bezahlt, nur damit sie dich in die Lounge lassen?«

»Mein Vater hat das Dreifache für ein Set Golfschläger ausgegeben. Dagegen ist das hier 'ne Spitzeninvestition.«

Sie drückte ihre Lippen auf seine und tastete nach seiner Zunge, bis sie beide keine Luft mehr bekamen. Eine Frau auf dem benachbarten Sofa erhob sich und zog ihren Mann eine Sitzgruppe weiter.

Rosa spürte ein kühles Kribbeln in ihrer Brust, blickte auf ihre Hand und sah, wie sich Reptilienschuppen auf den Fingern bildeten. Ihre Haut schien transparent, während darunter die Verwandlung begann. Erschrocken zuckte sie zurück, sah Besorgnis in seinem Blick und wusste, was er gerade in ihren blauen Augen entdeckte: Ihre Pupillen hatten sich zu Schlitzen verengt.

Nicht jetzt, dachte sie alarmiert.

Scheißhormone.

Ohne dich

H ey«, flüsterte Alessandro besänftigend und zog Rosa aufs Sofa. Die Sichtwände zwischen den Sitzecken schützten sie notdürftig vor Blicken.

Viel zu hektisch rieb sie die Hände an ihrer Jeans, als könnte sie die beginnende Metamorphose abwischen. Sie zwang sich, ein paarmal tief durchzuatmen. Allmählich zog sich die Kälte wieder zu einem winzigen Punkt in ihrem Herzen zusammen.

Sein Haar war nicht mehr dunkelbraun, sondern schwarz. Sie war ganz sicher: Hätte sie jetzt die Hände unter sein Hemd geschoben, hätte sie den feinen Flaum des Pantherfells auf seinem Rücken streicheln können.

»Kein guter Ort«, sagte sie und verkniff sich ein nervöses Lachen.

Seine Augen blitzten spöttisch. »Für den Preis sollte mehr drin sein als ein Sandwich aus der Kühltheke.«

Sie nahm seine Hand und massierte sie sanft zwischen den Fingern. Als er sich vorbeugen wollte, um sie abermals zu küssen, lächelte sie abwehrend. »Du siehst doch, was passiert. Solange wir es nicht kontrollieren können –«

»Kein Sex«, gelobte er grinsend.

Ihre Versuche, miteinander zu schlafen, hätten auf andere ziemlich befremdlich gewirkt. Meist endeten sie in einem Chaos aus Verwandlungen, das mal komisch, mal ärgerlich und oft nur peinlich war. Am schlimmsten war, dass sie dabei selten das Gleiche empfanden: Wenn es ihn zum Lachen brachte, wollte sie auf der Stelle sterben. Und sobald sie ihn mit seinem Pantherfell aufzog, begann er zu schmollen.

Starke Gefühle brachten bei ihnen beiden etwas zum Ausbruch, das in der Lounge für mehr als empörte Gesichter gesorgt hätte. Ohnehin fühlte Rosa sich auf Schritt und Tritt beobachtet, von den Spitzeln anderer Clans, Undercoveragenten der Polizei, von Raubtieraugen hinter den Masken biederer Normalität. Ganz sicher waren andere Arkadier im Raum.

»Themenwechsel?«, schlug sie vor. Die Alternative zu eiskaltem Wasser.

»Börsenkurse? Das Wetter?«

»Verantwortung.« Was aus ihrem Mund nun wirklich wie ein Fremdwort klang.

Sein Haar wurde schlagartig braun.

»Du hast die Typen ja gesehen«, sagte sie. »Sie haben vor dem Flughafen gewartet und mir Papiere vor die Nase gehalten, die ich unterschreiben soll. Konstruktionsaufträge für neue Windräder. Aktienoptionen. Subventionsanträge.« Sie verstand was von Romantik, keine Frage.

»Vielleicht solltest du hin und wieder zu ihnen in die Stadt fahren. Oder sie im Palazzo empfangen.«

»Ich unterschreibe jeden Tag *irgendwas*«, ereiferte sie sich. »Morgens telefoniere ich stundenlang mit obskuren Großcousinen in Mailand und Rom, nur weil sie Firmen führen, die zufällig mir gehören. Ich kenne die nicht mal! Bin schon froh, dass ich mir ihre Namen merken kann.«

»Solange dir nur klar ist, dass sie dich mit jedem Wort belügen.«

Im Oktober war die Leiche ihrer Tante Florinda Alcantara aus dem Tyrrhenischen Meer gefischt worden. Betroffener als die Schusswunde in Florindas Schädel hatte Rosa der Umstand gemacht, dass die Erbfolge von ihr verlangte, auf den Chefsessel des Clans nachzurücken. Niemand wollte sie dort und keiner hatte ernsthaft erwartet, dass sie die Herausforderung annahm. Wahrscheinlich hatte sie es gerade deswegen getan. Als der erste ihrer neuen *engen Vertrauten* und *guten Freunde*, die jetzt scharenweise im Palazzo Alcantara aufmarschierten, ihr nahegelegt hatte, freiwillig auf das Erbe zu verzichten, hatte sie ihren Entschluss gefasst. Sollten sie sehen, wie sie mit ihr klarkamen.

»Ich geb mir ja Mühe dazuzulernen« – das war eine freie Umschreibung ihres Desinteresses –, »aber ich bin nicht Florinda. Auch nicht Zoe. Ich komme mir vor wie ein Pilot, der auf zehntausend Metern merkt, dass er Höhenangst hat.«

»Das killt die Karriereoptionen.«

»Aber ich will diese Karriere nicht! Ich hab nicht darum gebeten, alles zu erben. Das ist was anderes als bei dir.«

Ebendas war der Unterschied zwischen ihnen. Alessandro hatte erreicht, was er immer gewollt hatte. Sie aber hatte nie etwas gewollt, und das hier schon gar nicht. Nur ihn. Ihn schon. Sogar sehr, sehr, sehr.

Aber bei aller Differenz in dieser einen Sache war da etwas, das sie verband: Keiner versuchte, den anderen zu ändern. Vielleicht fühlte sie sich gerade deshalb so wohl bei ihm.

Über sein Gesicht legte sich Nachdenklichkeit. Appetitzügler Nummer eins: die Geschäfte. Nummer zwei: seine Familie. Ihre Gespräche litten unter demselben Auf und Ab wie ihr Sex. Mal abgesehen davon, dass ihre Gespräche zumindest stattfanden und ihr Sex nicht viel mehr war als Spekulation. Sie hatten beide ihre Vorstellungen, wie er sich anfühlen würde – wenn es denn erst dazu käme. Nett wäre: ohne Schlangenschuppen und Katzenhaare im Mund.

»Ich hab angefangen aufzuräumen«, sagte er leise. »Mit einigem von dem Dreck, den Cesare und mein Vater angehäuft haben.« Jahrzehntelang hatten die Carnevares für andere Clans die Leichen von deren Opfern beseitigt, unter dem Asphalt von Autobahnen und im Beton grauer Bauruinen. Ein einträgliches Geschäft. Alessandro war kein Heiliger, aber er pfiff auf das Geld, das sein Clan damit verdiente. Eine Meinung, die nicht alle seine Teilhaber und *capodecini* teilten.

Sie ergriff wieder seine Hand, zögerte kurz und hauchte

ihm einen raschen Kuss auf die Wange. »Damit hast du dir keine Freunde gemacht, hm?«

»Es wird immer schlimmer. Selbst die wenigen, die mich als *capo* akzeptiert haben, wenden sich allmählich von mir ab. Nicht offen, aber die meisten sind zu dumm, um subtil zu sein.« Er beklagte sich selten, und selbst jetzt blieb sein Blick glasklar, sein Tonfall entschlossen. »Manchmal weiß ich nicht mehr, ob es wirklich das ist, was ich gewollt habe.«

Rosa fragte sich oft, ob sein Ehrgeiz, *capo* zu werden, das Erbe seines Vaters anzutreten, vielleicht nur entstanden war, weil er seine Mutter rächen wollte. Nun, da Cesare tot war, wusste Alessandro nicht recht, was er mit alldem eigentlich anfangen sollte. Er hatte ein Ziel gehabt, aber als er es erreichte, war es viel größer und komplizierter, als er erwartet hatte.

»Cesare hat bekommen, was er verdient hat«, sagte sie.

»Ja, aber haben *wir* bekommen, was wir verdient haben?« Er hob eine Hand und streichelte ihre Wange. »Vielleicht sollte ich doch mit dir gehen. Nur für ein paar Tage woandershin, und danach vielleicht –«

»Für immer weg?« Sie schüttelte lächelnd den Kopf. »Da kenn ich dich besser.«

»Der Gedanke, dass du am anderen Ende der Welt bist und ich hier, macht mich schon jetzt verrückt.«

Sie legte den Zeigefinger an seine Lippen und ließ ihn sanft an seinem Kinn hinabwandern. »Wie oft sehen wir uns in der Woche? Dreimal? Und selbst das nicht immer. Ich bin nur für ein paar Tage weg. Du wirst es nicht mal merken.«

»Das ist unfair.«

Natürlich war es unfair. Aber sosehr sie sich auch nach seiner Nähe sehnte, wenn er nicht im selben Raum war – und erst recht, *wenn* er es war –, sowenig wollte sie, dass er sie ausgerechnet heute begleitete. Nicht nach New York. Nicht zu ihrer Mutter.

»Ich könnte ein paar Besprechungen absagen«, fügte er hinzu. »Noch bin ich ihr *capo*, ob es ihnen gefällt oder nicht.«

»Das ist Unsinn, und das weißt du. Sie würden dich lieber heute als morgen loswerden.« Rosa hielt seinen Blick mit ihren Augen fest und bewunderte sekundenlang die Intensität dieses Grüns und den Glanz darin. »Was würden sie wohl sagen, wenn du ausgerechnet in dieser Lage mit einer Alcantara ins Ausland fliegst? In die Ferien.«

Als Zoe in ihren Armen gestorben war, hatte Rosa ihr etwas versprechen müssen. Sie würde herausfinden, in welcher Beziehung ihr toter Vater Davide zu TABULA gestanden hatte, jener mysteriösen Organisation, die im Verborgenen einen Krieg gegen die Arkadischen Dynastien führte. Pech war, dass Rosa nur ein einziger Anknüpfungspunkt einfiel, nur eine Person, die ihr mehr über ihren Vater erzählen konnte: ihre Mutter, ausgerechnet.

Rosa kannte keinen Menschen auf der Welt, dem sie weniger gern begegnen wollte. Nicht nach allem, was gewesen war. Nicht nachdem sich Gemma sogar geweigert hatte, zu Zoes Begräbnis nach Sizilien zu reisen. Bitch.

Alessandro seufzte. »Ich wollte diese Familie anführen, und nun werde ich von ihr geführt.«

»Tja«, entgegnete sie mit einem Augenaufschlag, den sie hart trainiert hatte, »das hättest du dir früher überlegen müssen, nicht wahr?«

Eine Lautsprecherstimme meldete das Boarding für ihren Flug.

»Wahrscheinlich werde ich jede Nacht von dir träumen«, sagte er. »Und wenn ich aufwache, weiß ich, dass der beste Teil des Tages schon vorbei ist.«

»Das hast du irgendwo gelesen.«

»Hab ich nicht.«

Sie küsste ihn nun doch wieder, sehr lange und sehr zärtlich. Er schmeckte noch immer wie eine andere Welt. Die Schlange atmete schon in ihrem Brustkorb, als er die Arme um sie legte.

»Hey«, rief sie lachend. »Mein Flug. Das Gate. Ich muss –«

»Das hier darf niemals aufhören«, flüsterte er.

Sie strich durch sein widerspenstiges Haar. »Niemals.«

Dann löste sie sich aus seiner Umarmung, schnappte sich ihre Tasche und hastete zum Ausgang.

New York

Was Rosa am Abend vorfand, war nicht ihr New York, sondern das der Touristen und Theaterbesucher, das glitzernde Tollhaus der Nomaden des Broadway.

Es war fast dreißig Grad kälter als auf Sizilien. Ihre Jacke war zu dünn, ihre Nase lief und im Koffer hatte sie nur einen einzelnen Handschuh gefunden. Home sweet home.

Müde trat sie aus dem Foyer des *Millennium*-Hotels, stapfte durch Schnee um die zuckerstangenbunte Eckfassade eines *Toys'R'Us* und stand auf dem Times Square, inmitten von dichten Menschenströmen, funkelnden Billboards und Videowänden.

Sie hatte fast ihr ganzes Leben in New York verbracht – allerdings auf der anderen Seite des East River. Das Treiben zwischen Wall Street und Bronx kannte sie besser aus dem Fernsehen als aus eigener Erfahrung.

Rosa war in Brooklyn aufgewachsen, in einer der schäbigeren *neighborhoods* ohne Manhattan-Skyline vor dem Fenster. Ihr Zuhause war eine Bruchbude gewesen, mit zu vielen Mietern in zu engen Apartments. Mit Graffiti im Treppenhaus, maroder Zentralheizung, zugigen Fenstern und klappernden Feuerleitern, die einen während der Herbststürme in den Wahnsinn trieben. In den Schächten vor den Kellerfenstern wurden Katzenjunge neben verendeten Ratten geboren, und Rosa konnte sich an nicht nur eine Kakerlakenplage von apokalyptischem Ausmaß erinnern.

Rundum gab es endlose Reihen von Häusern wie ihrem, hoch umzäunte Basketballfelder und schmuddelige Spielplätze, auf denen tagsüber junge Mütter in Sandkästen stierten und nachts die Ghettoblaster dröhnten. Schaukelnde Ampeln baumelten an Kabeln über den Straßen. Von Baumstämmen blickten fotokopierte Gesichter: vermisste Kinder, Hunde und Katzen. Unter Fensterbänken hingen verblichene Nationalflaggen. Und manchmal, bei Nacht, rollte ein leerer Kinderwagen brennend über eine Kreuzung als Kriegserklärung einer Gang im Kampf gegen die Langeweile.

Das war Rosas New York gewesen. Heute aber, nur wenige Monate nachdem sie all das hinter sich gelassen hatte, wohnte sie in einem schicken Hotel, das ihr Sekretariat in Piazza Armerina für sie gebucht hatte. Sie zahlte mit einer platinfarbenen Kreditkarte und wurde vom Concierge des Hotels mit »Signora Alcantara« angesprochen. Vor einem halben Jahr hätte er sie sofort hinauswerfen lassen. Sie kam sich nicht nur fremd vor in dieser Stadt, sondern fremd im eigenen Körper, hineinretuschiert in die Identität einer anderen.

Fast eine Stunde lang wanderte sie umher, ließ sich von der Masse der Passanten mitziehen und entschied schließlich, dass sie einen schmutzigen Hinterhof brauchte, eine eingeschneite Sackgasse, ein stilles Auge in diesem Tornado von einer Metropole. Sie fand eine Gasse, aufgeräumter, als sie gehofft hatte, aber heruntergekommen genug, um sie an das New York zu erinnern, das sie kannte. Sie spürte durch den Schnee den abgenutzten Asphalt, lauschte auf das Getöse des Straßenverkehrs und roch den abgestandenen Muff, der aus einem Luftgitter der U-Bahn dampfte.

Dass die Sehnsucht sie ausgerechnet in diesem Augenblick mit voller Breitseite traf, war eine Frechheit, aber sie kam nicht dagegen an. Im einen Moment dachte sie »Hier bin ich also«, im nächsten »Schöner wär's, wenn *er* hier wäre«. Bald würde sie davon träumen, seine Hemden zu bügeln.

Fast ein wenig widerwillig kramte sie nach ihrem iPhone, nahm schon an, irgendwer hätte es ihr im Getümmel gestohlen, meinte aber schließlich, es zwischen Papiertaschentüchern,

Augentropfen und einem Notizbuch zu ertasten; von Letzterem wusste sie selbst nicht so recht, weshalb sie es eigentlich mit sich herumtrug.

Was sie für ihr Handy gehalten hatte, entpuppte sich als weiteres Buch, kleiner, dicker, mit einem brüchigen Einband. *Die Fabeln des Äsop* stand in winzigen Lettern auf dem Lederrücken. Sie hielt es unter ihre rote Nase, blätterte geschwind mit dem Daumen die Seiten durch und atmete tief ein. Der Geruch transportierte sie zurück auf einen sonnendurchglühten Friedhof, tief im sizilianischen Hinterland.

Albern. Völlig kindisch. Hastig steckte sie es wieder weg, fand endlich das Handy und entdeckte, dass es während des Fluges eingeschaltet gewesen war. Der liebe Gott wollte, dass sie lebte und litt.

Keine SMS. Keine E-Mail. Aus den Augen, aus dem Sinn.

Sie tippte: *Bin angekommen. New York im Schnee. Sehr romantisch.* Sie zögerte und setzte hinzu: *Blasenentzündung im Anmarsch. Kein Schlangenklima. Mistwinter. Miststadt.*

Senden. Und schon schwebte ihre sensible Liebesprosa zur anderen Seite des Atlantiks. Wo es gerade zwei Uhr nachts war. Schuldbewusst biss sie sich auf die Unterlippe. Alessandros Handy lag immer eingeschaltet neben seinem Kopfkissen.

Es dauerte nur eine Minute, dann kam die Antwort.

Kann nicht schlafen. Denke zu viel an dich.

Mit hüpfendem Herzschlag tippte sie: *Dabei schon verwandelt?*

Enthaltung = Enthaarung, antwortete er. Offenbar war dies die Internationale Woche der schlechten Gleichungen.

New York minus Alessandro = noch kälter, schrieb sie zurück.

Er antwortete: *Kälte + Rosa = Schlange (besser nicht).*

Nur bei Kälte + Sex.

Sex + City = wie im Fernsehen?

Muss Manolos kaufen. Schlaf jetzt besser.

Seine Reaktion ließ eine Weile auf sich warten: *Rosa?*

A.?

Halte dich in NY von Carnevares fern. Wollte ich dir schon am Flughafen sagen, aber da war deine Zunge im Weg.

Idiot.

Ich mein's ernst. Meine Verwandten in NYC mögen keine Alcantaras.

OK.

Wirklich ernst.

Ja-haa! Hab verstanden!

Dann viel Spaß beim Schuhekaufen.

Ganz sicher nicht, dachte sie. *Bis später.*

Überall HAARE … Uaarrgghh!

Sie grinste das Display an wie eine Schwachsinnige, wartete einen Augenblick länger, ob noch etwas käme, dann steckte sie das Handy ein.

Unentschlossen blieb sie in der Gasse stehen, rieb sich die Hände warm und starrte in den Schnee rund um ihre Schuhe.

Warum eigentlich nicht?

☙

Am nächsten Morgen fuhr sie mit dem Taxi zum *Gothic Renaissance* an der 4th Avenue, kaufte schwarze Stahlkappenstiefel mit Quernaht und Acht-Loch-Schnürung, die einzigen wintertauglichen Strumpfhosen im ganzen Laden und dann, eine Ecke weiter, einen Tacker.

Jetzt war sie angekommen.

Der Tacker lag gut in der Hand und fasste hundert Stahlklammern, die er im Sekundentakt per Druckluft in beinahe alles und jeden hineinhämmern konnte. Nach der Vergewaltigung hatte sie sich angewöhnt, so ein Ding immer griffbereit zu haben. Warum sich mit Pfefferspray zufriedengeben, wenn man das hier in jedem Eisenwarenladen kaufen konnte?

Sicher, mittlerweile besaß sie genug Geld, um Bodyguards anzuheuern, die sie auf Schritt und Tritt bewacht hätten. Aber allein der Gedanke daran fühlte sich so gar nicht nach ihr selbst an. Sie war nach New York gekommen, um mit ihrer Mutter zu sprechen, nicht um sich Ärger einzuhandeln. Aber das Gewicht des Tackers in ihrer Tasche vermittelte ihr Sicherheit.

Sechzehn Monate war es her, dass Unbekannte sie auf einer Party im Village mit K.-o.-Tropfen betäubt und vergewaltigt hatten. Anschließend hatten sie Rosa bewusstlos auf der Straße abgeladen. Bis heute wusste sie nichts über das, was in jener Nacht geschehen war, und nach endlosen Beratungsgesprächen und Therapiesitzungen war sie zu dem Schluss gekommen, dass sie ihre Erinnerung gar nicht zurückhaben wollte. Sie suchte nicht mehr nach verdrängten Bildern und Gedankenfetzen, nicht nach unterdrückten Gefühlen. Wenn es eines gab, für das sie dankbar war, dann der Blackout, der sie vor den Einzelheiten bewahrte, der Erinnerung an Gesichter oder Stimmen. Nicht mal körperlicher Schmerz war zurückgeblieben. Dafür die Ängste. Ihre Macken. Die zerbissenen Fingernägel, ihre Kleptomanie und lange Zeit das Gefühl, niemandem mehr trauen zu können – bis sie Alessandro begegnet war. Manchmal musste man wohl doch mit den Augen eines anderen sehen, um sich selbst besser zu verstehen.

Aber die Vergewaltigung hatte noch weitere Spuren hinterlassen. Nathaniel. Das Kind, das sie abgetrieben hatte. Sie wusste, dass es ein Sohn geworden wäre, hatte es einfach gespürt. Sie hatte lange gewartet, bis zum dritten Monat, ehe sie dem Drängen ihrer Mutter und den Empfehlungen der Ärztinnen nachgegeben hatte. Der Eingriff war unter Vollnarkose durchgeführt worden, alles Routine, hatte die Ärztin gesagt. Für *sie* vielleicht.

Schneematsch spritzte auf den Gehweg. Auf der anderen Straßenseite war ein weiß gestrichenes Fahrrad an einen Laternenpfahl gekettet, eines der zahllosen *ghost bikes* in New York, die zur Erinnerung an überfahrene Radfahrer aufgestellt wurden. Rosa stand vor dem Laden, jetzt mit weichen Knien, und starrte auf den Tacker, als hielte er die Antworten bereit, denen sie monatelang aus dem Weg gegangen war. Vielleicht war es falsch gewesen, zurückzukommen, und sie hatte noch nicht genug Abstand gewonnen. Die Konfrontation mit ihrer Mutter würde es nicht besser machen. Das *klärende Gespräch*. Als wäre da noch irgendwas zu klären.

Sie ging bis zur Union Square Station an der 14. Straße, zögerte vor der Treppe und lief weiter bis zum nächsten Subway-Zugang auf einer Verkehrsinsel am Astor Place. Auch hier brachte sie es nicht über sich, zu den Gleisen hinabzugehen. Stattdessen setzte sie ihren Weg fort bis Broadway/Lafayette; dort hätte sie ohnehin umsteigen müssen.

Unterwegs aber entschied sie, dass es lächerlich war, die Begegnung länger hinauszuzögern. Nach dem Fußmarsch durch die Kälte fiel ihr immerhin ein, dass sie heute nicht mehr auf jeden Dollar achten musste. Sie hielt ein Taxi an und fuhr über die Brooklyn Bridge in Richtung Crown Heights.

Vor dem Haus, in dem sie aufgewachsen war, stieg sie aus dem Wagen und forschte in sich nach einem Gefühl von Heimkehr, wenigstens Vertrautheit. Nichts. Sie hatte schon einmal solch eine Leere gespürt, bei ihrer Ankunft auf Sizilien im vergangenen Oktober. Jetzt fragte sie sich, wo denn nun eigentlich ihr Zuhause war. Ihre Hand kroch in die Tasche und berührte die *Fabeln des Äsop*.

Die Reifen des Taxis ließen schmutzigen Schneematsch aufspritzen. Rosa stand auf dem Bürgersteig und starrte die acht Stufen bis zur Haustür hinauf. Das Gebäude hatte nur drei Stockwerke, reichte aber in der Tiefe bis zur nächsten Straße. Unterhalb des Flachdachs gab es einen ausgebleichten Brandfleck, ein Überbleibsel der Unruhen während des großen Stromausfalls von 77. In den Jahrzehnten, die seither vergangen waren, hatte es der Vermieter nicht für nötig gehalten, ein paar Dollar in Fassadenfarbe zu investieren.

Die Vorhänge der Wohnung waren geöffnet, alle Scheiben gründlich geputzt. Ein Strauß frischer Blumen leuchtete in einem Fenster; Gemma musste den Platz ausgesucht haben, weil dort für die längste Zeit die Sonne hereinfiel. Der Station Wagon der Petersons parkte wie eh und je direkt vor der Tür des Souterrain-Apartments, gleich neben dem Treppenaufgang. Falls Mister Piccirilli in der Zwischenzeit nicht an seinem billigen Bourbon erstickt war, würde das den üblichen Ärger geben.

Wenn sie das Haus noch weiter anstarrte, würde sie vor lauter kuscheliger Nostalgie in Tränen ausbrechen.

Es waren nur wenige Schritte bis zur Tür und zu den Klingeln. Sie hatte keinen Schlüssel mitgenommen, als sie nach Italien abgereist war. Jetzt fühlte es sich an, als wäre sie nicht vier Monate, sondern vierzig Jahre fort gewesen. Erst das machte ihr begreiflich, wie endgültig sie mit alldem hier abgeschlossen hatte.

Bei dem Gedanken, die Stufen hinaufzusteigen, wurde ihr speiübel. Wahrscheinlich war ihre Mutter ohnehin nicht da, sie hatte sicher noch diesen Job in *Bristen's Eatery* und den zweiten in der Wäscherei. Nachts kochte sie manchmal Glasnudeln in einem chinesischen Take-away, zwei Ecken weiter, dann nahm sie sich den nächsten Tag frei. Vielleicht war sie also doch da. Was es nur schlimmer machte, dass Rosa weithin sichtbar auf dem Bürgersteig stand wie festgefroren.

Wie hätte sie sich entschieden, wenn ihre Mutter ihr geraten hätte, das Kind zu behalten? Hätte Rosa Nathaniel zur Welt gebracht? Und was dann? Sie würde noch immer hier leben, nachts Mister Piccirillis Schnarchen durch die Bodendielen hören, einem plärrenden Säugling die Brust geben und versuchen, irgendwie über die Runden zu kommen.

Sie musste hier weg. Auf der Stelle.

Hatte Gemma nicht Recht behalten, als sie gesagt hatte, Rosa täte sich keinen Gefallen, wenn sie mit siebzehn ein Kind bekäme? Hatte Rosa nicht genug mit sich selbst zu tun? Aber abgesehen davon mussten sie nicht darüber sprechen. Sie wollte lediglich etwas über ihren Vater und TABULA erfahren.

Es war erbärmlich, einfach herumzustehen und gar nichts zu tun. Nicht hineinzugehen, nicht abzuhauen. Genau diese Unentschlossenheit hatte Nathaniel getötet.

Die Gardine neben dem Blumenstrauß bewegte sich. Ein Luftzug?

Warum kam nicht gerade jetzt der Schneeräumer vorbei und überrollte sie? Das hätte die ganze Sache so viel einfacher gemacht.

Ihre Hand in der Tasche hielt noch immer die *Fabeln*. Sie bemerkte es fast ein wenig erschrocken, ließ das Büchlein los und zog stattdessen das Handy hervor. Sie tippte die Nummer ein und stoppte knapp über der Ruftaste.

Die Gardine bewegte sich erneut. Wirklich nur der Wind. Die Fenster waren kaum isoliert. Rosa atmete durch und drückte auf Anrufen.

Sie hörte das Klingeln bis hinaus auf die Straße. Dreimal, viermal.

Leg besser auf.

Hinter den Fenstern sah sie einen Umriss, jemand ging vom Schlafzimmer in die Küche.

»Hallo?« Ihre Mutter klang müde. Also doch die Nachtschicht. »Ha-llo?« Schon wacher und gereizt.

Rosas Augen brannten. Sie hörte Gemma atmen. In der Einfahrt des Hauses tauchte ein kleiner Hund auf und bellte. Ihre Mutter musste es ebenfalls hören. Zweifach, wie ein Echo – durchs Fenster und aus ihrem Telefonhörer.

Hastig unterbrach Rosa die Verbindung und ging.

Der Hund folgte ihr kläffend ein Stück die Straße hinunter, dann ließ er sie laufen, zufrieden, dass er den Feind in die Flucht geschlagen hatte.

Sein Gesicht

Dass sie den Panther aus Bronze entdeckte, war Zufall.

Er kauerte auf einer Anhöhe im Central Park und schaute aus schwarzen Augen auf den East Drive herab, eine der beiden Straßen, die den Park von Norden nach Süden durchquerten. Von dort oben musste seine Sicht über die Baumkronen hinweg bis zur Skyline der Wolkenkratzer an der Fifth Avenue reichen. Er schien zum Sprung bereit, auf seinem Fels inmitten entlaubter Ranken von wildem Wein.

Rosa setzte sich auf eine Bank und betrachtete die Statue von weitem. Jogger und Spaziergänger kamen vorbei, dann und wann eines der Pferdegespanne, die Touristen und Liebespaare durch den Park kutschierten. Eiszapfen hingen wie gefletschte Zähne von den Lefzen der Raubkatze. Trotzdem fand sie in den dunklen Augen nur Traurigkeit, nichts Furchteinflößendes.

Bevor sie hergekommen war, hatte sie ihren Laptop aus dem Hotel geholt. Parkarbeiter hatten die Bänke enteist, dennoch drang Kälte durch ihre Jeans und die Strumpfhose.

Der Bronzepanther schien sie zu beobachten. Sie kannte den Effekt von anderen Standbildern, auch von den Ölgemälden im Palazzo Alcantara. Wäre sie aufgestanden und ein Stück weit gegangen, wären die Blicke der Statue ihr gefolgt.

Der Laptop lag zugeklappt auf ihrem Schoß, als sie Alessandros Nummer wählte. In Italien war es jetzt kurz nach neun. Sie hatte ihn einmal gefragt, was er an jenen Abenden tat, die sie nicht zusammen verbrachten. »Nichts«, hatte er geantwortet, »ich sitze da und tue nichts.«

»Du meinst, du liest? Oder schaust fern?« Noch während sie das sagte, kam sie sich so sterbenslangweilig vor, dass sie schreien wollte.

Alessandro schüttelte den Kopf. »Wenn es warm ist, gehe ich raus auf die Zinnen und schaue über die Ebene im Süden. Über die Hügel am Horizont. Wenn der Scirocco weht, kannst du Afrika riechen.«

»Ist das so eine Panthersache?« Sie gestikulierte unbeholfen. »Ich meine … Panther. Dschungel. Afrika.«

»Da kommen wir her. Ursprünglich jedenfalls.«

»Ich dachte, aus Arkadien.«

»Das, was menschlich an uns ist. Aber der andere Teil, die Wurzel der Panthera, liegt irgendwo in Afrika.«

»Und Schlangen?«

»Für die gilt das Gleiche, schätze ich.«

»Zeigst du's mir? Wie man Afrika riecht, da oben auf euren Zinnen?«

»Sicher.«

Auch der Panther auf dem Fels sah aus, als träumte er von der Ferne.

Das Freizeichen riss sie aus ihren Gedanken. Kurz darauf meldete sich Alessandros Mailbox. Rosa zögerte kurz, räusperte sich, lächelte und sagte: »Ich denke gerade an dich. An das, was du über Afrika gesagt hast. Hier ist ein Panther bei mir. Er ist aus Metall, aber ich würde gern zu ihm raufklettern und ihn umarmen.«

Liebe Güte. Das war mit Abstand das Lächerlichste, was sie jemals von sich gegeben hatte. Panisch unterbrach sie die Verbindung und realisierte in derselben Sekunde, dass es zu spät war. Sie konnte es nicht mehr rückgängig machen. *Zu ihm raufklettern. Ihn umarmen.* Am liebsten hätte sie sich unter ihrer Parkbank verkrochen.

Der Panther aber sah weiter auf sie herab, und jetzt blitzte sein Eiszapfengebiss in einem Sonnenstrahl, so als würde er sie angrinsen und sagen: »Dann komm doch.«

Sie ließ das Handy in ihren Schoß fallen, hob es mit spitzen Fingern wieder auf und versenkte es tief in der Tasche. Vielleicht vergaß er, seine Mailbox abzuhören. Ungefähr die nächsten fünfzig Jahre lang.

Fast mechanisch wandte sie sich dem Laptop zu. Das Gehäuse fühlte sich eisig an. Sie brauchte dringend Handschuhe und ärgerte sich, dass sie im *Gothic Renaissance* keine gekauft hatte. Wobei schwarze Spitze bei der Kälte vielleicht nicht die beste Wahl war.

All die neuen E-Mails im Eingangsordner passten nicht auf einen Bildschirm. Eine Handvoll war direkt an sie gerichtet – die meisten stammten von den Männern, die ihr am Flughafen gefolgt waren –, doch der Großteil ging ihr nur als Kopie zu. Korrespondenzen zwischen Geschäftsführern ihrer Firmen, leeres Blabla, um den Überwachungsexperten der Polizei etwas zu tun zu geben. Manches schien in verwirrende Codes verschlüsselt, doch in Wahrheit waren das nichts als willkürliche Buchstaben- und Zahlenfolgen; jede Minute, die die Anti-Mafia-Kommission mit ihrer Decodierung verschwendete, fehlte den Polizisten anderswo.

Die übrigen Mails beschränkten sich auf die legalen Aktivitäten der Alcantara-Firmen, vor allem auf den Bau von Windrädern auf ganz Sizilien und die Lieferung von Wolldecken und Nahrungsmitteln in die Flüchtlingslager auf Lampedusa.

Eine der letzten Mails jedoch ließ sie die Stirn runzeln. Der Absender lautete *Studio Legale Avv. Giuseppe L. Trevini*. Rechtsanwalt Trevini arbeitete seit vielen Jahren ausschließlich für die Alcantaras, seit den Zeiten, in denen noch Rosas Großmutter den Clan geführt hatte. Rosa hatte ihn in den vergangenen Monaten dreimal besucht und festgestellt, dass er ein lückenloses Wissen über alle sauberen und unsauberen Geschäfte der Familie besaß. Wenn sie irgendeine Frage habe, hatte er gesagt, könne sie sich jederzeit an ihn wenden. Trevini war altmodisch, verschroben, aber auch durchtrieben und technophob; bis heute hatte er ihr keine einzige E-Mail geschickt. Was er aus Sicherheitsgründen nicht auf Papier archivierte, speicherte er im Gedächtnis. Rosa war noch niemandem begegnet, der über ein so exaktes Erinnerungsvermögen verfügte. Sie traute ihm nicht, trotz seiner engen Bindung an die Alcantaras. In den Tagen vor ihrer Abreise hatte er viermal um einen Termin gebeten. Das aber hätte bedeutet, dass sie zu ihm nach Taormina hätte fahren müssen. Trevini saß im Rollstuhl und er weigerte sich, das Grandhotel über der Bucht zu verlassen, in dem er seit Jahrzehnten lebte.

Dass der Avvocato ihr nun doch eine Mail schickte, war ungewöhnlich. Noch verblüffender aber war die Betreffzeile: *Alessandro Carnevare – wichtig!*

Der Anwalt hatte keinen Hehl daraus gemacht, dass er eine Beziehung zwischen einer Alcantara und einem Carnevare für untragbar hielt. Auch deshalb hatte sie kein gutes Gefühl, als sie die E-Mail öffnete.

Verehrte Signorina Alcantara, schrieb er, *als langjähriger Rechtsbeistand Ihrer Familie möchte ich Sie bitten, einen Blick auf die anhängende Videodatei zu werfen. Zudem ersuche ich Sie erneut um ein persönliches Gespräch. Sie werden mir zustimmen, dass der Anhang und weiteres Material, das sich in meinem Besitz befindet, eine dringliche Besprechung erfordert. Bei dieser Gelegenheit würde ich Sie gern mit meiner neuen Mitarbeiterin, Contessa Avv. Cristina di Santis, bekannt machen. Ich verbleibe in tiefem Respekt vor Ihrer Familie und in der Hoffnung auf eine baldige Begegnung Ihr Avv. Giuseppe L. Trevini.*

Rosa bewegte den Cursor auf das Symbol der Datei im Anhang, hielt dann aber inne. Noch einmal las sie verärgert den letzten Satz. *Respekt vor Ihrer Familie.* Womit er natürlich meinte: *Vergiss nicht, zu wem du gehörst, dummes Kind.*

Mit einem Schnauben klickte sie auf die Datei und wartete ungeduldig, bis sich das Videofenster öffnete. Das Bild war nicht größer als eine Zigarettenschachtel, verpixelt und viel zu dunkel. Aus dem Lautsprecher drangen blechernes Rauschen und verzerrte Stimmen.

Es waren Bilder von einer Party, augenscheinlich mit einem Handy gefilmt, verwackelte und diffuse Aufnahmen lachender Gesichter in einem Schwenk durch einen großen Raum. Die Gesprächsfetzen waren kaum zu verstehen, eine dumpfe Tonsuppe aus Sätzen, Gläserklirren und Hintergrundmusik.

Jetzt richtete sich die Kamera auf eine einzelne Person und verharrte dort. Rosa blickte in ihr eigenes Gesicht, glänzend von der Wärme im Raum. Sie trug Make-up. In einer Hand hielt sie ein Cocktailglas und eine Zigarette. Seit beinahe anderthalb Jahren rauchte und trank sie nicht mehr. Keinen Tropfen Alkohol seit jener Nacht.

Eine aufgekratzte Mädchenstimme fragte sie, wie es ihr gehe. Die Rosa im Film grinste und formte mit den Lippen ein Wort.

»Was?«, rief die Stimme.

»K – L – O«, buchstabierte Rosa. »Kommst du mit?«

Die Antwort war nicht zu hören, aber das Bild wackelte: Kopfschütteln. Rosa zuckte die Achseln, stellte ihr Glas auf einem Buffettisch ab und ging mit merklicher Schlagseite aus dem Bild. Sie hatte eine Menge getrunken an diesem Abend.

Der Bildausschnitt bewegte sich wieder. Gesichter wurden gestreift, auch mal länger fixiert, wenn es sich um männliche, gut aussehende handelte. Hin und wieder grinste jemand in die Kamera, mehrmals wurde die Besitzerin des Handys gegrüßt: »Hi, Valerie!« – »Wie geht's?« – »Hey, Val!«

Valerie Paige. Rosa hatte seit Monaten nicht mehr an sie gedacht. Wie kam Trevini an eine Aufnahme, die Val während der Party im Village gefilmt hatte? Er musste erfahren haben, was damals geschehen war. Auch das noch.

Valerie blieb abermals stehen. Ein paarmal zoomte sie vor und zurück – noch mehr Gesichter, die meisten pixelig bis zur

Unkenntlichkeit. Dann konzentrierte sie sich auf eine Gruppe junger Männer in einer Ecke des Raumes.

Fünf oder sechs Jungs, die sich unterhielten, drei mit dem Rücken zur Kamera. Einer winkte in Valeries Richtung und pfiff ihr anerkennend zu. Rosa hatte ihn noch nie gesehen. Val zoomte wieder nach vorn. Aus dem Off rief sie »Hey, Mark!«. Da drehten sich auch die anderen zu ihr um. Einer blickte genau in die Kamera und lächelte.

Das Bild fror ein. Der Ton brach ab.

Die Statusleiste zeigte an, dass die Datei noch nicht am Ende war, aber der Rest war mit dem Standbild dieses einen Gesichts gefüllt. Mit diesem stummen, versteinerten Lächeln.

Zitternd zog Rosa das Fenster größer, bis die Züge des Jungen aus bräunlichen Quadern bestanden. Sie verkleinerte es wieder, jetzt bis zum Minimum.

Das hätte sie sich sparen können. Sie hatte Alessandro erkannt, noch bevor er sich umdrehte. An der Bewegung selbst. Am widerspenstigen Haar.

Mit einem Fluch sank sie gegen die Lehne der Parkbank. Über den Rand des Laptops hinweg starrte unbewegt der Bronzepanther herüber, oben auf seinem Fels vor einem Hintergrund knochiger Zweige.

Alessandro war dort gewesen. In der Nacht, als es passiert war. In jener Wohnung im Village, die Rosa weder davor noch danach wieder betreten hatte.

Sein Haar war kürzer als heute; Internatsschnitt, hatte er das einmal genannt. Die anderen, die bei ihm standen, hatten ganz ähnliche Frisuren.

Er war, verdammt noch mal, *dort gewesen.*

Und er hatte es nie auch nur mit einem Wort erwähnt.

Valerie

Es war ein Trick. Eine Lüge. Irgendeine perverse List, um sie zu verunsichern und abzulenken, damit sie keine der Alcantara-Geschäfte verpfuschte, mit denen Trevini sein Geld verdiente.

Im Grunde war es leicht zu durchschauen. Er wollte sie aus der Fassung bringen und dadurch formbar machen, beeinflussbar. Die meisten Menschen glaubten, die Mafia räumte alle, die ihr im Weg standen, mit einer Maschinenpistole aus dem Weg. Das war Unsinn. Es gab viele andere Möglichkeiten, und der Avvocato Trevini kannte sie alle. Wer seit Jahrzehnten für die Cosa Nostra arbeitete, Mörder verteidigte, Schwerverbrecher aus dem Gefängnis boxte und Staatsanwälte in Misskredit brachte, wer alle Führungswechsel und sogar die blutigen Straßenkriege früherer Jahre unbeschadet überstanden hatte, der wusste Bescheid.

Eine Videoaufnahme ließ sich fälschen. Wie schwer konnte es sein, ein Gesicht durch ein anderes zu ersetzen? Trevini musste damit rechnen, dass sie ihm nicht traute. Dass sie selbstverständlich eher Alessandro als ihm glauben würde. Alles, was sie zu tun hatte, war, Alessandro anzurufen und ihn zu fragen. Dann würde der ganze Schwindel auffliegen.

Und dennoch hatte Trevini ihr das Video geschickt.

Sie zog das Handy aus der Tasche und wählte zum zweiten Mal an diesem Nachmittag Alessandros Nummer. Das Freizeichen kam ihr lauter und schriller vor. Wieder die Mailbox.

Auf dem Monitor des Laptops hing noch immer sein Lächeln, so diffus wie eine halb vergessene Erinnerung. Hatte sie ihn an jenem Abend gesehen? Valerie hatte die Angewohnheit, auf jeden, den sie scharf fand, mit dem Finger zu zeigen. Hatte sie Rosa damals auf ihn aufmerksam gemacht? Und, wichtiger noch, hatte *er* Rosa gesehen und ihr später nicht gesagt, dass er sie wiedererkannt hatte? Warum hätte er ihr das verschweigen sollen?

Aber er war schon einmal nicht aufrichtig gewesen, damals, als er sie mit zur Isola Luna genommen hatte, um sich durch ihre Anwesenheit vor Tanos Mordplänen zu schützen. Da waren sie noch nicht zusammen gewesen. Machte das einen Unterschied?

Sie beschloss, eine Mail an Trevini zu schreiben.

Sie sind gefeuert, tippte sie. *Verpissen Sie sich aus meinem Leben.*

Das löschte sie wieder und schrieb stattdessen: *Sie hören von meinen Auftragskillern. Scheißanwalt. Scheißkrüppel. Ich hoffe, Sie übersehen eine Scheißtreppe in Ihrem Scheißhotel.*

Das war fast schon Poesie.

Nach kurzer Überlegung überschrieb sie den Text: *Sehr geehrter Signore Trevini, ich bin derzeit nicht zu Hause. In den nächsten Tagen melde ich mich zwecks Terminabsprache. Woher haben Sie dieses Video? Und was ist das für anderes Material, das Sie erwähnen? Hochachtungsvoll Rosa Alcantara.*

P.S.: ICH HOFFE, SIE ERSTICKEN AN IHREN SCHEISS-ROLLSTUHLKRÜPPELANWALTSLÜGEN!

Sie starrte das Postskriptum an, dann löschte sie es Buchstabe für Buchstabe, sehr langsam. Schließlich klickte sie auf *Senden* und klappte den Laptop zu.

Im selben Moment klingelte ihr Handy. Sie sah Alessandros Namen auf dem Display, wartete einen Moment, dann ging sie dran.

»Hey, ich bin's.«

»Hi.«

»Was machst du da mit diesem Panther?«

Irritiert blickte sie sich um, dann fiel ihr die Mailbox ein. Herzlichen Glückwunsch.

»Wo hast du gesteckt?«, fragte sie.

Er zögerte kurz. »Besprechungen?« Es klang wie eine Frage, als konnte er nicht glauben, dass sie das vergessen hatte. »Schön, deine Stimme zu hören.«

Sie hasste sich ein wenig dafür, dass sie sich nicht besser verstellen konnte. Dass sie es nicht fertigbrachte, wenigstens für ein, zwei Minuten so zu tun, als wäre alles in Ordnung. Stattdessen sagte sie: »Du bist da gewesen.«

Wieder eine Pause. »Was meinst du?«

»Die Party. Damals, im Village. Du warst dort.«

»Sag mal, wovon redest du?«

Sie dachte erleichtert: Gut. Also doch ein Trick. Alles eine Lüge. Er hatte keine Ahnung, was sie überhaupt von ihm wollte.

Nur dass sie das nicht sagte. »Ich hab dich gesehen. Du bist auf einem Video. Du bist auf derselben Party gewesen wie ich, am selben beschissenen Abend.«

Seine Reaktion war sehr sachlich: »Wann genau war das?«

»31. Oktober. Halloweenparty ohne Kostüme. Wer trotzdem mit einem hingekommen ist, musste sich bis auf die Unterwäsche ausziehen und einmal durch die Wohnung laufen.«

Sie hörte, wie er scharf durchatmete. »*Das* war die Party? Wo sie … Das ist *dort* gewesen?«

Und wenn er jetzt gelogen hätte, um ihr nicht wehzutun? Wäre ihr das lieber gewesen? Sie wollte die Wahrheit wissen, egal wie verwirrend oder schlimm sie war.

»Ja«, sagte sie dumpf.

»Das hab ich nicht gewusst. Du hast das nie erwähnt.«

»Hast du mich dort gesehen?«

»Nein.« Er klang nun beinahe verstört, und das kannte sie nicht von ihm. Es gefiel ihr nicht, und es brachte sie nur noch mehr durcheinander. »Nein«, wiederholte er entschiedener, »natürlich nicht.«

»Bist du sicher?«

»Scheiße, Rosa ... Ich hatte keine Ahnung! Da waren so viele Menschen, und wir waren damals oft auf irgendwelchen Partys. Die anderen und ich, wir sind vom Internat aus in die Stadt gefahren. Auch ins Village. Irgendwer kannte immer irgendwen, und irgendwo war immer was los.«

Das klang plausibel. Es gab überhaupt keinen Grund, ihm zu misstrauen. Und sie liebte ihn doch.

Nur war da ein Unterton, ein leichtes Zögern, das sie stutzig machte. *Irgendwer kannte immer irgendwen.*

»Hast du sie gekannt?«, fragte sie leise. »Die, die das getan haben?«

Und nun begriff er. »Du glaubst, ich hätte es gewusst und nichts gesagt? Die ganze Zeit über nichts gesagt?«

»Ich weiß nicht, was ich glaube.« Sie spürte ihre Finger am Handy nicht mehr. Die Sonne schien über dem Central Park, aber ein frostiger Wind jagte den East Drive herunter, wirbelte Eiskristalle auf und fuhr unter ihre Kleidung. »Ich weiß gar nichts mehr.«

»Du kannst doch nicht wirklich annehmen, dass ich so jemanden decken würde, oder?« Er war verletzt, und das tat ihr leid. »Ich würde den Scheißkerlen eigenhändig Kugeln zwischen die Augen jagen, wenn ich wüsste, wer es war.«

Sie rieb sich mit der freien Hand durchs Gesicht, noch immer unfähig nachzudenken. »Als ich dich gesehen habe, auf diesem Video ... Ich hab nicht damit gerechnet.«

»Ich wäre jetzt gern bei dir.«

»Ist nicht gut, über so was am Telefon zu sprechen. Ich weiß.«

»Nein. Ich ... tut mir leid, Rosa. Was soll ich sagen? Ich hab's einfach nicht gewusst.«

»Du kannst ja nichts dafür.«

»Ich fliege nach New York. Gleich morgen früh!«

»Unsinn. Ich komm schon klar. Du kannst mir ohnehin nicht helfen. Ich bin zu feige, um mit meiner Mutter zu sprechen. Und jetzt auch noch diese Sache …« Sie rieb die Knie aneinander, um sie zu wärmen. »Ich muss nur wieder ein wenig runterkommen, dann ist alles in Ordnung.«

»Gar nichts ist in Ordnung«, widersprach er energisch. »Du *klingst* nicht in Ordnung.«

»Lass uns einfach später noch mal telefonieren.«

»Leg jetzt ja nicht auf. Sonst komme ich noch heute Nacht zu dir rüber.« Mit dem Privatjet der Carnevares war das nicht einmal abwegig.

»Wirklich, Alessandro … Tu das nicht.« Sie musste sich zusammenreißen. Es war nicht gut, dass sie diese Sache so aus der Bahn warf. Das bedeutete nur, dass Trevini sie richtig eingeschätzt hatte. »Ich komme hier allein zurecht. Vielleicht sollte ich das mit meinem Vater und TABULA einfach auf sich beruhen lassen.« Sie wussten beide, dass sie das nicht tun würde. Nicht nach dem, was sie der sterbenden Zoe versprochen hatte. »Es ist komisch, wieder zurück zu sein. New York ist … anders. Irgendwie.«

»Klar. Du hast dich verändert.«

»Früher hätte ich mich nicht so gehenlassen.«

»Tust du nicht. Du bist sauer. Ist doch klar.« Er räusperte sich, und sie stellte sich vor, wie er sich die Nase rieb; das tat er manchmal, wenn er nachdachte. »Von wem hast du das Video?«

»Trevini hat's mir geschickt.«

»Dieser Drecksack.«

»Er sagt«, begann sie, verschluckte aber den Rest des Satzes: *dass er noch mehr Material hat.* Mehr Beweise? Wofür? »Er hat mir nicht gesagt, woher er es hat. Aber das wird er noch, keine Sorge.«

»Er ist wie die anderen. Es passt niemandem, dass wir −«

»Die anderen kann ich ignorieren. Ihn nicht. Er ist der Einzige, der den Überblick hat über alles, womit die Alcantaras ihr Geld verdienen.«

»Es gefällt ihm nicht, dass eine Achtzehnjährige ihm Anweisungen geben darf.«

»Kann man ihm nicht verübeln.«

»Hat er noch was gesagt? Irgendwas?«

»Dass er sich mit mir treffen will.«

»Vielleicht solltest du das lieber bleibenlassen.«

»Er kann mir nichts tun. Das wäre auch sehr dumm von ihm. Die Geschäftsführer trauen ihm nicht, keinem ist geheuer, wie viel er weiß. Würde er versuchen, mich umzubringen, würde er das selbst nicht lange überleben. Die anderen halten mich für naiv und anmaßend, aber sie glauben, dass sie mich früher oder später in eine Richtung steuern können, die für sie bequem ist. Trevini könnte niemals *capo* sein, keiner würde das akzeptieren. Dreißig oder vierzig Jahre Arbeit für die Alcantaras machen ihn noch nicht zu einem von uns.«

»Trotzdem, fahr nicht zu ihm. Er hat irgendwas vor. Warum sonst hätte er dir das Video schicken sollen?«

Allmählich wurde sie ruhiger. »Sagt dir der Name Cristina di Santis etwas? Contessa di Santis?«

»Wer ist das?«

»Trevinis neue Mitarbeiterin, schreibt er. Ich soll sie kennenlernen. Ist vielleicht nicht wichtig.«

»Mit dem Jet könnte ich in zehn Stunden bei dir sein.«

»Sieh du lieber zu, dass dir keiner deiner Leute in den Rücken fällt. Mit Trevini komme ich klar. Und mit meiner Mutter auch.«

Sein langes Schweigen verriet, dass er nicht überzeugt war. »Wer hat das Video gefilmt?«

»Eine Freundin … jedenfalls war sie das damals. Valerie Paige. Sie war diejenige, die mich mit dorthin geschleppt hat.«

Sie spürte, dass er etwas sagen wollte, aber sie kam ihm zuvor: »Das war nicht das erste Mal. Sie hat in einem Club gekellnert und wurde dauernd irgendwohin eingeladen, und ein paarmal bin ich mitgegangen.«

»Und sie hat mich gefilmt?«

»Nicht nur dich. Eine Menge Leute, die dort waren. Mit ihrem Handy. Jemand hat das Bild nachträglich auf deinem Gesicht eingefroren. Ich nehme an, das war Trevini.«

»Wie kommt ein Anwalt, der auf Sizilien im Rollstuhl festsitzt, an das Handy einer Kellnerin aus New York?«

»FedEx?«

»Ich mein's ernst, Rosa.«

»Ich hab keinen Schimmer. Ist mir jetzt auch egal. Aber es hat gutgetan, mit dir darüber zu reden ... Und, Alessandro? Entschuldige, dass ich ... Du weißt schon, oder?«

»Ich hab dich sehr, sehr gern«, sagte er sanft.

»Ich dich auch. Und ich freu mich drauf, dich wiederzusehen. Aber nicht hier in New York. In ein paar Tagen bin ich wieder zu Hause. Das hier ist etwas, das ich allein erledigen muss.« Sie zögerte kurz. »Und komm nicht auf die Idee, mit Trevini zu sprechen. Das ist meine Sache. Okay?«

»Es geht mich aber genauso –«

»Bitte, Alessandro! Sie werden mich niemals für voll nehmen, wenn sie glauben, ich schicke ausgerechnet einen Carnevare vor, sobald es brenzlig wird. Außerdem hast du genug eigenen Ärger.«

Sie wollte ihn küssen dafür, dass er nicht widersprach.

»Ruf mich jeden Tag an, ja?«, bat er.

»Mach ich.«

Sie verabschiedeten sich. Rosa steckte das Handy ein und horchte auf das wohltuende Echo seiner Stimme in ihrem Kopf. Das Gespräch mit ihm und die Tatsache, dass sie weit voneinander entfernt waren, laugten sie mehr aus als der verunglückte Besuch vor dem Haus ihrer Mutter. Sie hatte Sehnsucht nach ihm, aber sie konnte das ihm gegenüber nicht so ausdrücken, wie sie wollte. Dass er es sicher trotzdem wusste, machte es nicht besser. Dabei wunderte sie sich über ihren Drang, ihm ihre Gefühle auf die Nase zu binden. Das war nie ihre Art gewesen. Warum also jetzt so ein Mitteilungsbedürfnis? Peinlich. Zumindest ungewohnt.

Schließlich verklang seine Stimme in ihrem Kopf. Die Stille hatte sie wieder, mitten in der lautesten Stadt Amerikas.

Noch einmal checkte sie ihre E-Mails. Keine Antwort von Trevini. Kurz war sie versucht, sich das Video erneut anzusehen. Aber nicht hier im Park, nicht in dieser Kälte, wo sie nicht spüren würde, wenn die *andere* Kälte in ihr emporkroch.

Der Bronzepanther bleckte seine Eiszapfenfänge. Jetzt fand sie überhaupt nicht mehr, dass er wie Alessandro aussah. Lauernd folgte ihr sein Blick, als sie sich auf den Weg machte.

Wenn sie herausfinden wollte, wie Trevini an das Video gelangt war, gab es nur eine, die sie fragen konnte.

Freaks

Rosa und Valerie waren sich zum erste Mal online begegnet. In einer Community, die sich *Suicide Queens* nannte, kannte niemand den anderen persönlich. Alle wussten lediglich voneinander, wie sie aussahen in den verschiedenen Phasen von hellwach über benommen bis so-gut-wie-tot. Die Webcams waren unerbittlich, wenn es darum ging, ihr Sterben aufzuzeichnen und ins Netz zu stellen.

Nur Mädchen und junge Frauen waren Mitglieder. Wobei es geteilte Meinungen darüber gab, ob eine Mittzwanzigerin namens Lucille Seville nicht doch einmal ein Mann gewesen war. Jedenfalls trug sie eine Perücke; das wussten sie, weil die Sanitäter sie versehentlich beim Abtransport heruntergezogen hatten.

Die Regeln der Suicide Queens waren denkbar einfach. Jeden Abend war eine von ihnen an der Reihe: Eine Begrüßung vor laufender Kamera an alle, die eingeloggt waren, dann die Präsentation der Pillen. Für gewöhnlich fand diese Einleitung bereits vor dem Bett oder Sofa statt, auf dem sich alles Weitere abspielen würde. Die ersten Punkte gab es von den übrigen Queens für die Anzahl der Tabletten. Weitere Punkte für die Überzeugungskraft, die anschließend beim telefonischen Notruf an den Tag gelegt wurde. Manche schrien und heulten hysterisch; einige blieben ganz ruhig und sagten nur: »Gleich bin ich tot. Holt mich, wenn ihr könnt.«

Zu Letzteren gehörte Valerie. Sie schluckte mehr Pillen als alle anderen, und irgendwie kam sie an das ganz harte Zeug heran; als nächste Stufe wäre ihr nur Rattengift geblieben. Sie spülte die Medikamente mit Alkohol hinunter und blieb beim Notruf kurz angebunden. Danach legte sie sich aufs Bett, gut sichtbar für die Community draußen an den Monitoren, und wartete auf den Schlaf. Und auf die Rettungsmannschaft. Mal dauerte es nur ein paar Minuten, mal eine halbe Stunde. Valerie behauptete, sie hätte schon häufig das Licht am Ende des Tunnels gesehen. Den Film ihres Lebens kenne sie in- und auswendig, weil sie ihn so oft vor ihrem inneren Auge habe ablaufen sehen.

Keine machte Val etwas vor. Sie schluckte die meisten Schlafmittel, sie blieb am längsten bei Bewusstsein und mindestens einmal hatte sie der Rettungszentrale die Nummer ihres Apartments verschwiegen. Die Sanitäter hatten sich erst durch den halben Block fragen müssen, ehe sie sie gefunden hatten. An jenem Abend hätte es Valerie fast erwischt. Aber eine Woche später saß sie erneut vor ihrer Webcam und war wieder im Rennen – mit dem höchsten Punktestand seit Gründung der Queens. Ihre zufriedene Miene zeigte allen, dass sie den Sinn ihres Lebens in der Erwartung des Todes gefunden hatte.

Rosa hatte sich nur ein einziges Mal aktiv am Wettbewerb beteiligt. Sie hatte tagelang gegoogelt und alles gelesen, was sie über Selbstmord durch Schlafmittel hatte finden können. Seiten um Seiten um Seiten, bis es der Sache beinahe die morbide Romantik genommen hatte.

Sie war nicht einmal eingeschlafen, als der Rettungswagen vor ihrer Haustür auftauchte. Die Einzige, die noch weniger Punkte bekommen hatte als sie, war eine Punkerin aus Jersey, die behauptete, Aspirin habe dieselbe Wirkung wie Zopiclone, und ihnen weismachen wollte, sie sei nach der fünften Tablette ins Koma gefallen. Rosa hatte auf weitere Teilnahmen verzichtet.

Eine Woche später traf sie Valerie im *Club Exit* an der Greenpoint Avenue. Valerie sprach sie an, so fröhlich und ungezwungen, als hätten sie sich beim Shoppen kennengelernt; Val trug ein T-Shirt mit dem Schriftzug *Dein Hardcore ist mein*

Mainstream. Niemals hätte Rosa sie von sich aus erkannt. Die verzerrte Perspektive der Webcam, die Pixel, das schlechte Licht hatten ihr etwas Gespenstisches gegeben, das dem Titel einer Suicide Queen alle Ehre machte. In natura aber war Valerie ein blasser Teenager wie Rosa selbst, mit einem schwarzen Pagenschnitt, der sie wie einen Stummfilmstar der Zwanzigerjahre aussehen ließ. Sie war mager wie Rosa, geschminkt wie Rosa, und bei ihrer zweiten Begegnung im *Three Kings* war klar, dass sie in vielem auch dachte wie Rosa. Nach einem halben Dutzend Treffen, einige zufällig, andere geplant, gestand sie, dass ihre Auftritte bei den Suicide Queens getürkt waren. Die Pillen – Magnesiumtabletten. Der Bourbon – Apfelsaft. Die Sanitäter – Freunde aus dem Apartment ein Stockwerk über ihr.

Rosa war so fasziniert wie enttäuscht: »Was ist mit dem Ehrenkodex der Queens?«

Valerie starrte sie entgeistert an. »Aber das sind *Freaks!*«, entfuhr es ihr, und damit war die Sache erledigt.

Letztlich überwog Rosas Bewunderung für die Kaltschnäuzigkeit, mit der Valerie einen Haufen lebensmüder Vollidioten an der Nase herumführte – einschließlich Rosa selbst. Während der Chats fraßen ihr die anderen aus der Hand und widersprachen keiner ihrer absurden Thesen über das Leben nach dem Tod.

Für Valerie war alles nur ein großer Spaß, offline lachte sie bitterböse über die anderen Queens, und Rosa fühlte sich geschmeichelt, weil dieses sonderbare Mädchen ihr Vertrauen schenkte. Natürlich würde sie mit niemandem darüber reden, nur ein einziges Mal musste sie das versprechen und danach nie wieder. Sie war in Valeries engen Kreis aufgenommen, und dieser enge Kreis bestand aus – Valerie und Rosa. Zum ersten Mal seit Zoes Abreise nach Italien fühlte sie sich ernst genommen und von jemandem akzeptiert. Ihre Schwester hatte, bei allen

Unterschieden, ein Vakuum hinterlassen, das Valerie mit ihrem bizarren Charme und Charisma füllte.

Fortan tanzten sie gemeinsam durch die Clubs von Bushwick bis Brighton Beach, rauchten Dope unter der Brooklyn Bridge und suchten nach Wegen, um Valeries Triumph bei den Suicide Queens zu toppen. Zweimal die Woche kellnerte Valerie in einem Club in Manhattans Meatpacking District, aber sie weigerte sich, Rosa dorthin mitzunehmen. Für sie sei das Arbeit, kein Vergnügen. Rosa respektierte das.

Valerie hatte ein Auge für attraktive Jungs, aber sie tat niemals mehr, als mit ihnen zu trinken und Gras zu rauchen. Für sie war alles Theater, alles Illusion, ihr Treiben bei den Suicide Queens genauso wie ihr Umgang mit Männern. Und auch Rosa war sich nie ganz sicher, ob sie jemals die wahre Valerie kennengelernt oder nur eine Maskerade zu sehen bekommen hatte.

Die Halloweenparty im Village war eine von Tausenden, die an diesem Abend in New York stattfanden, und es hätte auf jeder von ihnen passieren können. Die Betäubungstropfen in Rosas Cocktail, die Unbekannten, die sie missbrauchten – nur ein Zufall, dass es gerade sie getroffen hatte. Wahrscheinlich gab es in derselben Nacht einige Dutzend solcher Fälle. Sie war nichts Besonderes – daran ließ die Polizei keinen Zweifel. Sie hatte getrunken, sie trug einen kurzen Rock. Das reichte aus, um ihre Vergewaltigung zu einem alltäglichen Vorfall mit elfstelligem Aktenzeichen zu machen.

Die Party war Valeries Vorschlag gewesen, irgendjemand hatte ihr beim Kellnern die Adresse zugesteckt. Rosa und sie leisteten sich ein Taxi, weil U-Bahn-Fahren an Halloween ein Höllentrip war; und schon auf der Rückbank begannen sie mit dem Trinken. Rosa wusste nur, dass sie ins Village fuhren, aber sie kannte weder die Straße, noch hatte sie danach eine Erinnerung an das Haus, vor dem sie ausgestiegen waren. Eines dieser typischen Brownstones, ein mehrgeschossiger alter Ziegelbau.

Die Polizei sprach später mit Valerie, doch auch sie behauptete, sich nicht an die Adresse erinnern zu können. Vielleicht war das die Wahrheit, vielleicht auch nur eine weitere Lüge, um sich in der Szene nicht den Ruf einzuhandeln, sie wäre jemand, der sich mit Cops abgab.

Letztlich spielte es keine Rolle. Nach diesem Abend wollte Rosa Valerie nicht wiedersehen, und aus Gründen, die Rosa anfangs für ein schlechtes Gewissen hielt, später für Gleichgültigkeit, machte auch Val nie den Versuch, Kontakt zu ihr aufzunehmen. Was ein paar Monate lang wie enge Freundschaft ausgesehen hatte, war in Wahrheit nur eine Zweckgemeinschaft gewesen, die auf Valeries Verständnis von Vergnügen basierte. Die Vergewaltigung hatte dem ein Ende gesetzt, für eine von ihnen war der Spaß vorbei. In Valeries Welt aus angesagten Clubs zwischen Brooklyn und Downtown war weder für Bedauern noch für Rosa fortan Platz.

৩৩

Sechzehn Monate später kannte Rosa Valeries Nummer längst nicht mehr auswendig, und das Handy, in dem sie gespeichert gewesen war, existierte nicht mehr. Sie hatten einander nie zu Hause besucht. Eine Valerie Paige stand nicht im Telefonbuch, und der Nachname war viel zu verbreitet, um ihn als Grundlage für Nachforschungen zu nutzen.

Im Nachhinein erschien es ihr sonderbar, wie spurlos Valerie aus ihrem Leben verschwunden war. Selbst die Suicide Queens gab es nicht mehr im Netz, nachdem für ein Mädchen der Wettbewerb unwiderruflich geendet hatte. In einem Forum fand Rosa Hinweise, dass die Community auf einem neuen Server unter geändertem Namen weiterexistierte. Direkte Links aber gab es keine, auch keine anderen Anhaltspunkte für die neue Netzidentität der Mitglieder. Ohnehin bezweifelte sie, dass sie Valerie dort noch angetroffen hätte; wahrscheinlich hatte sie längst den Spaß an Placebos und Apfelsaft verloren und suchte sich ihre Ablenkung anderswo.

Nachdem sich Trevini bis zum späten Abend noch nicht bei ihr gemeldet hatte, ließ Rosa sich von einem Taxi in den Meatpacking District fahren. Sie hatte den Laden, in dem Valerie gekellnert hatte, nie gesehen, aber sie erinnerte sich an den Namen. *The Dream Room.* Im Internet hatte sie die Adresse gefunden und war fast ein wenig erstaunt, dass sich nicht restlos alles, was mit Valerie zusammenhing, in Luft aufgelöst hatte.

Kurz vor Mitternacht stieg sie aus dem Taxi und reihte sich in die Schlange vor dem Eingang ein. Der Club lag in einer Seitenstraße. Das Gebäude war, wie so viele andere in diesem Viertel, früher ein Schlachthaus gewesen, das verriet ein antiquierter Schriftzug, der im zweiten Stock auf dem dunklen Backsteinmauerwerk prangte. Die Leuchtreklame des *Dream Room* nahm sich dagegen fast bescheiden aus. Vor der Stahltür standen einige Dutzend Wartende. Zwei bullige Türsteher überprüften die Besucher und kontrollierten die Ausweise. Rosa in ihrem knappen Kleid, den schwarzen Strumpfhosen und den Stahlkappenstiefeln wurde anstandslos eingelassen. Sie hatte sich keine allzu große Mühe mit ihrem Outfit gegeben, aber weil ihr hellblondes Haar sich kaum bändigen ließ und in wildem Kontrast zum Schwarz ihrer Kleidung stand, war sie aufgetakelt genug für Manhattans schicke Clubszene. Immerhin: Eine Asiatin mit pinkfarbenen Hairextensions warf auf dem Weg die Betontreppe hinab einen neidvollen Blick auf Rosas Mähne.

Die Innenarchitekten des *Dream Room* hatten den Boden des Erdgeschosses entfernen lassen, so dass ein enorm hoher Raum entstanden war. Von der Treppe aus sah man nichts als eine weite, wabernde Fläche – eine Wolkendecke aus Trockeneis verbarg den Blick von oben auf die Tanzfläche. Hier und da rissen die grauen Schwaden auf und offenbarten ein Gewimmel aus Leibern. Ein Dauerfeuer aus Beats zwischen Industrial und Jungle wummerte aus unsichtbaren Boxen.

Jetzt verstand Rosa, woher der Name des *Dream Room* rührte. An der Decke, hoch über dem Trockeneismeer, hingen Tausende von Traumfängern. Jemand musste die Andenkenläden der Indianerreservate leer gekauft haben, um eine solche Anzahl zusammenzutragen. Wie Mobiles aus Weidengeflecht und Federn, Perlenschnüren und Pferdehaar baumelten die Traumfänger dort oben, manche unmittelbar unter der Decke, andere tief im Nebel. Es gab große und kleine, schlichte und extravagante Exemplare, und sie alle bebten im Dröhnen der Lautsprecher, pendelten und drehten sich.

Erst jetzt wurde ihr klar, dass sie mitten auf der Treppe stehen geblieben war. Nachdrängende Besucher streiften sie ungeduldig, aber ein paar andere verharrten ebenfalls und bestaunten den Anblick.

Sie riss sich davon los, stieg die übrigen Stufen hinab und durchbrach die Trockeneisschicht. Das Bild, das sich ihr darunter bot, war nicht weniger exzentrisch. Der Boden war von einem Labyrinth aus Gängen durchzogen, wie Schützengräben eines nebelverhangenen Schlachtfelds. Sie verbanden ein halbes Dutzend Tanzflächen miteinander. Aufgestylte Besucher schoben sich durch die engen Schneisen, Körperkontakt war erwünscht und nicht zu vermeiden. Spotlights flimmerten über ihren Köpfen. In den Gräben selbst gab es diffuse Lichtstreifen als Wegweiser und vereinzelte Funzeln, deren Schein keine zwei Meter weit reichte. Die meisten Clubs versuchten, ihren Gästen eine eigene Welt vorzugaukeln, aber Rosa kannte keinen, dem es mit so einfachen Mitteln derart effektiv gelang wie dem *Dream Room*.

Bald ließ auch sie sich durch die Schneisen treiben, musterte die Kellnerinnen, sah aber keine, die Ähnlichkeit mit Valerie hatte. Sie rechnete kaum damit, sie noch hier anzutreffen. Womöglich aber erinnerte sich jemand an sie und wusste, wo sie zu finden war. Ganz sicher hatte Trevini eine Erklärung parat, wie er an Valeries Video gekommen war, doch sie bezweifelte, dass er die Wahrheit sagen würde. Es konnte nicht schaden, auf eigene Faust so viel wie möglich über Valerie herauszufinden.

Am Rand einer Tanzfläche beugte sie sich über die Theke und fragte den Barkeeper, ob er eine Valerie Paige kenne. Kopfschütteln. Ebenso beim zweiten und dritten Versuch. Sie wollte sich gerade wieder ins Getümmel der Gräben stürzen, als sie Zeugin eines erstaunlichen Auftritts wurde.

Die Menge wich vor einer Gruppe schwarz gekleideter Bodyguards zurück. Die Männer überragten die meisten Gäste um eine Kopflänge, neben spinstigen Emo-Mädchen und geschminkten Goths wirkten sie wie Trolle. In ihrer Mitte schwebte eine Gestalt aus einer anderen Zeit. Eine junge Frau, Mitte zwanzig, mit rabenschwarzem Haar, hohen Wangenknochen und auffallend großen Augen glitt aus den Trockeneisnebeln auf die Tanzfläche und nahm sie schlagartig in Besitz. Sie trug einen weiten schwarzen Reifrock, rundum abgesetzt mit Spitze, die den Boden berührte. Völlig selbstversunken wiegte sie ihren schlanken Oberkörper über dem monströsen Rock in fließenden, kreisenden Bewegungen. Ihre Leibwächter scheuchten Gäste zurück, die ihr zu nahe kamen, aber das schien sie nicht wahrzunehmen. Falls sie überhaupt bemerkte, dass sie sich inmitten anderer Menschen bewegte, so zeigte sie es durch nichts. Zahllose Augenpaare beobachteten sie, und kaum eines war darunter, das weniger als andächtige Ehrfurcht verriet.

»Wer ist das?«, fragte Rosa eine der Bedienungen und wurde mit einem so verächtlichen Blick bedacht, als hätte sie sich im Petersdom nach dem alten Mann am Altar erkundigt.

»Ihr Name ist Danai Thanassis«, sagte eine männliche

Stimme neben ihr. Ein schmächtiger Junge, ein wenig älter als sie selbst, beugte sich zu Rosa herüber; seine Freundin konnte die Augen nicht von der grazilen Tänzerin abwenden. »Sie ist Europäerin. Aus Jugoslawien oder Griechenland, glaub ich. Immer wenn sie hier ist, hört die Welt auf, sich zu drehen.« Das klang ein wenig leidgeprüft, so als habe seine Begleiterin ihn nur hergeschleppt, um diesen Auftritt mitzuerleben.

»Was ist sie? Ein Popstar oder so was?«

Er schüttelte den Kopf. »Reiche Tochter, erzählt man sich. *Sehr* reich. Und sehr sonderbar.«

Die gleitenden Kreise der Tänzerin wurden größer und drängten die Umstehenden immer enger an die Wände. Einige versuchten sich in angrenzende Gänge zurückzuziehen, stießen aber dort auf einen Wall aus nachdrängenden Besuchern, die sich den faszinierenden Tanz der Danai Thanassis nicht entgehen lassen wollten.

Rosa fiel ein Mann auf, der sich, begleitet von einem der Türsteher, aus der Menge hinter die Theke schob. Er war Italiener, jedenfalls italienischer Abstammung. Er redete auf das Personal ein, das sich sofort beflissen um ihn scharte. Der Besitzer des Clubs, zumindest aber jemand, der etwas zu sagen hatte.

Während Danai Thanassis ihre betörende Solo-Show abzog, drängte Rosa sich auf ihn zu und bewegte sich dabei mit so viel Nachdruck gegen den Strom, dass der Türsteher einen aufmerksamen Blick in ihre Richtung warf.

Die Musik steigerte sich zu einem frenetischen Tosen aus Bässen und Beats, als Rosa das Ende der Theke erreichte und mit erhobenem Kinn vor den Koloss trat. »Ich will mit dem Chef sprechen.«

Der Mann verzog mitleidig die Mundwinkel. Hinter ihm redete sein Boss noch immer auf die Angestellten ein, ohne Rosa zu beachten.

»Ich kann warten, bis er fertig ist«, sagte sie mit Unschuldsmiene, »gar kein Problem.«

»Was willst du von Mister Carnevare?«

Sie war überrascht, aber nicht sehr. Jeder Scheißhaufen auf ihrem Weg schien nur darauf zu warten, dass sie hineintrat. Alles eine Sache der Gewöhnung. Alessandro hatte sie vor seiner New Yorker Verwandtschaft gewarnt und – voilà!

»Ich bin seine Cousine«, sagte sie, ohne mit der Wimper zu zucken. »Aus Palermo.« Als der Hüne die Stirn runzelte, fügte sie in gespielter Verzweiflung hinzu: »Sizilien? ... Italien? ... Es gibt Land auf der anderen Seite des Wassers da unten im Hafen.«

Der Blick des Türstehers verdunkelte sich gefährlich. Sie fürchtete, sie hatte die Schraube überdreht. Die Frage, ob er auch Frauen schlug, stellte sich kaum.

»Bestellen Sie ihm bitte einen Gruß«, sagte sie, bevor er auf dumme Ideen kommen konnte, »und sagen Sie ihm, dass ich hier bin.« Sie lugte über seine Schulter hinüber zu »Mister Carnevare« und stellte fest, dass er aus der Nähe nicht übel aussah. Ganz und gar nicht übel.

»Seine Cousine?«, wiederholte der Türsteher wie ein Roboter.

»Zweiten Grades.«

»Aus Paris?«

»Palermo.« Sie winkte ab und schenkte ihm ein Lächeln. »Ach, sagen Sie einfach Europa.«

Noch einmal musterte er sie mürrisch von oben bis unten und wägte wohl ab, ob sie ihm bereits Grund genug gegeben hatte, sie achtkantig aus dem Club zu werfen. Dann aber drehte er sich um und ging zu seinem Chef.

Rosa nutzte den Moment für einen Blick zur Tanzfläche. Danai stand nun reglos inmitten eines Lochs in der Menge, das die Bodyguards für sie frei hielten. Ihre Augen waren geschlossen, ihr Kopf zur Seite geneigt wie bei einer mechanischen Puppe, deren Aufziehuhr abgelaufen war. Auf einmal rührte sie sich wieder und schwebte auf dem Spitzenbesatz ihres Kleides hinüber zur nächsten Gangmündung. Die Leibwächter beeilten sich, ihr eine Gasse zu bahnen. Obwohl sie dabei wenig zimperlich waren, gab es erstaunlich wenig Murren und Widerspruch unter den Umstehenden. Alle waren gebannt von der Aura der Tänzerin.

Während Danai Thanassis dem Ausgang näherrückte und sich die Menge langsam vom Zauber ihrer Anwesenheit befreite, legte jemand von hinten die Hand auf Rosas Schulter.

Blutsverwandt

Lilia«, sagte Rosa laut, um die Musik zu übertönen. »Lilia Carnevare.«

Der Clubbesitzer beugte sich vor, als wollte er ihren Atem riechen. Sie spürte Schweißperlen auf ihrer Stirn, aber hier unten im Club schwitzten alle.

»Lilia«, wiederholte er. »Verzeih mir, sind wir uns schon begegnet?«

Sie feuerte einen Schuss ins Blaue ab und wusste, wie schrecklich schief das gehen konnte. »Auf einem Geburtstag des Barons ... Onkel Massimo. Ich war noch ziemlich jung damals. Sieben oder acht.«

»Dann entschuldige, dass ich dich übersehen habe.« Es gelang ihm, selbst dabei wie ein Gentleman zu klingen.

»Ich war noch nicht so ... entwickelt.« Das entlockte dem Türsteher ein Grinsen, ließ seinen Chef aber kalt. Sie musste sich zusammenreißen, durfte ihn vor allen Dingen nicht unterschätzen.

Er war größer als Alessandro, ebenso sportlich, aber attraktiv auf eine Weise, die sie eher an Tano und Cesare erinnerte. Er hatte die Hemdsärmel bis zu den Ellbogen hochgeschoben, nicht gekrempelt, und seine muskulösen Unterarme waren stark behaart. Er schien es gewohnt, dass seine Anweisungen befolgt wurden. Wenn er lächelte, entblößten seine Lippen perfekte Reihen schneeweißer Zähne. Seine funkelnden braunen Augen verunsicherten sie. Sie konnte sich vorstellen, wie viele Frauen dem Versprechen in seinem Blick schon erlegen waren, aber sie zweifelte nicht daran, dass diese Leidenschaft vor allem seinem eigenen Wohlergehen galt. Trotzdem musste sie sich eingestehen, dass sie seine Stimme mochte.

Sie hätte sich verabschieden und Alessandro anrufen können, um ihn zu bitten, für sie mit seinem Verwandten zu sprechen. Aber gerade das wollte sie nicht. Jahrelang hatte sie mit ihren Problemen allein fertigwerden müssen. Sicher wäre Alessandro auch jetzt für sie da gewesen. Aber weder wollte sie sich allzu sehr auf ihn verlassen noch gerade jetzt von ihm aufgehalten werden.

»Tut mir leid, dass ich einfach so hier aufkreuze. Ich bin als Au-pair oben in Millbrook. Sie haben mir drei Tage freigegeben und ich dachte –«

»Du besuchst deine Verwandtschaft in der Stadt.«

Sie lächelte. »Eigentlich wollte ich Schuhe kaufen.«

Er blickte hinab zu ihren klobigen Grinders.

»Oh, nicht die«, fügte sie mit gespielter Empörung hinzu. »Die neuen sind im Hotel.«

»In welchem bist du?«

»Parker Meridien.« Das kannte sie, weil im Foyer die besten Hamburger der Stadt verkauft wurden.

»Gute Adresse. Nicht billig.«

»Zahlt alles die Familie.«

»Wer ist dein Vater?«

»Corrado Carnevare.« Ein Name, den Alessandro mal erwähnt hatte.

»Bin ihm nie begegnet.«

»Cesares Cousin.« Sie brachte einen Augenaufschlag in Richtung des Türstehers zu Stande. »Ich hab uns ein wenig verwandter gemacht, als wir sind. Tut mir leid.«

Er musterte sie noch immer, aber sie hatte das ungute Gefühl, dass er dabei nach wie vor mehr auf seine Nase vertraute als auf das, was er zu sehen bekam: ein blasses Mädchen mit gletscherblauen Augen, hellblondem Haar und nervösem Glanz auf der Stirn.

»Wie kann ich dir helfen?«, fragte er. *Helfen.* Wenn das sein

Bild von ihr war – gut so. »Du kommst doch nicht nur zu mir, um Hallo zu sagen.«

Sie schaute sich um, als müsste sie erst nach der Quelle des Lärms im Club Ausschau halten. »Es ist so laut hier«, brüllte sie gegen die Beats an.

»Michele«, sagte der Rausschmeißer und bog das Mikrofon seines Headsets zur Seite, »in einer halben Stunde müssen wir los. Die anderen sind fast so weit.« Er horchte noch einmal auf eine Stimme in seinem Kopfhörer, dann flüsterte er Michele etwas ins Ohr. Der verzog keine Miene, nickte nur.

Rosa wartete, bis er sich ihr wieder zuwandte, dann sagte sie: »Gibst du mir fünf Minuten?«

Michele Carnevare lächelte. »Komm mit.«

Sie folgte ihm hinter die Theke und durch einen schmalen Gang für das Personal. Am Ende führte eine Treppe auf eine Galerie aus Eisengittern, knapp unterhalb der Dunstdecke. Sie war für das Publikum gesperrt. Außer ihnen beiden befanden sich hier oben nur einige Sicherheitsleute, schwarz gekleidet und gleichfalls mit Headsets; sie beobachteten das Treiben am Boden aus der Höhe.

Rosas Blick fiel auf Danai Thanassis, die sich im Schutz ihrer Bodyguards zum Ausgang auf der anderen Seite der Halle bewegte. »Sie ist wunderschön«, sagte sie beeindruckt.

»Das denkt jeder hier.« Er ließ offen, ob das auch für ihn galt. »Sie lebt auf einem Kreuzfahrtschiff, das ihrem Vater gehört. Immer wenn die *Stabat Mater* in New York vor Anker liegt, kommt sie her. Ein, zwei Wochen lang jeden Abend, und dann ist sie wieder für ein paar Monate verschwunden.«

»*Stabat Mater?*«

Er zuckte die Achseln und wechselte das Thema. »Also, Lilia Carnevare. Was genau kann ich nun für dich tun?«

»Ich suche eine Freundin«, sagte sie. »Eigentlich so eine Online-Bekanntschaft. Sie hat gesagt, wenn ich in Manhattan bin, soll ich sie besuchen und wir würden zusammen, na ja, losziehen.«

Er nickte so ernsthaft, als hätte sie ihm gerade seine Steuer erklärt.

»Jetzt meldet sie sich nicht, wenn ich sie anrufe.« Rosa hoffte, dass ihre Naivität nicht zu aufgesetzt klang.

»Und?«

»Ist scheiße von ihr.«

»Inwiefern hat das mit mir zu tun?« Sein Tonfall blieb ruhig.

»Wir sind Freundinnen, sie und ich. Dachte ich jedenfalls. Und jetzt lässt sie mich einfach hängen. Ich sitze in meinem blöden teuren Hotel oder mache Stadtrundfahrten, statt mit ihr um die Häuser zu ziehen.«

Er seufzte leise. »Hör mal, du bist süß und alles, aber ich hab es eilig und so ein Club läuft nicht von allein. Wenn ich dir helfen kann, dann –«

»Sie arbeitet hier, hat sie gesagt. Ist aber 'ne Weile her.«

»Wenn sie hier arbeitet, dann hat sie gerade alle Hände voll zu tun.«

»Ich will nur kurz mit ihr reden. Versprochen. Ich halte sie nicht auf.«

Er sah sie noch immer eindringlich an, nicht anzüglich, wie sie es beinahe erwartet hatte, sondern neugierig. Als ob er fasziniert davon wäre, wie sie mit Belanglosigkeiten seine Zeit stahl.

»Wie ist ihr Name?«

»Valerie.«

»Und weiter?«

»Valerie Paige.«

Falls dies ein Name war, mit dem er mehr verband als eine Lohnabrechnung, verriet er es nicht. »Die hat mal hier gearbeitet, vor ein, zwei Jahren. Seitdem nicht mehr.«

»Fuck.«

»Ich kann dir leider nicht helfen.«

Sie sah auf ihre Schuhe. »Tut mir leid. Du hast es eilig, und ich belästige dich mit so 'nem Mist.«

Er stupste mit dem Finger an ihre Nasenspitze und lächelte. Er sah erschreckend attraktiv aus, und zum ersten Mal meinte sie einen Hauch von Alessandro in ihm zu erkennen. »Wir sind schließlich blutsverwandt, hm?«

Sie räusperte sich und riss ihre Augen von seinem Gesicht los. Unmittelbar über ihren Köpfen schwebte die Nebelschicht. An einigen Stellen baumelten Traumfänger durch die Schwaden.

»Wozu sind die gut?«, fragte sie.

»Sie sammeln die Träume aller, die dort unten tanzen, und werfen sie gebündelt auf sie zurück. Das ist besser als jede Droge.«

Nun wandte sie sich ihm doch wieder zu, um herauszufinden, ob er sie auf den Arm nehmen wollte. Aber noch immer wirkten sein Lächeln und die nussbraunen Augen aufrichtig.

Sehr blond fragte sie: »In echt jetzt?«

Michele lehnte sich auf die Brüstung der Galerie. Selbst seine verdammten Hände waren schön. »Wer in den *Dream Room* kommt, sieht Dinge, die es anderswo nicht gibt. Oder die dort unsichtbar bleiben.«

»Schreibt das in eure Werbung.«

»Tun wir.«

»Ups.« Sie lächelte. »Sieht aus, als verstehst du was von dem Geschäft.«

Es waren die Grübchen. Die gleichen wie bei Alessandro. Sie waren da, auch wenn er nicht lächelte. Blutsverwandt – nur eben nicht mit ihr.

Sie beugte sich zu ihm hinüber und gab ihm einen federleichten Kuss auf die Wange. »Danke«, sagte sie. »Und, noch mal, tut mir leid, dass ich dir auf die Nerven gegangen bin.« Er roch nach Rasierwasser.

»Wie alt bist du?«, wollte er wissen.

»Achtzehn.«

»Du siehst jünger aus.«

»Das sagen viele.«

»Ich wette, sie haben am Eingang deinen Ausweis verlangt.« Nun schien er fast ein wenig niedergeschlagen. Aber die Grübchen blieben. »Wenn nicht, müsste ich die Kerle feuern.«

Ihr wurde siedend heiß. »Oh«, sagte sie leise.

»Mach dir nichts draus. Du wusstest ja nicht, wem der Laden gehört.«

»Die haben meinen Namen gelesen.«

»Sie haben ihn wiedererkannt. Und sie haben ihre Anweisungen. Manche Namen sorgen hier bei uns für Unruhe. Obama. Bin Laden.« Er zuckte die Achseln. »Alcantara.«

Sie musste sich nicht erneut umsehen, um zu wissen, dass sie von der Galerie nicht mehr herunterkam. Er stand ihr im Weg, und da waren die Sicherheitsleute. Sie hörte Schritte auf dem Eisengitter. Plötzlich sehr nah.

»Das war eine Lüge«, flüsterte sie. »Du hast es nicht eilig.«

»Oh, doch.«

»Warum hast du dann nicht gleich –«

»Ich wollte herausfinden, was Alessandro an dir gefällt.« Wieder dieses charmante Lächeln. »Abgesehen vom Offensichtlichen.«

Sie wollte herumwirbeln, aber da packte sie ein kräftiger Arm von hinten und hielt sie fest. Sie hörte verzerrte Stimmen aus einem Headset, ganz nah an ihrem Ohr.

Das Schlimmste war, dass sie seinem Blick jetzt nicht mehr ausweichen konnte.

»Shit«, sagte sie leise.

Mit der Fingerspitze berührte er seine Wange, wo ihre Lippen sie gestreift hatten. »Ich weiß, was du getan hast.«

Vergeltung

Sie knebelten Rosa, fesselten ihre Hände und Füße und warfen sie ins fensterlose Heck eines Lieferwagens. Als die Metalltür hinter ihr verriegelt wurde, blieb sie allein in der Dunkelheit liegen und gab sich Mühe, das Reptil in sich zu wecken.

Es klappte nicht.

Sie versuchte es durch Konzentration, aber das war aussichtslos in ihrer Situation. Dann durch ihren Zorn auf Michele. Keine Chance.

Der Wagen setzte sich in Bewegung und es ging bergauf. Mit einem Ächzen kullerte Rosa über den Boden nach hinten und krachte gegen die Hecktür. Manhattans nächtlicher Straßenlärm wurde lauter. Sie fuhren die Rampe einer Tiefgarage hinauf und fädelten sich in den Verkehr. Dumpf hörte sie die Stimmen zweier Männer vorne im Fahrerraum, konnte aber nichts verstehen.

Sie lag jetzt auf der Seite, mit angezogenen Knien und zerrissenen Strumpfhosen, die Hände hinter dem Rücken verschnürt, die Füße schmerzhaft fest aneinandergezurrt. Die Kabelbinder schnitten in ihre Haut und ließen sich um keinen Millimeter lockern. In ihrem Mund steckte ein Gummiball, der mit einem Band hinter ihrem Kopf festgeschnallt war. Mit der Zungenspitze ertastete sie Bisslöcher fremder Zähne in der Oberfläche. Sie war nicht die Erste, die das hier durchmachte.

Der Boden des Lieferwagens war sandig, mochte der Himmel wissen, was sie sonst damit transportierten. Wenn die Reifen über Kanaldeckel und Schlaglöcher holperten, wurde sie durchgeschüttelt und schürfte sich die Haut auf. Einmal schlug sie mit dem Hinterkopf gegen die Seitenwand und sah für einen Moment wirbelnde Lichter in der Finsternis.

Je krampfhafter sie versuchte, die Verwandlung zu erzwingen, desto unmöglicher wurde es. Statt Kälte spürte sie Hitzewellen, weil die Angst immer wieder die Oberhand gewann. Ihre Kleider waren durchgeschwitzt, das Haar klebte in Strähnen an ihrer Stirn.

Sie hatten ihr nicht mal eine Spritze gegeben wie Cesare damals, als er hatte vermeiden wollen, dass sie ihm als Schlange entkam. Michele Carnevare musste kein Hellseher sein, um zu erraten, wie unerfahren sie war. Sie wusste gerade einmal seit vier Monaten, was sie war und welches Erbe in ihr ruhte. Die erste Verwandlung eines Arkadiers setzte an der Schwelle zum Erwachsenwerden ein, selten vor dem siebzehnten Lebensjahr. Michele konnte sich an den Fingern abzählen, dass das Hormonchaos der Pubertät gerade erst durch ein viel schlimmeres ersetzt worden war.

Und trotzdem – es musste möglich sein. Alessandro war es mehrfach gelungen, zum Panther zu werden, wenn er es wollte. Irgendetwas war dazu nötig, das ihr fehlte. Beherrschung womöglich.

Und dann wusste sie es. Sie konnte, ganz buchstäblich, nicht aus ihrer Haut. Während Alessandro in der Lage war, eigene Interessen hintenanzustellen und auch Aufgaben zu übernehmen, die ihm nicht passten, alles für sein eines, großes Ziel, konnte sie nichts von alldem. Für sie war es so realistisch, über ihren Schatten zu springen wie über den East River. Sie war immer nur sie selbst, und was sie dachte, sah man ihr auf einen Kilometer an. Dieses ganze Theater, Anführerin ihres Clans zu sein, war eine Farce. Sie wollte das nicht und sie konnte es nicht.

Genauso war es mit der Verwandlung zur Schlange. Je heftiger sie versuchte, die Metamorphose zu erzwingen, desto aussichtsloser wurde es. Ihren Körper interessierte das nicht im Geringsten – er wollte sich nur zusammenkauern und warten, bis die Gefahr vorüber war.

Als Salvatore Pantaleone, der ehemalige *capo dei capi*, sich am Rand der Sikulerschlucht auf sie gestürzt hatte, da war sie in Sekunden zur Schlange geworden. Vielleicht, wenn Michele oder einer der anderen auf sie losgingen … Aber konnte sie so lange warten? Und musste er es nicht voraussehen? Er war kein Idiot – vielleicht legte er es darauf an, dass sie sich verwandelte.

Er hatte etwas mit ihr vor, und das schien nur Teil von etwas Größerem zu sein. Deshalb hatten sie es so eilig. Alles war vorbereitet. Nur wofür? Mit Rosa hatten sie nicht gerechnet, aber in dem Netz, das sie ausgeworfen hatten, war offenbar noch Platz genug für sie.

Bittere Galle kam ihr hoch. Rosa würgte sie angewidert herunter. Mit der Gummikugel im Mund würde sie an ihrem Erbrochenen ersticken.

Zweimal hatte sie sich verwandelt, weil das Leben anderer auf dem Spiel gestanden hatte. Beim ersten Mal aus Liebe zu Alessandro, in einem Kellerloch am Monument von Gibellina, während Cesares Handlanger näher kamen, um ihn zu töten. Und erneut neben ihrer sterbenden Schwester, als Rosas Hass auf Pantaleone jeden anderen Gedanken auslöschte.

Aber was war mit ihrem eigenen Leben? Würde die Schlange sich zeigen, um sie selbst zu retten?

Daliegen und abwarten. Die Männer im Fahrerraum lachten. Hupen und Motorlärm drangen durch die Metallwände des Wagens, einmal Musikgetöse wie von einem gigantischen Jahrmarkt. Vielleicht der Times Square.

Als sie zwischendurch anhielten, trat Rosa mit aller Kraft gegen die Wand. Wieder und wieder, bis die Strumpfhosen an ihren Waden in Fetzen hingen und es um die Haut darunter nicht viel besser stand. Doch nichts, was sie hier drinnen veranstaltete, würde draußen Aufmerksamkeit erregen. Das hier war Manhattan. Kaum jemand achtete auf ein Poltern in einem vorbeifahrenden Lieferwagen.

In ihrer Hilflosigkeit presste sie die Zähne in den Gummiball, bis ihre Kiefer schmerzten. Ihr Herzschlag raste, aber die Lamia in ihr blieb unbeeindruckt, als wollte sie Rosa auf die Probe stellen.

Ihre Fähigkeit hätte eine Gabe sein können. Stattdessen bestätigte auch sie nur, was Rosa längst wusste: Sie war anders. Nicht wie gewöhnliche Menschen, nicht wie die anderen Arkadier. Einfach zu verdreht im Kopf.

Sie streckte sich lang auf dem Rücken aus, schluckte sauren Speichel, atmete ruhiger und wartete ab, was mit ihr geschehen sollte.

எை

Irgendwann blieb der Transporter erneut stehen, und diesmal hörte sie, wie die Türen der Fahrerkabine geöffnet wurden. Neue Stimmen gesellten sich zu denen der beiden Männer. Man erwartete sie bereits.

Es war bitterkalt im Heck des Wagens.

Schritte knirschten draußen im Schnee. Der Straßenlärm hatte merklich abgenommen. Sie waren nicht mehr inmitten des Großstadtgewimmels. Vielleicht in einem Hof.

Als die Hecktür geöffnet wurde, sah sie hinter den Silhouetten der Männer knorriges Astwerk. Kahle Laubbäume, von den Rücklichtern des Wagens blutrot aus der Dunkelheit gerissen. Ein Park. Vielleicht *der* Park.

Einer der Männer kletterte in den Wagen, während ein anderer mit einer Schrotflinte auf sie zielte. Sie wussten es. Und sie gingen auf Nummer sicher.

»Alles wie gehabt«, sagte der Kerl im Wagen. »Nur ein Mädchen.«

Der Tacker steckte in ihrer Jacke im Club, das Handy hatten sie ihr abgenommen.

Von draußen erklang Micheles Stimme. »Dann gib ihr jetzt die Spritze.«

Sie schrie gegen den Gummiball an, als der Mann sie brutal auf den Bauch rollte, achtlos ihren Rock hochschob und ihr eine Kanüle durch die Strumpfhose in die Pobacke jagte. Dann wurde sie gepackt. Fremde Männerhände auf ihrer Haut. Sie besaß keine Erinnerung an die Ereignisse von damals, aber ihr Körper erkannte die Situation auf Anhieb. Sie begann zu strampeln und zu zappeln, traf mit dem Ellbogen den Mann am Kinn, wehrte sich, so gut es nur ging.

Es änderte nichts. Er zerrte sie ins Freie und stellte sie im Schnee auf die Füße. Jemand öffnete die Schnalle an ihrem Hinterkopf und zog ihr den Ball aus dem Mund.

»Wichser!«, fauchte sie.

Es waren vier Männer, darunter Michele Carnevare und der Türsteher, offenbar zum Bodyguard befördert. Hinter ihnen im Schnee stand ein schwarzer Jeep mit verspiegelten Scheiben. Beide Fahrzeuge hatten am Rand eines breiten Parkwegs gehalten, neben verlassenen Bänken und überquellenden Papierkörben. Hinter einer nahen Baumreihe war es hell, als wären dort Scheinwerfer aufgebaut worden. Unverständliche Stimmen drangen herüber, Gestalten bewegten sich. Hatte es einen Sinn, sie durch Schreie auf sich aufmerksam zu machen? Aber Michele hätte sie niemals hier aussteigen lassen, wenn die Leute dort drüben nicht zu ihm gehörten.

»Was willst du von mir?«, fragte sie ihn und ignorierte die anderen drei.

»Und du von Valerie?«, entgegnete er. »Dass sie fort ist, war keine Lüge. Ich wüsste selbst gern, wo sie steckt.«

»Und?«

»Hat sie mit den Morden zu tun?«

»Mit welchen Morden?«

Er versetzte ihr eine schallende Ohrfeige. Ihr Kopf flog zur

70

Seite, ihre Wange brannte. Als sie ihn wieder anschaute, sah sie nur seine Grübchen. Alessandros Grübchen.

»Mit welchen Morden?«, fragte sie erneut.

Diesmal war es der Türsteher, der sie schlagen wollte. Michele hielt ihn am Arm zurück. »Das reicht.«

Sie lachte den Glatzkopf aus. »Fick dich!« Blutgeschmack war in ihrem Mund, aber sie hielt seinem zornigen Blick stand, bis Michele ihn zurück zum Jeep schickte. Erst dann wandte er sich ihr wieder zu.

»Das Serum verhindert, dass du dich während der nächsten Viertelstunde verwandelst. Du kennst das Prozedere, nehme ich an. Tano hat das Zeug besorgt, sehr wirkungsvoll – *ihn* kennst du auch, nicht wahr? Man hört so einiges. Zum Beispiel, dass du schuld bist an seinem Tod.«

Erwartete er darauf eine Erwiderung? Sie blieb stumm.

»Ich hab nicht mit dir gerechnet«, fuhr er fort. »Oder mit irgendeiner anderen Alcantara. Das hier sollte nur eine Party werden, ein bisschen Spaß im Schnee mit der Verwandtschaft.«

Die Lichter jenseits der Bäume. Die schattenhaften Bewegungen. Allmählich ahnte sie, was hier geschah. Ihr war übel und alles tat ihr weh – ihr Gesicht, ihre aufgescheuerten Beine, sogar ihr Hintern fühlte sich an, als steckte die Kanüle noch im Fleisch.

»Ihr veranstaltet eine Menschenjagd? Im *Central Park?*« Mittlerweile hatte sie die nächtliche Skyline über den Bäumen erkannt; sehr weit links meinte sie die Dächer des Dakota Building zu sehen. Der West Drive konnte nicht weit von hier sein. Wahrscheinlich befanden sie sich irgendwo auf Höhe der 75. oder 76. Straße, vielleicht etwas weiter südlich.

»Die Morde«, sagte er noch einmal. »Erzähl mir nicht, du hast nichts davon gehört. Willst du mir weismachen, du tauchst einfach so in New York auf? Ausgerechnet jetzt? Weiß Alessandro, dass du hier bist?«

»Wer ist ermordet worden?«, fragte sie. »Carnevares?«

Erneut machte er einen drohenden Schritt auf sie zu, und diesmal sah sie, dass er sich kaum noch beherrschen konnte. Er verfügte über beneidenswerte Selbstkontrolle, aber unter der Oberfläche kochte er.

»Mein Bruder Carmine ist tot. Zwei meiner Cousins, Tony und Lucio, wurden auf offener Straße erschossen, als sie ihre Kinder zur Schule gebracht haben. Und einem dritten steckt eine Kugel im Genick und keiner kann sagen, wie lange er noch zu leben hat. Sein Name ist Gino.« Sein Blick war jetzt tief in ihre Augen versenkt, als wollte er die Wahrheit in ihren Gedanken lesen.

»Darüber weiß ich nichts«, sagte sie.

Er atmete tief ein, und erst als er sich wieder zurückzog, begriff sie, dass er ihren Angstschweiß gewittert hatte. Er glaubte ihr kein Wort. Aber offenbar war er nicht in der Stimmung für Verhöre. Sie konnte die Erregung spüren, die sich seiner bemächtigt hatte. Pure Blutgier.

»Bringt sie zu den anderen«, befahl er. »Und spritzt ihr noch eine Dosis, bevor es losgeht.«

Eine von ihnen

Sie zerschnitten den Kabelbinder an Rosas Beinen und stießen sie vorwärts zwischen die Bäume. Das Blut strömte zurück in ihre tauben Füße. Dass sie überhaupt laufen konnte, war ein Wunder.

Bald erreichten sie eine Lichtung, gesäumt von Eichen und Buchen. Zwei Lastwagen mit dem Schriftzug *Mobile Lightning, Inc.* parkten am Rand der verschneiten Wiese mit eingeschalteten Scheinwerfern.

Zwischen ihnen, im Schnittpunkt der Lichtkegel, lagen vier Teenager im Schnee, an Händen und Füßen gefesselt und mit Gummikugeln geknebelt. Alle trugen mehrere Lagen zerlumpter, schmutziger Kleidung. Das weiße Licht machte ihre ausgezehrten Gesichter noch kränklicher. Junkies, hätte Rosa angenommen, wäre sie nicht sicher gewesen, dass Michele Wert auf gesunde Beute legte und sich kaum bei der Jagd auf Menschen mit HIV oder Hepatitis infizieren wollte.

»Das kann nicht euer Ernst sein«, brachte sie hervor. »Nicht mitten in Manhattan.«

Michele starrte mitleidlos auf die vier Gefangenen vor ihnen am Boden. »Niemand vermisst sie. Keiner stört uns.«

»Aber der Park wird überwacht! Es gibt Aufseher, Polizeistreifen, Hubschrauber ...« Sie sah, wie sich seine Mundwinkel verzogen und die Grübchen tiefer wurden. »Wie viele Leute hast du bestochen, um das hier durchzuziehen?«

Es war eine rhetorische Frage, auf die sie keine Antwort erwartete. Dennoch sagte er: »Alles ganz offiziell. Für die Parkverwaltung finden hier Dreharbeiten statt. Die Polizei hat eine eigene Abteilung, die nur für die Absperrung von Filmsets zuständig ist. Das Gelände ist weiträumig abgeriegelt. Nicht billig, aber das muss das Budget wohl hergeben.« Er grinste noch breiter. »Für die nächsten paar Stunden wird sich niemand über den einen oder anderen Schrei wundern – das gehört alles zum Drehbuch, das wir eingereicht haben.«

»Ihr macht das nicht zum ersten Mal.«

»Hast du eine Vorstellung, wie viele Filme in New York gedreht werden? Jeden Tag arbeiten ein paar Hundert Filmcrews irgendwo in der Stadt. Alles, was wir tun müssen, ist ein, zwei Aufpasser vom Film Office zu schmieren, damit sie heute Nacht schick essen gehen, statt sich hier rumzutreiben.«

Während er sprach, konnte sie den Blick nicht von den Jugendlichen losreißen. Sie kannte Kids wie diese vier, in der ganzen Stadt gab es Tausende und Abertausende von ihnen. Sie schliefen in Hauseingängen, auf Hinterhöfen, zwischen Pappkartons und Containern. Wenn die Polizei sie schnappte, bekamen sie ein, zwei Tage lang warme Mahlzeiten, und, viel zu selten, einen Schlafplatz in einem Heim. Spätestens nach einer Woche waren sie wieder auf der Straße. Michele hatte Recht. Niemand würde sie vermissen.

Es waren zwei Jungen und zwei Mädchen, verängstigt und durchgefroren. Sie konnten noch nicht lange dort im Schnee liegen, wahrscheinlich waren sie in einem der Lkw hergebracht worden.

Außerhalb des Lichtscheins standen weitere Fahrzeuge. Die meisten parkten mit abgeschaltetem Licht und laufenden Motoren zwischen den Bäumen. Im Inneren konnte sie vage Silhouetten ausmachen, zwei oder drei in jedem Wagen. Hier und da glühten Zigaretten in der Dunkelheit.

Der Türsteher, der Rosa hatte schlagen wollen, war ihnen zur Lichtung gefolgt. Michele gab ihm einen Wink. Sie sah ihn mit einem Injektor in der Hand auf sich zukommen, und diesmal wehrte sie sich nicht. Er stieß die kurze Nadel in ihren Nacken. Ihre Haut war so kalt, dass sie den Einstich kaum spürte.

Autotüren wurden geöffnet. Männer und Frauen stiegen aus ihren Fahrzeugen. Die meisten trugen trotz der Eiseskälte nur Morgenmäntel. Der erste Arkadier, der ins Licht trat, hatte sich kaum noch unter Kontrolle. Seine Augen glühten wie die einer Raubkatze, und seine Lippen waren weit vorgewölbt, weil sich dahinter das Gebiss zu Fängen verformte. Andere wippten aufgeregt von einem Fuß auf den anderen, während sie versuchten, die Verwandlung zurückzudrängen und den Startschuss zur Jagd abzuwarten.

Michele beobachtete die Panthera mit einer Mischung aus Hochmut und Zufriedenheit. Er musste spüren, dass Rosa ihn ansah, denn er wandte sich ihr wieder zu und fragte lauernd: »Gibt es noch etwas, das du mir sagen möchtest?«

Sie hielt seinem Blick stand. »Kannst du dich noch daran erinnern?«

»An was?«

»Den Grund für den Krieg zwischen Carnevares und Alcantaras. Und für das Konkordat.«

»Das Konkordat!« Er stieß ein leises Lachen aus. »Das Tribunal der Dynastien, die Mythen Arkadiens, der Hungrige Mann – das alles mag euch drüben im alten Europa mit seinen Regeln und Gesetzen gehörige Angst einjagen. Aber für uns hier ist das so real wie das elende Geschwätz von der sizilianischen Heimat und den Zeiten, in denen angeblich alles besser war. Schau dich um! Das ist Amerika! Hier ist alles farbiger, lauter und jetzt sogar in 3-D.« Michele schüttelte den Kopf. »Das Konkordat interessiert mich nicht, und der Arm des Tribunals … Nun, wir werden sehen, wer den größeren Bizeps hat. *Falls* sie es darauf ankommen lassen.«

»Du hast meine Frage nicht beantwortet. Kennst du noch den Grund?«

Sein Kopf zuckte vor, als wäre Michele die Schlange, nicht sie. »Nein, und er spielt auch keine Rolle mehr. Jemand hier in der Stadt tötet systematisch Carnevares, zu einem Zeitpunkt, an dem es keine lokalen Clanfehden gibt, keine offene Feindschaft zwischen den New Yorker Familien. Und dann tauchst ausgerechnet du hier auf, und damit wird plötzlich eine ganze Menge klar. Wie viele Gründe brauche ich deiner Meinung nach, um dich den Löwen vorzuwerfen?«

Selbst in dieser Situation, im Angesicht all der Panthera im Dunkel unter den Bäumen, begriff sie, dass etwas fehlte. Da war eine Lücke in seiner Argumentation, etwas, das er ihr nicht absichtlich vorenthielt, sondern von dem er ganz selbstverständlich annahm, dass sie es *wusste*.

»Hör zu, Michele –«

Er winkte ab. »Spar's dir und lauf einfach. Vielleicht schaffst du es bis zu einer der Absperrungen.« Sein Lächeln schien die Zeit zurückzudrehen, zu ihrer Begegnung im Club. »Nicht, dass ich darauf wetten würde.«

Während er geredet hatte, waren die Kabelbinder an den Händen und Füßen der Straßenkinder durchgeschnitten worden. Zwei hatten es geschafft, sich auf alle viere hochzustemmen, aber die anderen beiden lagen noch immer im aufgewühlten Schnee. Sie waren zu lange gefesselt gewesen und kamen nicht auf die Beine.

Rosa warf Michele einen vernichtenden Blick zu, dann eilte sie zu ihnen hinüber, griff einem Mädchen unter die Achseln und half ihm hoch.

»Wie heißt du?«

»Jessy.« In ihren Augen stand die nackte Panik. Das Leben auf der Straße hatte Spuren in ihrem Gesicht hinterlassen, aber sie konnte nicht älter sein als fünfzehn. Plötzlich schien ihr klar zu werden, dass Rosa gerade eben noch bei ihren Entführern gestanden hatte. Wut und Trotz blitzten in ihren Augen. »Fass mich nicht an!« Sie riss sich los, stolperte zwei Schritte zurück und fiel dabei fast über einen der Jungen.

»Ich bin nicht wie sie«, flüsterte Rosa, als wollte sie sich selbst überzeugen. Lauter sagte sie: »Es kann nicht allzu weit sein bis zur Central Park West.« Das war die große Straße, die an der Außenseite des Parks entlangführte.

»Was tun die mit uns?«, fragte ein Junge.

»Organhandel«, sagte der andere überzeugt.

Von deinen Organen wird nichts übrig bleiben, lag Rosa auf der Zunge. Stattdessen sagte sie: »Rennt, so schnell ihr könnt. Immer geradeaus. Kommt nicht auf die Idee, Haken zu schlagen – das wird sie nicht aufhalten. Sie können euch wittern, also versteckt euch nicht. Laufen ist alles, was euch vielleicht retten wird.« Uns, hätte sie sagen sollen.

Noch immer war die ganze Situation viel zu unwirklich. Das Einzige, was ihr real vorkam, war die Kälte. Und nachdem sie erst einmal darauf achtete, wurde es schlimmer. Sie trug nur ihr kurzes Kleid und die zerrissene schwarze Strumpfhose. Ihre Jacke war an der Garderobe des *Dream Room* zurückgeblieben. Wenn sie nicht sehr schnell zur Schlange wurde und ihre Körpertemperatur sich der Umgebung anpasste, konnte sie sich das Weglaufen sparen.

Plötzlich stand Michele neben ihr. »Du hast ihnen besser erklärt, worauf es ankommt, als ich das gekonnt hätte. Man meint fast, du hast Erfahrung damit.«

Jessy spie Rosa vor die Füße. »Verreck doch mit den anderen.«

Michele lächelte beeindruckt vom Mut der Kleinen. Rosa hatte das ungute Gefühl, dass er sich gerade seine ganz persönliche Beute ausgesucht hatte – bevor oder nachdem er mit Rosa selbst fertig war.

»Bleibt auf keinen Fall zusammen«, sagte sie zu den vier. »Lauft in unterschiedliche Richtungen.«

»Hört nicht auf sie«, widersprach einer der beiden Jungen. »Zusammen schaffen wir es vielleicht.«

»Nein!«, fuhr Rosa ihn an. »Ihr müsst euch trennen!«

Michele strahlte vor Vergnügen, während er die Szene beobachtete. »Denkt daran, sie ist eine von uns.«

Das zweite Mädchen begann um sein Leben zu flehen, aber niemand beachtete sie.

»Sie töten euch alle, wenn ihr in der Gruppe bleibt«, sagte Rosa. Aber die vier scherten sich nicht darum.

»Wir töten euch, egal, was ihr tut«, erklärte Michele süffisant.

Rosa fuhr herum, und ehe er ausweichen konnte, schlug sie ihm mit der geballten Faust ins Gesicht.

Michele taumelte mit einem Stöhnen zurück, und zugleich witterte einer der Jungen eine Chance. »Los! Kommt jetzt!«, rief er den anderen zu, und dann stolperten sie los, vier entkräftete, ausgezehrte, hilflose Jugendliche, denen in wenigen Augenblicken das Rudel der Panthera auf den Fersen sein würde. Sie erreichten die Bäume und verschwanden aus Rosas Blickfeld. Das eine Mädchen weinte noch immer und ihr Schluchzen verriet, wo die vier sich befanden.

Während Michele sich wieder aufrichtete, warfen im Hintergrund die ersten Carnevares ihre Mäntel ab. Außerhalb des Lichts der Lkw-Scheinwerfer verzerrten sich menschliche Silhouetten, ein Stöhnen und Fauchen drang aus allen Richtungen. Es waren auch Frauen darunter; anders als bei den Lamien besaßen beide Geschlechter der Panthera die Fähigkeit zur Verwandlung. Rosa sah, wie eine von ihnen auf Hände und Füße kippte – und im selben Moment vier Pranken daraus wurden.

Michele scheuchte mit einem zornigen Wink zwei seiner Handlanger fort, die sich auf Rosa stürzen wollten. »Ich lasse Alessandro ein Stück von dir schicken«, sagte er. »Tiefgefroren. Was glaubst du, welches Teil er am liebsten hätte?«

»Er wird dich dafür umbringen, Michele.« Sie hatte das

einfach so dahingesagt, ohne darüber nachzudenken, aber noch
während sie die Worte aussprach, wurde ihr klar, dass es die
unumstößliche Wahrheit war. Sie hatte erlebt, wie rachsüchtig
Alessandro sein konnte. Er würde nicht ruhen, bis er ihren Mörder getötet hatte.

Nur half ihr das im Augenblick herzlich wenig.

Das Oberhaupt der New Yorker Carnevares wischte sich
einen Blutstropfen von der aufgeplatzten Lippe, betrachtete
ihn auf seinem Handrücken und leckte ihn ab – mit einer
Zunge, die nicht länger menschlich war, sondern geschmeidig
und rau. Auch sein Haar verfärbte sich, wurde heller. Er machte
sich nicht die Mühe, seine Kleidung abzulegen.

»Lauf, Rosa Alcantara«, fauchte er, während immer mehr
der anderen vornüber auf ihre Pfoten sanken. »Lauf und halt
dein Fleisch warm, bis ich wieder bei dir bin.«

Da rannte sie los, aus dem grellen Schein zur anderen Seite
der Lichtung, zwischen schnappenden, schnurrenden, heulen-
den Raubkatzen hindurch, die ihre Gier kaum noch zügeln
konnten.

Sie lief nach Westen, in den Schatten der Bäume, durch un-
berührten Schnee.

Die Meute

Bald darauf stolperte sie eine Böschung hinunter und gelangte auf einen schmalen Weg. Vor ihr in der Dunkelheit erhob sich ein mächtiger Torbogen, gemauert aus groben Steinquadern. Sie kannte diesen Ort, vor Jahren war sie schon einmal hier gewesen.

Das Gebiet hieß The Ramble und war eine künstlich angelegte Wildnis mit dichtem Wald, verschlungenen Pfaden und steilen Felsformationen. Bäche und Tümpel wirkten bei Tageslicht idyllisch, in einer Winternacht aber wurden die offenen, ungeschützten Eisflächen zu unüberwindbaren Hindernissen.

Irgendwo in diesem Dickicht gab es eine künstliche Grotte, die seit Jahren für Besucher gesperrt war, dazu zahllose andere Winkel und Ecken, die sich vermeintlich als Unterschlupf anboten. Michele nahm sicher an, dass seine Beute irgendwo Deckung suchte, in der Hoffnung, dass die Panthera sie nicht finden würden. Aber Rosa machte nicht den Fehler, den Geruchssinn der Raubkatzen zu unterschätzen. Sie hatte Alessandro und andere Carnevares in Tiergestalt erlebt und ihr war klar, dass es vor ihnen kein Versteck gab. Früher oder später würden sie jeden aufspüren, der sich in einem der Löcher verkroch.

Geradeaus laufen, hatte sie zu den anderen gesagt. Nur war das im Ramble unmöglich. Das Wegenetz war kurvig und unübersichtlich, und neben den Pfaden erhoben sich steile Hänge und Klippen. Michele hatte sich den denkbar besten Spielplatz ausgesucht, aus den gleichen Gründen, aus denen Cesare damals für die Jagd das Monument von Gibellina gewählt hatte. Aus den engen Schneisen zwischen Gestein und wucherndem Unterholz gab es kein Entkommen.

Rosa rannte durch den verharschten Schnee und versuchte, ihren jagenden Atem zu kontrollieren. Das Profil ihrer derben Schuhe bewahrte sie davor auszurutschen, aber sie war dennoch viel zu langsam. Sie wollte nach Westen, zum Rand des Parks. Doch immer, wenn sie einen Blick durch die Bäume erhaschte, sah sie nur schwarzen Himmel, keine Skyline. Vielleicht lief sie in die falsche Richtung, immer tiefer in den Park hinein. Umzukehren wagte sie nicht, die Panthera mussten bereits ihren Spuren folgen.

Den ersten Schrei hörte sie, als sie geduckt eine kleine Brücke überquerte. Einer der Jungen wahrscheinlich, aber es war schwierig, das mit Bestimmtheit zu sagen – das Kreischen klang hoch und schrill, nach Todesangst.

Rosa lief weiter. Kein Mitgefühl, nicht jetzt. Ihr wurde übel. Sie schaffte es noch bis zum Geländer der Brücke und übergab sich auf die gefrorene Wasseroberfläche.

Als sie aufblickte, sah sie eine Bewegung in den Büschen, einen gleitenden Schemen in der Dunkelheit am Ufer. Sie warf sich herum und rannte weiter, hätte gern auf ihre Verfolger gehorcht, hörte aber nur das Knirschen ihrer eigenen Schritte im Schnee und ihren Atem, beides zu laut.

Den zweiten Schrei stieß eines der Mädchen aus. Er drang aus einer anderen Richtung zu ihr herüber. Also hatten sich die vier doch noch getrennt. Genützt hatte es ihnen nichts. Die Panthera hatten sich ihr zweites Opfer geholt. Rosa fragte sich, ob sie ihre Beute gleich töteten oder sie nur verletzten und entkommen ließen, ihr einen Vorsprung gaben und dann dem Duft des heißen Blutes folgten.

Wieder bewegte sich etwas zwischen den Bäumen, jetzt neben ihr. Dicht am Boden, als bildeten die schwarzen Silhouetten der Stämme Auswüchse, die von einem zum anderen flossen und verschmolzen. Etwas huschte durch das Unterholz, parallel zum Weg. Aber sie verlor es gleich wieder aus den Augen, weil schon nach wenigen Schritten die nächste hohe Böschung ihren Blick versperrte.

Wie lange war sie jetzt unterwegs? Keine fünf Minuten. Blieb eine Ewigkeit, ehe das Serum seine Wirkung verlor und sie die Chance bekam, sich zu verwandeln. Wartete Michele so lange mit seinem Angriff? Suchte er nun doch den Kampf mit einer Gegnerin, die sich wehren konnte? Rosa erinnerte sich an das Duell zwischen Zoe und Tano, Schlange und Tiger, das sie im Wald der Alcantaras beobachtet hatte. Sie hatte wenig Hoffnung, dass sie so viel entgegenzusetzen hätte wie ihre Schwester.

Wieder ein Schrei, und diesmal schien er kein Ende zu nehmen. Das Fauchen der Raubkatzen hallte durch die Nacht, mehrere Panthera, die sich um ihre Beute balgten. Schließlich ertönte markerschütterndes Löwengebrüll. Dann herrschte Stille. Der Streit war entschieden.

Sie erreichte eine Kreuzung, bog nach rechts. Eine weitere Brücke unter tief hängenden Zweigen. Vor ihr gähnte die Mündung eines Fußgängertunnels. Sie konnte sein Ende sehen, keine zehn Meter entfernt, ein vager grauer Fleck inmitten der Schwärze.

Sie blieb stehen, horchte, hörte das Trommeln ihres Herzschlags. Alessandros Züge stiegen vor ihrem inneren Auge auf, aber das konnte sie im Augenblick am allerwenigsten gebrauchen. Sie wartete auf die Schlange, das eiskalte Reptil in ihr. Sie wollte jetzt nicht an ihn denken. Aber je stärker sie sich dagegen wehrte, desto heftiger drängten ihre Gefühle an die Oberfläche. Sie durfte sich nicht von dem ablenken lassen, was vor ihr lag.

Von dem schwarzen Maul des Tunnels.

Von dem Maul des schwarzen Panthers, der mit einem Mal auf dem Weg stand.

Sie starrten einander an, und einen wahnsinnigen Augenblick lang war sie der Überzeugung, er wäre es.

Sie hatte noch nicht viele Panthera nach ihrer Verwandlung zur Raubkatze gesehen, aber sie wusste, dass die menschlichen Züge in den tierischen wiederzuerkennen waren. Es waren nur Kleinigkeiten. Ein ganz bestimmtes Funkeln in Alessandros Augen. Nicht in diesen hier.

Sie wich einen Schritt zurück.

Hinter ihr erklang erneut das vielstimmige Fauchen der Meute, dann das Brechen und Knirschen von Ästen. Sie kamen jetzt durch den gefrorenen Winterwald des Ramble, achteten nicht auf die Wege, jagten durchs Unterholz.

Der Panther vor ihr rührte sich nicht. Er hatte nur unmerklich die Nase gehoben und verharrte. Und da begriff sie, dass er die Witterung der anderen aufnahm, die durch die Nacht heranstürmten. Womöglich schätzte er ab, wie viel Zeit ihm blieb, um sie für sich allein zu beanspruchen.

Rosa wandte sich rasch zur Seite und begann die steile Böschung auf der linken Seite des Weges hinaufzuklettern. Der Panther stand keine vier Meter vor ihr, unmittelbar hinter ihm öffnete sich der Tunnel. Irgendwie musste sie es über die Schräge nach oben schaffen, über die gefrorenen Schneewehen hinweg, die in ein Gewirr aus Ranken und Wurzeln übergingen. Oberhalb des niedrigen Hangs erhoben sich breite Baumstämme. Etwas bewegte sich dahinter.

Der Panther stieß ein Fauchen aus, aber sie blickte nicht zurück.

Da veränderten sich die Laute aus seinem Maul.

»Nicht dort entlang!«

Sie riss den Kopf herum, sah hinab auf den Weg. Ein nackter Mann hockte vor dem Tunnel, auf den ersten Blick nicht viel älter als sie. Noch während sie ihn anstarrte, richtete er sich schwankend auf, benommen von der blitzschnellen Rückverwandlung. Stränge aus Pantherfell huschten über seine Muskulatur, verästelten sich und verschwanden. Aber seine Augen glühten noch immer, sein Haar blieb rabenschwarz.

»Ich helfe dir«, brachte er kehlig hervor, während sich sein Inneres noch umformte, seine Stimmbänder wieder menschlich wurden. Er sah blass und schutzlos aus vor dem tiefen, schwarzen Tunnelschlund.

»Komm mit mir.« Er streckte eine bebende Hand aus.

Sie drehte sich um und setzte ihren Aufstieg fort. Hinauf zu den Bäumen. Den Schemen, die sich zwischen ihnen bewegten.

Sie richtete sich schwankend auf, konnte jetzt knapp über den oberen Rand der Böschung blicken.

Ein Löwenpaar streifte durchs Unterholz. Dann sah sie das Mädchen. Jessy drückte sich weiter rechts hinter einen Baumstamm, versteckte sich schlotternd und frierend vor den Bestien. Als Rosa wieder nach links schaute, waren da weitere Panthera. Ein Leopard. Zwei Tiger. Eine zierliche Löwin mit riesigen Augen, die fast unschuldig aus ihrem schönen Katzengesicht blickten.

Die Bestien näherten sich Jessys Versteck, ohne dass die sie sehen konnte. Wahrscheinlich roch das Mädchen sie, hörte das Knirschen von gefrorenem Laub und Astwerk unter ihren Pranken. Aber Jessy stand erstarrt hinter dem Eichenstamm und wagte nicht, sich zu rühren.

Nur ihre Augen richteten sich auf Rosa, über eine Distanz von acht, neun Metern, weiß leuchtende Perlen in der Dunkelheit. Ein flehender, angstvoller Blick.

Eine Hand legte sich von hinten auf Rosas Mund und zog sie mit Gewalt nach unten, in den Schutz der Böschungskante. Ein Wispern an ihrem Ohr, fast unverständlich: »Du kannst nichts für sie tun.«

Wie willenlos ließ sie sich von ihm den Hang hinunterführen. Sie wusste, dass er Recht hatte. Dass das, was sie gerade erlebt hatte, ein Abschied gewesen war von einer Fremden, die Rosa in diesen wenigen Sekunden um ihr Leben angefleht hatte.

Unten angekommen riss sie sich von ihm los, wollte wieder den Hang hinauf, doch noch dazwischengehen, die Panthera anschreien, dass es eigentlich nur um sie ging, die Lamia, die sie so sehr hassten.

Nur dass das nichts ändern würde.

Oben, im Dunkeln, begann Jessy zu schreien.

Der Mann sprang hinter Rosa her und zerrte sie erneut die Böschung hinab. »Du stirbst, wenn du nicht mit mir kommst!«, fauchte er sie an, noch immer mit diesem gefährlichen Katzenschnurren in der Stimme, das sie bei Alessandro anziehend fand, bei ihm nur bedrohlich.

Sie wollte sich wehren. Wollte ihm widersprechen. Wollte dem Mädchen dort oben zu Hilfe eilen.

Aber sie tat nichts von alldem. Starrte ihn nur an, spürte, wie etwas in ihr abstarb, vielleicht ihr Mitleid, vielleicht nur diese Anwandlung verzweifelten Muts, und dann nickte sie.

»Dort entlang«, flüsterte er und rannte voraus in den Tunnel. »Komm schon!«

Sie folgte ihm und hoffte, dass Jessys Kreischen und Heulen hier unten verstummen würde, aber stattdessen ertönte es noch lauter. Vielfaches Knurren und katziges Maunzen mischte sich darunter, als die Panthera einmal mehr um ihre Beute stritten, um dann, wie eben schon, von einem animalischen Brüllen zum Schweigen gebracht zu werden. Es klang nicht so wild und barbarisch wie vorhin, eher herrschaftlich. Ein kurzer Befehl in der Sprache der Panthera, und sofort herrschte Stille bis auf Jessys Weinen und Flehen.

Die Laute, die schließlich auch das Mädchen zum Verstummen brachten, ließen Rosa fast in die Knie gehen. Ein Schnappen und Reißen hallte durch den Tunnel, als fände das Festmahl der Panthera hier unten im Schatten statt, gleich neben Rosa.

Der Mann packte sie wieder und zog sie mit sich. »Sie töten uns beide, wenn sie uns einholen.«

»Du bist einer von ihnen.«

Er widersprach nicht.

»Warum hilfst du mir?«

Sie hatte alles erwartet und nichts. Einen Verbündeten Alessandros, einen seiner Spitzel im New Yorker Zweig seines Clans. Oder auch einen Panthera, der sie für sich allein haben wollte.

Nur nicht das.

»Wegen Valerie«, sagte er leise.

Sie fragte nicht weiter, sondern rannte nun schneller, fort von den Lauten des wütenden Fraßes in ihrem Rücken.

Sie erreichten das andere Ende des Tunnels, bogen in einen Seitenweg und liefen ein Stück am Ufer eines kleinen Sees entlang. Dann zog der Mann sie am Arm hinter sich her ins Unterholz, das hier nicht mehr ganz so wild wucherte. Sie befanden sich im Randbereich des Ramble, näherten sich der geordneten und gepflegten Parklandschaft.

Im Schutz einer Baumreihe, am Rand eines Hains, blieb er stehen und spähte hinaus ins Freie. Er war noch immer nackt und im Schein einer nahen Laterne sah sie, dass er zitterte. Seit ihn kein Pantherfell mehr schützte, fror er wie ein gewöhnlicher Mensch. Lange würden sie beide nicht durchhalten.

»Ist das der East Drive?«, flüsterte sie. Vor ihnen, jenseits eines schmalen Schneefelds, lag eine asphaltierte menschenleere Straße.

Er nickte. Seine Lippen waren blau.

»Aber du hast irgendein Ziel, oder?«, fragte sie zweifelnd.

»Nicht mehr weit.« Er schaute nach rechts und links, dann zurück über die Schulter. »Lauf!«

Sie verließen den schützenden Schatten der Bäume. Rosas Stahlkappenschuhe hinterließen tiefe Spuren im überfrorenen Schnee, während er barfuß darüber hinweghuschte, als wäre ein Teil von ihm noch immer eine Katze.

»Folgen sie uns?«, fragte sie.

»Sie werden sich erst satt fressen, wenn sie euch alle beisammenhaben. Sie tragen die ganze Beute an einen Ort, dann erst teilen sie alles auf.«

Sie überquerten die Straße und Rosa erwog, ihr nach Süden zu folgen. Er bemerkte ihren Blick und schüttelte den Kopf. »Am Übergang zum Terrace Drive gibt es eine Absperrung. Du würdest nicht weit kommen. Nicht als Mensch.«

»Wie heißt du?«, fragte sie, als sie die Bäume auf der anderen Seite erreichten. Die Stämme standen hier viel weiter auseinander. Es gab kaum Buschwerk, das ihnen Schutz bot.

»Mattia.«

»Carnevare?«

Er nickte erneut. »Du bist Rosa.«

Sie wollte fragen, woher er das wusste, aber er kam ihr zuvor.

»Valerie«, sagte er, »sie hat manchmal von dir gesprochen.«

Hinter ihnen erklang Triumphgebrüll, als die Meute hinaus auf das Schneefeld strömte.

Das Bootshaus

Der Schweiß auf Rosas Stirn war eiskalt. Ihr Gesicht fühlte sich an wie gelähmt. Sie rannte mit Mattia zwischen den Bäumen hindurch nach Osten, während die Panthera hinter ihnen heranjagten.

Wie lange noch, bis die Wirkung des Serums nachließ? Fünf Minuten? Sieben? Es gab keine Gesetzmäßigkeiten, auf jeden Arkadier wirkte es anders. Wenn sie Pech hatte, war sie noch zehn Minuten oder länger an ihren menschlichen Körper gebunden.

Und wer sagte, dass sie die Metamorphose diesmal durch ihren Willen herbeiführen konnte? Sie musste sich notgedrungen darauf verlassen, dass die Verwandlung bei Gefahr von allein einsetzte.

Außer Atem passierten sie die Statue eines Mannes, der mit einem aufgeschlagenen Buch im Schoß auf einer Bank saß; eine Ente aus Bronze blickte vom Boden zu ihm auf. Davor erstreckte sich am Ufer eines Sees eine asphaltierte Promenade. Das Eis auf dem Wasser schimmerte silbrig. Im Schein der Lampen am gegenüberliegenden Ufer sah Rosa ein einzelnes Gebäude, eingeschossig, mit einem hellgrünen Dach, das an ein Zirkuszelt erinnerte. Darauf erhob sich eine hohe Spitze wie auf einem Kirchturm.

»Conservatory Water«, rief Mattia atemlos. »Wenn wir es bis zur anderen Seite schaffen ...«

Er sagte nicht, was genau dann geschähe, aber sie nahm an, dass er die Hochhäuser an der Fifth Avenue meinte, deren erleuchtete Fenster sich vor dem Nachthimmel abzeichneten, jenseits des Gebäudes mit dem grünen Dach und einer Reihe kahler Baumkronen.

»Wenn wir um den See laufen, schaffen wir es nie«, brachte sie stöhnend hervor. Die Kälte begann zu schmerzen, und sobald sie seine nackte Haut ansah, wurde es noch schlimmer. Warum nahm er das auf sich?

Rosa wollte über die Promenade auf das Eis laufen, um den See zu überqueren, aber Mattia hielt sie zurück.

»Nein, nicht! Der See wird tagsüber enteist, damit die Segelboote darauf fahren können. Die Eisschicht ist viel zu dünn.«

Segelboote? Auf diesem Teich? Aber sie hielt sich nicht mit Diskussionen auf, riss sich erneut von ihm los und rannte am Ufer entlang nach Norden. Als sie über die Schulter sah, entdeckte sie dunkle Punkte auf der verschneiten Wiese zwischen den Bäumen, mindestens ein Dutzend, vielleicht mehr. Einige von ihnen trugen etwas im Maul, das sie aufhielt; nach ihnen richtete sich die Geschwindigkeit des gesamten Rudels, so als trauten die anderen ihnen nicht genug, um sie mit der Beute zurückzulassen. Vier menschliche Körper, aufgeteilt auf zu viele Raubkatzen.

Rosa bekam jetzt kaum noch Luft vor Anstrengung. Der Frost drang in ihre Lunge, ihre Kehle fühlte sich an, als hätte sie Glassplitter verschluckt.

Noch ein Ensemble von Bronzestatuen, am oberen Ende des Sees: Alice im Wunderland, der verrückte Hutmacher und das weiße Kaninchen.

Auch Mattia wurde langsamer, die Kälte begann ihn zu lähmen.

»Verwandle dich«, rief Rosa ihm zu. Selbst ihre Stimme klang jetzt wie zerstoßenes Eis.

»Sie können uns sehen«, gab er kopfschüttelnd zurück. »Sie dürfen nicht wissen, dass ich einer von ihnen bin.«

»Du bist nackt!«, fuhr sie ihn an. »Was sollen sie wohl denken? Dass ich unterwegs einen Sittenstrolch aufgegabelt habe?«

Er fluchte – und wurde zum Panther. Die Verwandlung geschah so schnell, dass Rosa ihr kaum mit den Augen folgen konnte. Torso und Glieder verformten sich im Sprung, Fell floss wie schwarzes Öl über seine Haut. Im nächsten Augenblick rannte er auf allen vieren vor ihr her. Einen Moment lang wurde sie fast überwältigt von Neid. Er war höchstens drei Jahre älter als sie, und dennoch beherrschte er die Transformation perfekt. Für ihn war sie eine Gabe. Für Rosa bislang nur ein Fluch.

Mit letzter Kraft folgte sie ihm auf eine Aussichtsterrasse, die sich vor dem Ziegelgebäude mit dem grünen Giebel bis zum See erstreckte. Sie hatte erwartet, dass sie am Haus vorbei unter die Bäume dahinter laufen würden; die Fifth Avenue war nur noch einen Steinwurf entfernt, sie konnte den nächtlichen Straßenverkehr so deutlich hören, als stünde sie am Bordstein. Eine Polizeisirene heulte in Richtung Süden vorüber und verschmolz mit dem Lärm der Upper East Side.

Der Panther aber jagte auf den Eingang des Gebäudes zu, und da begriff sie, dass er hineinwollte. Noch einmal blickte sie zurück. Die Panthera waren keine vierzig Meter hinter ihnen. Ein riesenhafter Leopard in der Mitte trug einen menschlichen Körper zwischen den Kiefern, als besäße der nicht mehr Gewicht als ein Hase.

Jessys dünne Beine schleiften auf der einen Seite des Mauls über den Boden, ihr Haar auf der anderen. Die Arme federten bei jedem Schritt der Raubkatze auf und ab. Der Leopard trug sie mit erhobenem Haupt als Trophäe seines Sieges. Voller Stolz, voller Hohn.

»Michele«, flüsterte Rosa hasserfüllt.

Als sie sich wieder dem Haus zuwandte, stand Mattia in Menschengestalt vor dem Eingang, winkte sie mit einer erschöpften Geste heran – und stieß die graue Metalltür mit der anderen Hand nach innen. Im Schloss steckte ein Schlüssel.

»Ich arbeite hier«, presste er ächzend hervor. »Deshalb.«

Die Panthera erreichten die Terrasse. Einige von denen, die noch keine Beute gemacht hatten, konnten ihre Gier nicht mehr zügeln und wurden schneller. Rosa rannte an Mattia vorbei, zog ihn im Laufen mit sich und gemeinsam warfen sie sich von innen gegen die schwere Tür. Sie fiel ins Schloss. Mattia drehte mit zitternden Fingern den Schlüssel herum. Draußen stießen mehrere Raubkatzen zorniges Heulen aus, Krallen scharrten am Metall. Ein ohrenbetäubendes Getöse.

»Die Fenster sind vergittert«, raunte Mattia ihr zu. »Sie kommen hier nicht rein, auch nicht als Menschen.« Seine Katzenaugen glühten so hell wie die einzige Notbeleuchtung über dem Eingang. Während sie ihn nur als Umriss wahrnahm, musste er sie so deutlich sehen können wie am Tag. Sie streckte eine Hand aus, die Finger so kalt, dass sie fürchtete, sie könnten beim geringsten Widerstand abbrechen. Zögernd berührte sie seine nackte Schulter. Wie aus Eis gegossen.

Erst jetzt wurde ihr bewusst, dass es in dem Gebäude ungewöhnlich warm war. Die Heizungen liefen auf Hochtouren.

»Du hast das geplant«, stellte sie fest. »Mich herzubringen.«

Er nickte schwach. »Der Schlüssel lag vor der Tür, und die Heizung hab ich schon vor Stunden aufgedreht. War ja klar, in welchem Zustand wir hier ankommen würden.«

Er löste sich vom Eingang und öffnete einen kleinen Schaltkasten, ein Stück weit entfernt an der Wand. Ein Knopf leuchtete rot. Mattia drückte darauf.

»Die Alarmanlage«, sagte er laut genug, dass auch die anderen vor der Tür es hören konnten. »Sie ist jetzt eingeschaltet.«

Das Scharren brach ab. Etwas fiel in den Schnee – Jessys Leiche? – und nun ertönte Micheles Stimme. Er war wieder zum Menschen geworden.

»Wie lange wollt ihr euch da drinnen verkriechen? Bis zum

Morgen?« Er gab einen Laut von sich, der vielleicht ein Lachen sein sollte, aber keines war, nur ein animalisches Kreischen. »Es ist schon jemand unterwegs, um die Männer mit dem Werkzeug zu holen.«

Mattia senkte die Stimme. »Wenn der Alarm losgeht, wimmelt es hier bald von Sicherheitsleuten. Das Risiko gehen sie nicht ein, bevor sie nicht irgendeinen Verantwortlichen aus dem Bett geklingelt und bestochen haben. Dafür brauchen sie mindestens eine Stunde. Bis dahin hat die Wirkung des Serums bei dir längst nachgelassen.«

Als ob das die Garantie dafür wäre, dass sie überleben würden. »Lösen wir den Alarm selbst aus«, sagte sie.

»Ich muss mit dir reden, bevor hier die Hölle losbricht«, entgegnete er. »Abgesehen davon würden sie uns beide hier finden, ich nackt und du … na ja, viel hast du auch nicht mehr an.«

Sie folgte seinem Blick auf ihre blau gefrorenen Beine. Von der Strumpfhose war kaum etwas übrig.

»Lieber vor Gericht als tot«, sagte sie, trat aber ans Fenster und schaute ins Freie. Die Panthera hatten sich an den Rand der Terrasse zurückgezogen. Nur Jessys Leichnam lag verdreht wie schmutzige Kleidung im Schnee, gut sichtbar vom Fenster aus. Ein Versprechen.

Rosa wandte sich ruckartig ab. Sie trat einen Schritt zur Seite und lehnte sich mit dem Rücken gegen die Ziegelmauer. »Sie warten.«

»Gut. Das gibt uns Zeit.«

Lange Tische beherrschten einen düsteren Raum, der das ganze Erdgeschoss einnahm. Darauf standen mehrere Dutzend Modellboote, jedes nicht länger als einen halben Meter, mit spitzen Segeln, unzähligen Wimpeln und bunten Symbolen. An einer Seitenwand befand sich eine Werkbank mit Schraubstöcken, gestapelten Lackdosen, Plastikkanistern und aufgerolltem Segelstoff. Werkzeug war in Aufhängungen an der Wand darüber befestigt.

»Kinder und Touristen mieten die Boote und lassen sie auf dem Conservatory Water fahren«, sagte Mattia, als müsste sie das unbedingt wissen. »Ich repariere sie, wenn sie kaputt sind. Das sind sie ziemlich oft.«

Sie fixierte sein glühendes Augenpaar. »Der Plan?«

»Wir reden. Über Valerie.«

»Die töten uns, Mattia, egal, ob das Serum noch wirkt oder nicht.« Sie sank wieder gegen die Ziegelwand und spürte vor Kälte kaum, wie ihre Wirbel hart an den Fugen rieben, während sie langsam nach unten rutschte. Mit angezogenen Knien blieb sie am Boden sitzen. »Warum Valerie? Was hat sie damit zu tun?«

»Sie und ich«, sagte Mattia zögernd, so als wäre *das* ein Grund, sich zu schämen, nachdem er doch die ganze Zeit splitternackt neben ihr hergelaufen war, »wir waren zusammen. Und sie liebt mich noch immer, ich weiß das.«

Sie starrte ihn an. Fassungslos. Ihr war nicht nach Lachen zu Mute, aber sie tat es trotzdem. Es klang ein wenig irre, aber es fühlte sich gut an.

»Liebe?«, wiederholte sie. »Darum geht es hier also?«

Er schüttelte den Kopf, während er in die Hocke ging, damit ihre Gesichter auf einer Höhe waren.

Ihr Blick wanderte nach unten. »Du hast an alles gedacht, aber nicht an eine *Hose*?«

»Entschuldige.« Er stand auf, streifte das Fenster mit einem Blick und ging hinüber zur Werkbank. Einen Moment später kam er zurück, mit einem Tuch voller Lackspritzer um die Hüften. »Besser?«

Sie nickte.

»Valerie und ich«, setzte er von neuem an, »wir waren fast ein Jahr lang unzertrennlich. Dann hab ich den Fehler gemacht, sie meiner Verwandtschaft vorzustellen. Ich hab sie mit auf Partys genommen, in den *Dream Room* und in ein paar von den anderen Carnevare-Clubs. So hat sie Michele getroffen.«

Rosa bemühte sich, für einen Moment nicht an das ermordete Mädchen draußen im Schnee zu denken. Nicht an ihre eigene Angst. Sie begann zu ahnen, worauf das hinauslief. »Michele hat sie dir weggenommen«, sagte sie, und dann erst sickerte endgültig ein, dass es hier um *ihre* Valerie ging. Die Valerie, die stets alle Männer abgewiesen hatte. Die nie einen One-Night-Stand, geschweige denn festen Freund erwähnt hatte.

»Sie hat sich von ihm einwickeln lassen.« Mattia klang, als täte es ihm noch immer weh, darüber zu sprechen. »Sie hätte alles für ihn getan … Sie *hat* alles für ihn getan«, korrigierte er sich. Er machte eine kurze Pause, als wollte er sich die nächsten Worte sorgfältiger zurechtlegen. »Sie hat es herausgefunden, irgendwie. Was er ist und was wir alle sind. Nie im Leben hat er es ihr erzählt, sie muss ihn beobachtet haben, oder sie hat zufällig etwas mitbekommen, was weiß ich.«

»Mattia«, sagte Rosa beschwörend. »Warum hier und jetzt? Du hättest mich auf einen Kaffee einladen können, um mir das zu erzählen. Die da draußen werden uns umbringen.«

»Valerie ist verschwunden«, sagte er. »Vor sechzehn Monaten.«

Wie elektrisiert sprang sie auf. Ihre unterkühlte Haut kribbelte am ganzen Körper von der Wärme im Raum.

»Wann genau?«, entfuhr es ihr.

Er neigte den Kopf ein wenig, während er sie eindringlich ansah. »Kurz nach Halloween.«

Sie presste die Lippen aufeinander und atmete scharf durch die Nase aus.

Mattia ging wieder zum Fenster und warf einen Blick auf die Panthera. Während sie ungeduldig darauf wartete, dass er fortfuhr, schaute sie an ihm vorbei nach draußen. Noch war alles unverändert ruhig. Michele und die anderen warteten auf ihre Verstärkung mit den Brecheisen. Vermutlich hatte ein Mitglied der Parkverwaltung schon einen warnenden Anruf erhalten: Niemand vom Sicherheitsdienst sollte es wagen, auf einen Alarm im Bootshaus zu reagieren.

»Also?«, fragte sie.

»Das Letzte, was ich gehört habe, war, dass sie durch Europa reist.« Er blickte unverwandt nach draußen und Rosa wusste, ohne hinzusehen, dass er den Leichnam des Mädchens anstarrte. »Ich weiß nicht, ob das die Wahrheit ist. Möglicherweise hat Michele sie –«

»Umgebracht?« Sie trat neben ihn. »Warum?«

»Damit sie den Mund hält. Damals hatte das Konkordat noch Gültigkeit, und es gab da etwas, das niemand erfahren sollte.« Er wandte den Kopf und sah ihr in die Augen. »Ich weiß, was mit dir passiert ist auf der Party. Und Michele weiß es auch.«

Ihr Gesicht war wie taub. Sie biss sich auf die Unterlippe und spürte es erst, als sie Blut schmeckte.

»Michele?«, fragte sie tonlos.

Mattia nickte. »Er war dabei«, sagte er. »Michele war einer von ihnen.«

Die Verwandlung

Rosa war ganz ruhig. Erschöpfung, die nichts mit ihrer Flucht zu tun hatte, umfing sie. Wie das Gefühl, wenn Hysterie in stumpfen Gleichmut umgeschlagen ist. Sie hatte das Schreien und Toben übersprungen und war gleich an den Punkt gelangt, an dem sie gar nichts mehr spürte.

»Wer noch?«

Mattia seufzte. »Das Haus, in dem die Party stattgefunden hat, 85 Charles Street … das ist mitten im Village. Sagt dir die Adresse was?«

Ihre Fingernägel bohrten sich tief in ihre Handflächen, so fest ballte sie die Fäuste. »Nenn mir Namen. Einen, zwei, jeden, den du kennst.«

Draußen entstand Unruhe. Mattias Blick flackerte nervös von Rosa zur Terrasse. Er fluchte leise. »Da kommt ein Wagen, auf der anderen Seite des Sees. Das sind Micheles Leute.«

»Mattia, verdammt!«, brüllte sie ihn an, und jetzt spürte sie etwas, endlich, und sie hieß das vertraute fremde Gefühl willkommen wie einen Freund.

»In diesem Haus, eine der Wohnungen … Sie gehörte Gaettano. Das ist –«

»Tano?« Sie stolperte einen Schritt zurück und stieß gegen einen der Tische voller Modellboote. »*Dem* Tano?«

»Er ist oft hier gewesen, Michele und er waren gute Freunde. Vor einigen Tagen ist Micheles jüngerer Bruder erschossen worden, aber das hat ihn nicht halb so sehr getroffen wie Tanos Tod vor ein paar Monaten. Carmine, sein Bruder, war ein Schwein, selbst in Micheles Augen, und noch dazu eine wandelnde Koksleiche. In Kolumbien weinen mehr Leute um ihn als hier in New York. Aber als Tano starb, da war das für Michele –«

»Ich bin dabei gewesen.«

Er nickte. »Michele sagt, du bist schuld an seinem Tod.«

»Ich wünschte, ich wär's.« Sie fuhr sich mit den Händen übers Gesicht. Nach so langer Zeit fühlte sie sich auf einen Schlag wieder schmutzig und erniedrigt, als wäre die Vergewaltigung erst gestern geschehen.

Tano. Und Michele.

Wieder musste sie sich abstützen. »Sind das alle?«

»Alle, von denen ich weiß.« Ihm war merklich unwohl, und das lag nicht allein an den Scheinwerfern, die sich am Seeufer näherten. »Es müssen noch andere dabei gewesen sein, wahrscheinlich zwei oder drei von denen, die jetzt da draußen auf uns warten.«

Sie schloss die Augen, spürte dem Atem nach, wie er in ihre Lunge strömte und wieder hinaus. Jedes Mal, wenn sie die Luft ausstieß, stieg da etwas anderes mit herauf, langsam, als müsste es sich erst aus ihrem Inneren an die Oberfläche graben. Kälte, die nichts mit dem Winter zu tun hatte, breitete sich in ihrem Brustkorb aus, überrollte die Reste des Serums in ihrem Blut wie eine Woge aus Quecksilber.

»Was willst du von mir?«, fragte sie ihn.

»Falls Valerie doch in Europa ist, dann wird sie bei dir auftauchen, früher oder später.«

»Sie hat mich mit zu dieser Party geschleppt, Mattia. Wenn sie weiß, was dort passiert ist und dass Michele darin verwickelt ist —«

»Sie war diejenige, die mir davon erzählt hat, gleich am nächsten Tag. Das war das letzte Mal, dass ich sie gesehen habe.«

Schuppen bildeten sich auf ihren Handrücken. Sie fühlten sich an wie Härchen, die in einem eiskalten Luftzug aufrecht standen. »Wenn ich sie sehe, bring ich sie um.«

»Aber sie kann nichts dafür! Sie hat's mir geschworen. Sie

hat erst später in der Nacht davon erfahren, als Michele ihr völlig zugekokst davon erzählt hat. Das hat sie aus der Bahn geworfen, und sie kam zu mir, um –«

»Oh, na klar«, fiel sie ihm eisig ins Wort. »Bestimmt ging es ihr richtig mies. Weil *ich* vergewaltigt worden bin. Von *ihrem* Freund!«

Das Motorengeräusch des Wagens, der sich durch den Schnee kämpfte, wurde lauter. Aber Mattia war so verzweifelt bemüht, Valerie in Schutz zu nehmen, dass er den Lärm nicht beachtete.

»Es war nicht ihre Schuld«, entgegnete er. »Sie hat gesagt, dass sie mit dir sprechen will. Sie wollte dich um Verzeihung bitten.«

Verzeihung. Rosa wollte ihn auslachen für seine dumme, blinde Liebe zu diesem Mädchen, aber dann dachte sie daran, wie sie selbst in ihren Bann geraten war. Valerie besaß eine Ausstrahlung, die es ihr leicht machte, andere zu becircen.

»Was erwartest du von mir?«, fragte sie. »Dass ich so tue, als wäre nichts geschehen?«

»Wenn du sie siehst, dann sag ihr, dass ich auf sie warte«, bat er sie eindringlich. »Dass sie immer zu mir zurückkommen kann, egal, was sie getan hat. Du bist die einzige Hoffnung, die mir noch bleibt. Wenn Valerie lebt, dann wird sie zu dir kommen und dich um Entschuldigung bitten. Das hat sie gesagt, damals.«

Rosa dachte an das Video, und sie fragte sich, ob Valerie nicht längst Kontakt zu ihr aufgenommen hatte. Sie verstand nur nicht, auf welche Weise Trevini in die Sache verstrickt war.

Der Wagen hielt am Rand der Terrasse. Seine Scheinwerfer leuchteten zum Fenster herein und warfen die Schlagschatten der Segelboote an die Rückwand des Raums als Reihen schwarzer Zähne.

Rosas Haut bewegte sich unter ihrer Kleidung. Schuppen

verhakten sich in Stofffasern, rieben aneinander wie die Oberflächen von Klettverschlüssen. Ihre Zunge spaltete sich im Mund zu zwei Spitzen, aber das geschah so selbstverständlich, dass sie es erst bemerkte, als sie zum Sprechen ansetzte.

Eine Sekunde lang überlegte sie noch, ob er ihr das alles mit Absicht gerade jetzt erzählt hatte, um genau diese Reaktion zu provozieren – den einen Moment, in dem sie jede Kontrolle über ihren Körper verlor.

Metall klirrte, als Werkzeug aus dem Wagen geladen wurde. Schritte stapften durch Schnee, dann hörte sie Stimmen draußen vor der Tür.

Rosa begriff erst, dass sie kein Mensch mehr war, als sie inmitten ihrer Kleidung zu Boden sank. Es tat nicht weh, das tat es nie. Es war fast angenehm, als legte sie mit ihrem menschlichen Körper auch einen Teil ihrer Ängste ab und erfasste alles nur noch mit einem kalten, präzisen Reptilienverstand.

Im Freien erklangen Befehle, dann ein anhaltendes Fauchen, mechanisch, von einer Maschine.

Mattia fluchte. »Sie haben einen Schneidbrenner. Damit sind sie in ein paar Minuten durch die Tür.«

Rosa blickte vom Boden zu ihm auf und versuchte, sich in ihrer neuen Gestalt zurechtzufinden. Sie wollte mit ihm reden, aber einen Moment später wurde ihr klar, dass nur ein Zischen aus ihrer Kehle drang. Der Zorn ergriff von ihr Besitz, und sie war unfähig ihre Gefühle in eine Richtung oder auf einzelne Personen zu lenken. Valerie, Michele, selbst der tote Tano – sie waren zu einem gesichtslosen Phantom verschmolzen, das nichts als Wut in ihr erzeugte. Wut, die ihr menschliches Denken aushebelte und den Verstand der Schlange beherrschte.

Ein beißender Geruch drang unter der Tür hindurch. Sie spürte Vibrationen, die sie als Mensch nicht hätte wahrnehmen können. Dafür war der Lärm schlagartig diffuser geworden. Sie wusste, dass sie sich jetzt stärker auf ihren Geruchssinn als auf ihr Gehör verlassen musste. Auch ihr Blickfeld war beeinträchtigt und sie sah weniger scharf; dafür nahm sie Temperaturunterschiede optisch wahr, fast wie eine Infrarotkamera. Das mochte der Grund sein, warum sie die Glutflecken an der Tür viel früher erkannte als Mattia. Die Männer bewegten den Schneidbrenner in einem Halbkreis um den Griff und das Schloss herum. Falls es keine zusätzliche Sicherung oben und unten an der Tür gab, würde sie aufschwingen, sobald der Schließmechanismus ausgeschnitten war.

Mattia rief ihr zu, sie solle sich in den hinteren Teil des Raumes zurückziehen und durch eines der vergitterten Fenster fliehen, während er die Panthera ablenkte. Sie hörte ihn, und doch dauerte es einen Augenblick, bis sie den Klang seiner Worte mit ihrer Bedeutung zusammenbrachte. Behände glitt sie unter den Tischen mit den Modellbooten hindurch, tiefer in die Schatten.

Mattia war noch immer ein Mensch, als er zur Werkbank hinüberlief und einen der Plastikkanister zwischen den Farbdosen hervorzerrte. Rosa verharrte einen Moment, um zu beobachten, was er da tat. Mit hektischen Bewegungen öffnete er den Verschluss und hielt den Kanister kopfüber in einen Plastikeimer. Der ätzende Geruch drohte augenblicklich ihre hochempfindlichen Sinne zu vernebeln; für sie als Schlange fühlte es sich an, als träufle jemand Säure in ihre Nase. Rosa machte, dass sie fortkam, aber der Geruch des Lösungsmittels folgte ihr durch das Bootshaus.

Dumpf hörte sie das Gluckern, mit dem der Kanister in den Eimer entleert wurde. Das Zischen des Schneidbrenners wurde aggressiver. Als sie zurücksah, verdeckten die Tischplatten ihre Sicht auf die Tür. Zwischen zwei Tischen reckte sie die vordere Hälfte ihres Schlangenkörpers in die Höhe, fast anderthalb Meter hoch, erkannte ein Fenster vor sich und warf noch einen Blick nach hinten.

Mattia schleuderte den leeren Kanister beiseite, packte den

Eimer und lief damit zur Tür. Zwei Schritt davor bezog er Stellung. Der Schneidbrenner hatte eine glühende Spur im Eisen hinterlassen, eine weiße Sichel rund um das Türschloss. Funken sprühten ins Innere. Draußen riefen zwei Männer einander etwas zu, aber für Rosa klang es nur dumpf, fremdartig, unverständlich.

Dafür spürte sie neue Erschütterungen, jetzt viel heftiger, als jemand von außen gegen die Tür trat. Aus Erfahrung wusste sie, dass die Hypersensibilität binnen kurzer Zeit nachlassen würde, sobald sich ihr Verstand an den neuen Körper gewöhnt hatte. Noch aber war es kaum zu ertragen. Die Luft selbst schien mit jedem Tritt gegen die Tür in Schwingung zu geraten.

Sie tauchte wieder zwischen den Tischen ab und hielt auf das Fenster in der Rückwand zu. Erst als sie die Mauer erreichte, schob sie ihren Schlangenschädel abermals nach oben und blickte durch das Glas ins Freie. Draußen wuchs laubloses Buschwerk, durch die Zweige erkannte sie die Lichter der Fifth Avenue. Es war nicht weit bis dorthin, aber im Augenblick hätte die Straße ebenso gut auf dem Mond liegen können.

Das verdammte Gitter war zu eng.

Ihr bernsteinfarbener Schlangenkörper war an der dicksten Stelle so breit wie ein Oberschenkel. Nie und nimmer würde sie ihn durch die feinen Stahlmaschen zwängen können, selbst wenn es ihr gelänge, das Fensterglas einzudrücken, ohne sich selbst zu enthaupten.

Ihr Kopf zuckte herum, als vom Eingang her ein metallisches Knirschen ertönte. Der Lichtpunkt des Schneidbrenners loderte in schmerzhafter Intensität, während er noch einmal an der glühenden Spur entlangwanderte. Mattia stand reglos im Halbdunkel, den Eimer mit dem stinkenden Lösungsmittel in der Hand.

Er sah zu ihr herüber. »Das andere Fenster! Beeil dich!«

Während der Glutpunkt im Eisen die letzten Zentimeter seines Weges zurücklegte, glitt Rosa zum Nachbarfenster. Die Scheibe war nur angelehnt, sie konnte sie mühelos mit ihrem Kopf öffnen. Lautlos schwang das Fenster nach innen, sofort wehte eiskalte Nachtluft herein. Mattia hatte auch hier vorgesorgt. Das Gitter selbst war so engmaschig wie vor den anderen Scheiben, aber nun entdeckte sie, dass die fingerlangen Schrauben, die es hielten, entfernt worden waren. Es stand lose im Fensterrahmen, ein entschlossener Stoß von innen würde genügen, um es –

Ein Umriss schob sich durch die Büsche. Zweige brachen unter mächtigen Pranken. Ein muskulöser Körper mit Tigerfell.

Die Raubkatze patrouillierte an der Rückseite des Bootshauses. Während Rosa sie noch anstarrte, hob der Tiger den Schädel und sah genau in ihre Richtung. Ihre Blicke trafen sich. Er riss das Maul auf und stieß ein kämpferisches Brüllen aus.

Hinter Rosa ertönte wieder das Scheppern von Fußtritten gegen die Eisentür. Diesmal gab die glühende Schnittkante nach. Noch während sie herumfuhr, sah Rosa, wie die Tür nach innen schwang. Die Umrisse zweier Männer erschienen. Der eine mit dem Schneidbrenner, dessen Flammenklinge wie ein verkniffenes Auge in der Dunkelheit loderte; der andere mit einer Schrotflinte im Anschlag.

Mattia schleuderte ihnen den Inhalt des Eimers entgegen. Das Lösungsmittel entzündete sich im Flug an der Flamme. Die Explosion hüllte die Männer ein, verwandelte sie in lebende Fackeln. Schreiend taumelten sie auseinander. Die Waffe fiel zu Boden, der Schneidbrenner erlosch. Die brennende Flüssigkeit loderte im Türrahmen und auf dem Boden vor dem Eingang.

Rosa war für einen Moment geblendet. Sekundenlang sah sie nur Helligkeit, wurde vom Gestank der Chemikalien fast betäubt und hörte kaum etwas außer dem Kreischen der Männer. Mattia wurde innerhalb eines Atemzugs zum Panther und setzte mit einem Sprung durch die Flammen. Glutnester in seinem Pelz zogen winzige Lichtspuren nach sich.

Rosa war jetzt allein im Bootshaus. Sie wandte sich wieder dem Fenster zu, in der Hoffnung, dass der Tiger vom Lärm und von der Hitze vertrieben worden war. Stattdessen aber war er näher gekommen, blickte geradewegs zu ihr herein. Er stand auf den Hinterläufen und stützte sich mit den Vorderpranken auf der Fensterbank ab. Der Feuerschein irrlichterte in seinen Augen, glitzernder Speichel troff von seinen Fängen. Rosa hätte es besser wissen müssen, als mit dem Verstand eines Tieres zu rechnen; das dort war ein Mensch in Tigergestalt, und er hatte längst begriffen, was sie vorhatte. Im nächsten Moment würde er bemerken, dass das Gitter nur lose im Fenster hing, würde es nach außen zerren und mit einem Satz bei ihr im Raum sein.

Abrupt sank sie nach unten und glitt unter den Tischen hindurch in Richtung Tür. Die Hitze wurde schlimmer, Rosas Sicht in all dem Glühen und Wabern immer schlechter. Der Lärm ließ sich nicht mehr zu Stimmen entwirren: ein Chaos aus menschlichen Schreien, loderndem Feuer und dem Gebrüll der Panthera. Hatten sie Mattia erwischt? Warteten sie darauf, dass Rosa einen Weg ins Freie fand? Oder hatten sie den Rückzug angetreten, wohl wissend, dass keine noch so hohe Bestechungssumme die Feuerwehr fernhalten konnte?

Rosa erkannte erst, dass es auch über ihr brannte, als flammende Segelfetzen um sie herum zu Boden sanken. Spritzer des Lösungsmittels mussten die Glut bis zu den vorderen Tischen getragen haben. Gleich mehrere Modellboote waren in Brand geraten, schon sprang das Feuer von einem Tisch zum anderen über, angefacht vom Durchzug zwischen dem Eingang und dem offenen Fenster.

Der einzige Weg ins Freie führte durch die Tür. Davor und dahinter brannte in weitem Umkreis der Boden. Einer der Männer lag zuckend inmitten des brodelnden Lösungsmittels, der andere war nicht mehr zu sehen.

Im Fenster hinter Rosa brüllte der Tiger. Mit einem wütenden Prankenschlag riss er das Gitter aus dem Rahmen. Scheppernd stürzte es nach draußen.

Ihre Chancen, lebend hier herauszukommen, sanken mit jeder Sekunde. Als Mensch hätte sie es mit einem Sprung über das Flammenmeer versuchen können. Als Schlange aber blieb ihr nur der Weg über den Boden, mitten hindurch.

Sie konnte die Augen nicht schließen, weil sie keine Lider besaß. Der Gestank nahm ihr die Luft zum Atmen, die Hitze war kaum zu ertragen. Selbst der Beton schien zu brennen, wo das Lösungsmittel in haarfeine Risse gesickert war. Die Stahlschwelle glühte wie eine rote Neonröhre.

Hinter Rosa zerbrach die Scheibe, als der Tiger in den Raum sprang und der Fensterflügel gegen die Wand krachte. Er jagte auf Rosa zu, unter den Tischen mit den brennenden Booten hindurch. Seine Kiefer schnappten zu, wo gerade noch eine ihrer Körperschlingen gelegen hatte. Die Fangzähne rissen Furchen in ihre Schuppenhaut, verfehlten aber die Wirbelsäule. Feuer regnete auf den Pelz des Tigers herab, ließ ihn zurückweichen, aber nicht lange. Der Gestank von verbrannten Haaren verschmolz mit all den anderen betäubenden Gerüchen.

Rosa stieß ein Zischen aus. Blitzschnell zog sie den hinteren Teil ihres Körpers heran, gab sich so genug Schub nach vorn und schnellte wie ein Pfeil in die Flammen, geradewegs in die kochenden Chemikalien.

ൟ

Lichterloh brennend scharrten ihre Schuppen über den glühenden Boden. Nässe, die nichts löschte, sondern viele Hundert Grad heiß war, sättigte ihre Haut. Ihr Fleisch zischte und schlug Blasen, ihre Zungenspitzen zogen sich tief in den Rachen zurück wie zusammengebrutzeltes Plastik.

Ihr Schlangenleib war fast drei Meter lang, aber sie schaffte es, ihn mit einem einzigen Stoß ihrer Muskeln nach vorn zu katapultieren. Der Weg durch die Flammen erschien endlos, dauerte aber nur Sekunden. Sie jagte unter etwas hindurch und begriff erst später, dass es die angezogenen Beine des lodernden Leichnams gewesen waren. Sehen konnte sie so gut wie nichts mehr, auch ihre anderen Sinne ließen sie im Stich. Dass die Panthera sie erwarteten, spielte keine Rolle mehr.

In Flammen gehüllt schnellte sie aus der öligen, siedenden Pfütze hinaus auf die Terrasse. Das Eis war im Umkreis des Feuers geschmolzen, aber schon im nächsten Moment befand sich Rosa wieder im Schnee. Sie spürte die Kälte kaum. Der Schmerz war allumfassend. Ihr Verstand hatte sich zurückgezogen, sie überließ sich ganz der Motorik ihres Reptilienkörpers.

Dann aber hörte sie doch etwas, Kreischen und Brüllen der Panthera, überall vor und neben ihr. Sie schoss zwischen ihnen hindurch, in Wasserdampf und den Rauch ihrer schmorenden Schuppenhaut gehüllt. Als die ersten ihre Scheu vor dem Feuer überwanden und die Verfolgung aufnahmen, schlitterte sie schon über den Rand der Terrasse hinaus auf den zugefrorenen See.

Die Eisschicht war nur fingerdick. Einer brennenden Riesenschlange konnte sie nicht standhalten, nicht ihrer Hitze, nicht ihrem Gewicht.

Das frostige Wasser verschlang Rosa unmittelbar nach dem Aufprall. Gedämpft hörte sie, wie einige der Panthera hinter ihr einbrachen und mit panischem Brüllen untergingen.

Sie aber glitt vorwärts, hinaus in die eiskalte, lindernde, trancegleiche Schwärze.

Call it a dream

In Menschengestalt lief sie über den schlammigen Boden des Sees, rannte, so schnell sie konnte, auch wenn ihre Füße bei jedem Schritt mit schmatzenden Geräuschen im Schlick versanken. Schmutz stob um sie im Wasser auf, vernebelte das grünliche Licht in der Tiefe.

Sie blickte über die Schulter und erkannte, dass sie verfolgt wurde.

Ein gelbes Taxi, typisch für New York, raste mit aufgeblendeten Scheinwerfern hinter ihr durch den Morast. Seine Reifen wirbelten noch mehr Dreck auf, braune Wolkenwände waberten zu beiden Seiten des Wagens. Die Scheibenwischer wischten Algen beiseite, schwenkten nach rechts und links, rechts und links. Am Rückspiegel baumelte eine Gummifigur, Simba aus *Der König der Löwen*.

Rosa konnte hören, viel besser als zuvor. Nicht nur ihre eigenen Schritte auf dem Grund des Sees und den Motorenlärm des Taxis, sondern auch die Musik, die aus den offenen Fenstern drang. *Memory* aus *Cats*. Noch ein Grund zum Weglaufen.

Das Metallskelett eines ausgebrannten Kinderwagens tauchte in der Düsternis vor ihr auf, rollte auf reifenlosen Speichen durch Pflanzenschlick. Das Gefährt kreuzte Rosas Weg, sie konnte das Quietschen seiner Achsen hören, wie es lauter und wieder leiser wurde. Als der Wagen sich bereits von ihr entfernte, blickte sie ihm nach und sah, dass in dem Gitterkorb ein Bündel lag, mit strampelnden Armen und Beinen. Aus dem metallischen Quietschen wurde Kindergeschrei.

Da änderte sie ihre Richtung und rannte im Halblicht dem Kinderwagen nach. Die Scheinwerfer des Taxis folgten ihr, und aus *Memory* wurde das fröhliche *The Girls and the Dogs* von Scott

Walker; der schnelle Takt machte ihren Wettlauf mit dem Kinderwagen zu einer Slapstick-Nummer. Lacher vom Band ertönten, als sie stolperte und sich die Knie aufschürfte. Blutwolken stiegen auf, das Gelächter wurde noch lauter.

Sie blickte über die Schulter und sah, wer am Steuer des Taxis saß. Tano winkte ihr zu und grinste. Sie erkannte ihn trotz der Sonnenbrille und der ausgespülten Schusswunde, die einen Teil seiner Stirn zerfetzt hatte. Neben ihm wippte Valerie aufgeregt auf dem Beifahrersitz, sie trug ein T-Shirt mit dem Logo der *Suicide Queens*. Auf der Rückbank saß Michele und wedelte mit einer Maschinenpistole, in deren Lauf eine Rose steckte.

Sie versuchte noch schneller zu laufen, um den Kinderwagen einzuholen. Die spitzen Enden der Speichen wirbelten Dreck auf, bis der Wagen in den treibenden Schwaden kaum mehr zu sehen war. Aber Rosa rannte weiter, auch dann noch, als die Distanz immer größer wurde und die Speichen in hektischem Zeitraffer rotierten. Nicht fair, dachte sie empört, während Tano die Lautstärke aufdrehte und Scott Walkers Timbre den See zum Vibrieren brachte.

The girls
They're not what they seem
They all have a scheme
They call it a dream.

Tano hupte im Takt, bis Michele ihm von hinten eins mit der Waffe überzog. Valerie lachte hysterisch und zappelte herum. Das Taxi geriet ins Schlingern, und Tano nahm eine Hand vom Steuer, griff durch das Loch in seinem Kopf und schob etwas zurecht, das der Schlag in Unordnung gebracht hatte. Daraufhin fuhr das Fahrzeug wieder ruhiger.

Rosa blickte nach vorn; vielleicht hatte sie das die ganze Zeit über getan und wusste dennoch, was hinter ihr geschah.

Was zählte, war allein, dass sie den Kinderwagen erreichte. Der knallte plötzlich mit den Vorderspeichen gegen einen Stein und löste sich in seine Bestandteile auf. Das schreiende Bündel wurde in die Höhe geschleudert und trudelte gemächlich durchs aufgewühlte Wasser, so langsam, dass Rosa es im Laufen auffangen konnte.

Sie presste das Kind an ihre Brust, es war in ein Tuch voller Lackflecken gehüllt. Ein hübscher kleiner Junge. »Ich heiße Nathaniel«, sagte er.

»Ich weiß.«

Eine Katzenpfote schoss unter dem Tuch hervor, Krallen rissen Furchen in Rosas Gesicht.

Nathaniel lachte mit Tanos Stimme.

Tano im Taxi schrie wie ein Neugeborenes.

Rosa ließ das Kind los und sah zu, wie es von einer Strömung fortgerissen wurde. Blut waberte vor ihren Augen. Sie hörte das Taxi hinter sich näher kommen, stürmte wieder vorwärts, halb blind in einem Kokon aus Rot.

Dann ging es mit einem Mal aufwärts, der Boden stieg immer steiler an. Die Reifen des Wagens blieben im Schlamm stecken, der Motor heulte auf, Tano ebenfalls, und Valerie lachte noch lauter.

Rosas Kopf stieß durch die Wasseroberfläche, dann durch laublose Äste. Sie schlüpfte durch Gitterstangen, die viel zu eng für sie waren und sie trotzdem nicht aufhalten konnten. Licht umfing sie, gelbe Straßenlaternen, grellweiße Scheinwerferkegel.

Vor ihr hielt ein Taxi. Sie riss die Tür auf und glitt hinein. Am Rückspiegel pendelte eine Kinderhand. Vielleicht nur ein Zweig.

Sie nannte eine Adresse, dann sank ihr Kopf zur Seite.

Sie träumte und alles wurde gut.

Gemma

Rosa spürte jede Pore ihres Körpers, jeden Nerv, jeden einzelnen Berührungspunkt mit den Fasern des Bettzeugs.

Sie öffnete die Augen und blickte in die Vergangenheit. Sie lag in ihrem alten Zimmer, im Haus mit dem Brandfleck an der Fassade. Sie erkannte ihren Kleiderschrank, ihre Kommode mit dem Spiegel voller aufgeklebter Fotos und Post-its, ihr Regal mit Taschenbüchern, die alte Kompaktanlage zwischen Stapeln von selbst gebrannten CDs, ein paar Poster, ein weiteres Foto, größer und gerahmt, von Zoe.

Ihre Schwester war tot, daran erinnerte sie sich. Tot wie Tano Carnevare.

Die Zimmertür stand offen, draußen klapperte Geschirr.

Mattias Gesicht flirrte durch ihre Gedanken. War er davongekommen?

Ein Schrei stieg in ihr auf, noch bevor ihr bewusst wurde, warum. Dann erinnerte sie sich an alles – an das Bootshaus, die Flammen, ihre brennende Schuppenhaut.

Mit kräftigem Schwung riss sie die Bettdecke beiseite und blickte an ihrem Körper hinunter. Sie war nackt bis auf knallbunte *Simpsons*-Shorts, die sie bei ihrer Flucht nach Sizilien zurückgelassen und nicht vermisst hatte.

Sie war unversehrt, abgesehen von blauen Flecken an den Knien und Schienbeinen. Ihre Haut sah ungewöhnlich stark durchblutet aus, nicht so bleich wie sonst, sondern rosiger, wie bei einem Neugeborenen. Als sie mit den Fingern vorsichtig über ihren flachen Bauch tastete, über die vorstehenden Hüftknochen, die Oberschenkel, da fühlte es sich an, als wäre sie frisch eingecremt, ganz glatt und seidig.

Das ist nicht meine Haut, dachte sie. Die hier ist *neu*.

»Mein Gott, Rosa!«

Jemand stürzte zur Tür herein, fiel neben ihr auf die Knie und umarmte sie heftig. Rotblondes Haar wurde an ihr Gesicht gepresst, es roch nach Großküche und Zigarettenrauch. Sie kannte diesen Geruch und gegen ihren Willen fand sie seine Vertrautheit tröstend. Vorsichtig drehte sie sich, bis auch sie die Arme um ihre Mutter legen konnte. Es war nicht mehr als ein Reflex, aber im Augenblick erschien es ihr richtig, wenn auch nicht aufrichtig.

Ihre Mutter weinte und brachte kein Wort heraus, und als sie es dennoch versuchte, kam nur ein Schluchzen.

»Ich bin okay«, flüsterte Rosa. »Ist ja nichts –« *passiert*, hatte sie sagen wollen, aber dann fielen ihr Jessy und die zerlumpten Straßenkinder ein. Micheles Leopardenaugen und der zornige Schrei des Tigers am Fenster. Mattia und Valerie.

Feuer, das ihre Haut und Muskeln zu schwarzer Schlacke verschmolz.

Nur nicht die Schmerzen. Es war, als wären sie zu einem winzigen Punkt zusammengeknüllt, wie eine Papierkugel, die sich erst langsam wieder entfalten würde. Nie und nimmer konnte ihr Verstand für alle Ewigkeit unterdrücken, was sie gespürt hatte.

Aber hatte sie nicht schon einmal alles ausradiert, all das Schlimme und Schmerzhafte?

Tano. Michele. Und irgendwie auch Valerie.

Ein Beben lief durch ihren Körper, und sie fühlte sich mit einem Mal sehr schmal und verletzlich in den Armen ihrer Mutter, und dann hörte sie sich reden, aber nichts davon ergab einen Sinn, und Gemma erwiderte etwas, ohne sie loszulassen: von einem Taxifahrer, der sie lamentierend abgesetzt hatte, splitternackt und nach Ruß und Rauch stinkend, und dass sie froh sein konnte, dass er sie weder bei der Polizei abgeliefert noch aus dem Wagen geworfen hatte.

So etwas gab es nur in dieser Stadt. Rosas Gedanken schweiften ab zu einem alten *I love New York*-Shirt in ihrem Schrank und sie dachte, dass sie es wohl in Zukunft ab und an tragen sollte, als Wiedergutmachung.

Als aus einem Atemholen ein langes Schweigen zu werden drohte, fragte sie: »Du hast doch nicht die Cops gerufen, oder?«

Ihre Mutter musterte sie lange. »Nein«, sagte sie schließlich. Keine Erklärung. Nur eine stumme Frage im Blick.

Rosa nickte. »Besser so.«

So ist das in dieser Familie, dachte sie. Die achtzehnjährige Tochter wird mitten in der Nacht nackt vor der Tür abgesetzt, und die Mutter ruft keine Polizei. Nicht mal einen Arzt. Und ein Teil von Rosa wollte fragen: *Warum nicht?*, wollte die alten Vorwürfe wieder hervorholen, weil sie immer nur dieses eine Wort denken konnte, wenn sie ihrer Mutter in die Augen sah. Warum. Warum. Warum.

Dann begriff sie, dass vielmehr sie es war, die in diesem Moment eine Antwort schuldig blieb. Auch wenn die Frage gar nicht gestellt worden war.

»Es war nicht … wonach es ausgesehen hat«, sagte sie und wich Gemmas Blick aus. »Nicht wie damals.«

Ihre Mutter hob eine Hand vor den Mund und atmete zweimal hinein, so als wollte sie vermeiden zu hyperventilieren. Trotzdem blieb sie ruhig. Nur in ihren blauen Augen loderte es, aber sie behielt sich bemerkenswert gut im Griff. »Sie haben dir wehgetan«, stellte sie fest. Sie hatte frisch verkrustete Bissmale auf der Unterlippe und ihre Hände zitterten. Ihre Fingernägel waren sehr kurz geschnitten und ein wenig verfärbt vom Nikotin.

»Mir geht's wieder gut«, sagte Rosa. »Danke, dass du … dass ich hier sein darf.«

»Hast du daran denn gezweifelt?« Gemma stand von der

Bettkante auf, entfernte sich zwei Schritte und blieb mit dem Rücken zu Rosa stehen. »Du kannst mir noch immer nicht vertrauen, hm?«

Rosa setzte sich auf und zog die Beine mitsamt dem Bettzeug an den Körper, schlug die Arme darum und legte die Wange aufs Knie. Sie beobachtete ihre Mutter, das lange helle Haar mit dem Rotstich, den schlanken Körper, dem nicht einmal die ewigen Nachtschichten, das Fast Food und zu viel Wein etwas anhaben konnten. Gemma würde immer eine gut aussehende Frau bleiben, ganz gleich, was das Schicksal noch für sie bereithielt.

Rosa ließ den Blick über die Wände streifen, die Möbel, die Fotos am Spiegel. Schwer vorstellbar, dass dies einmal ihr Leben gewesen war. Alles hier war ihr fremd.

»Du hast nie was gesagt«, sagte sie. »Über die Verwandlungen. Die Dynastien. Aber du hast es die ganze Zeit gewusst.«

Gemma fuhr herum, das Gesicht gerötet. »Ich wollte nicht, dass du es ausgerechnet von Florinda erfährst«, sagte sie heftig. »Aber ich konnte nicht …« Sie brach ab, suchte nach Worten. »Ich hatte schon Zoe an sie verloren, und ich wusste, dass es falsch war, deine Herkunft … und alles vor dir zu verheimlichen. Aber ich konnte nicht anders. Ich hab's versucht und es ging nicht. Mit dir darüber zu reden wäre gewesen, als ob −«

»Als ob Dad noch hier wäre. Als wäre er nicht gestorben.«

Ihre Mutter starrte sie an. Erst nach einer Weile fragte sie leise: »Was hätte ich sagen sollen? Dass du dich irgendwann in eine Schlange verwandeln wirst?«

»Zum Beispiel.«

Gemma ließ sich rückwärts gegen die Kommode sinken und stützte sich mit beiden Händen ab. »Und du glaubst, das wäre dann einer von diesen Mutter-Tochter-Momenten geworden wie bei den *Gilmore Girls*.«

»Es wäre ehrlich gewesen.«

»Ich hab jahrelang hilflos mit ansehen müssen, wie du wieder und wieder auf ein Polizeirevier gebracht und verhört worden bist. Du warst noch ein Kind! Und selbst da haben sie dich nicht in Ruhe gelassen. Weil du eine Alcantara bist. Weil du diesen verfluchten Namen geerbt hast.« Sie gestikulierte energisch, aber nach einem Augenblick verließ sie die Kraft. »Weil irgendwer geglaubt hat, dass eine Dreizehn-, Vierzehnjährige ihnen etwas über die gottverdammte Mafia erzählen kann!« Sie lachte bitter auf. »Über Verbrechen, die von Leuten begangen werden, denen sie nie begegnet ist und die am scheißanderen Ende der Welt leben!«

»Ich hab mir meine Familie nicht ausgesucht, Mom. Das hast du getan.«

»Ich habe mir deinen Vater ausgesucht. Sonst gar nichts.«

»Und dann waren plötzlich zwei Töchter da. Mist aber auch.«

»*Das* hab ich nicht gemeint, und das weißt du!«

»Ist dumm gelaufen, schon klar.«

Gemma stieß sich von der Kommode ab, machte aber nur ein paar zögerliche Schritte und blieb mitten im Zimmer stehen. »Du bist nie einfach gewesen, Rosa, aber so gemein warst du nicht, bevor du zu ihnen gegangen bist.«

»Zumindest *sie* sind ja jetzt kein Problem mehr für dich, nicht wahr, Mom?« Rosa sprang auf, fühlte sich, als hätte ihr jemand vor die Stirn geschlagen, hielt sich aber auf den Beinen und ging an ihrer Mutter vorbei zum Kleiderschrank. »Zoe und Florinda sind beide tot. Vielleicht könntest du dich besser daran erinnern, wenn du zu ihrem Begräbnis aufgetaucht wärst.«

Gemma zuckte zusammen. »Ich setze nie wieder einen Fuß auf diese Insel.«

»Ja, das hast du schon gesagt. Schon ein paar Mal.«

Mit ihrer Rückverwandlung hatte Rosa die verbrannte Schlangenhaut abgestreift, aber die neue schien ihre Glieder noch nicht zusammenzuhalten.

Sie wühlte mit beiden Händen im Kleiderschrank. Alles war noch genau so, wie sie es vor vier Monaten zurückgelassen hatte. Ihre Mutter hatte nichts verändert.

Gemma sagte leise: »Hättest du dich gemeldet? Ich meine, weil du hier in New York bist und alles … Du hättest mich nicht mal angerufen, oder?«

Rosa kramte in alten Jeans und Pullovern. Die meisten waren schwarz und hatten einmal Zoe gehört. »Ich bin sogar deinetwegen hergekommen, Mom. Vielleicht war das ein Fehler.«

»Das soll ich dir glauben?«

»Glaub, was du willst.« Sie zerrte eine Hose, ein T-Shirt und einen groben Wollpullover hervor. Unterwäsche war keine mehr da, also mussten es die *Simpsons*-Shorts tun. Als sie in die Jeans schlüpfen wollte und für einen Moment auf einem Bein stand, wurde ihr schwindlig. Sie verlor das Gleichgewicht und kippte um, einfach so.

Ihre Mutter war blitzschnell bei ihr und fing sie auf.

Rosa fluchte auf Italienisch.

»Das ging ja schnell«, sagte Gemma.

Rosa wollte sich von ihr lösen, aber ihre Mutter ließ sie nicht los. Gemma zwang sie, ihr ins Gesicht zu sehen. »Ich *konnte* nicht zu Zoes Beerdigung kommen«, sagte sie eindringlich. »Ich weiß, dass du das nicht verstehen willst. Aber ich hab geschworen, dieses Haus nie wieder zu betreten.«

»Geschworen? Wem?«

»Mir selbst. Und das kannst du lächerlich finden oder verbohrt, ganz wie du willst. Aber dort sind Dinge passiert … Lieber sterbe ich, als noch einmal diesen Berg hinaufzufahren und einen Schritt über die Schwelle zu machen.«

»Es ist niemand mehr da, Mom. Niemand außer mir.« Sie

hätte Iole erwähnen können, aber dies war kaum der Zeitpunkt dafür.

Gemma starrte sie an und plötzlich standen Tränen in ihren Augen. »Ich hab solche Angst um dich. Ich liege wach und ich denke daran, was ... was aus dir werden könnte. Dieser Ort, diese Insel ... sie haben aus Zoe eine andere gemacht. Und mit dir wird das Gleiche passieren.«

»Ich werde zur Schlange. Mehr Veränderung geht nicht. Und das hat nichts mit Sizilien zu tun oder dem Palazzo. Nicht mal mit Florinda.« Sie streifte Gemmas Hände ab und zerrte sich die Jeans über die Beine. Ihre Knie waren weich, und das nicht allein wegen ihrer neuen Haut. »Was wäre gewesen, wenn es hier passiert wäre? In der Schule? Oder in der U-Bahn? Fuck, Mom, du hättest mich warnen müssen!«

»Ich hab's verdrängt. Nicht immer, nicht am Anfang, aber je öfter ich mir vorgenommen habe, mit dir darüber zu sprechen, desto weniger konnte ich es.«

»Das ist verdammtes Pech, was?«

»Dein Vater ... Davide ... er hat nie ein Wort darüber verloren. Nicht, nachdem Costanza uns davongejagt hat und wir hierher —«

»Großmutter hat euch rausgeschmissen?« Das hatte sie nicht gewusst.

»Großmutter«, wiederholte Gemma verächtlich. »Das klingt, als hättest du sie gekannt. Gott, ich wünschte, ich wäre dieser Hexe nie begegnet.«

Rosa blinzelte sie irritiert an und schüttelte langsam den Kopf. Costanza Alcantara, die Mutter ihres Vaters, war niemals ein Thema gewesen. Früher nicht, und auch nicht während ihrer Zeit auf Sizilien. Sie war nicht mehr als ein Name. Zwei Worte auf einer Granitplatte in der Familiengruft. Ein Gesicht auf einem Ölgemälde, das Florinda schon vor Jahren von der Wand genommen und hinter einen Schrank geschoben hatte.

Gemma ging zur Zimmertür und lehnte sich in den Rahmen, die Arme vor dem Körper verschränkt. Sie war noch blasser als sonst. »Du weißt nichts über Costanza, oder?«

Rosa zog sich das T-Shirt über den Kopf, dann den Pullover. Zu ihrer Überraschung roch beides nach Waschmittel, als kämen sie frisch aus der Maschine. »Hier geht es doch gar nicht um sie.«

»Es ging *immer* um sie! Ohne dass jemals ihr Name in diesem Haus gefallen wäre. Oder sie angerufen hätte oder sonst wie von sich hätte hören lassen. In Wahrheit war sie trotzdem immer da, jeden verdammten Tag.«

Rosa wollte etwas Bissiges erwidern, aber ein Blick in die Augen ihrer Mutter hielt sie davon ab. Stattdessen fragte sie zögernd: »Das war nicht nur so ein Schwiegermutter-Schwiegertochter-Ding, oder?«

Gemma schnaubte verächtlich. »Costanza war das Oberhaupt des Alcantara-Clans, und das mehrere Jahrzehnte lang. Sie war einer der mächtigsten Mafiabosse Italiens. Glaubst du wirklich, jemand wie sie hätte sich mit der Rolle der bösen Schwiegermutter zufriedengegeben?«

»Was ist passiert?«

»Würde es denn etwas ändern, wenn ich es dir erzähle?«

»Genau das ist unser Problem! Dass du immer meinst, festlegen zu müssen, was gut für mich ist. Und was ich wissen muss und was nicht. Hätte es etwas geändert, wenn ich von Arkadien gewusst hätte? Ja, eine ganze Menge sogar. Hätte es etwas geändert, wenn ich gewusst hätte, was TABULA ist? Vielleicht.«

»TABULA?« Gemma sah sie verwundert an.

»Davon hast du natürlich nie gehört.«

»Ich hab keinen blassen Schimmer. Was ist das? Hat das mit den Dynastien zu tun?«

»Dad hat nie davon gesprochen?«

Ihre Mutter schüttelte den Kopf.

Rosa winkte ab – und wurde sich im nächsten Moment bewusst, dass sie sich genauso verhielt wie ihre Mutter. In wie vielen Dingen waren sie sich ähnlicher, als sie es wahrhaben wollte?

»Bist du ganz sicher, dass Dad TABULA nie erwähnt hat?« Nun war sie doch noch bei der Frage angekommen, wegen der sie nach New York gereist war. Mit einem Mal erschien sie ihr nicht mehr halb so wichtig wie zuvor.

»Ich schwöre dir, ich höre diesen Namen heute zum ersten Mal«, sagte Gemma.

Rosa seufzte und lehnte sich gegen die Fensterbank. Der wohlige Geruch der frischen Wäsche erinnerte sie an früher. »Erzähl mir erst von Costanza.«

Gemma stand unverändert im Türrahmen und rieb sich die Oberarme. Mit einem Frösteln sagte sie: »Davide ist für sie immer etwas Besonderes gewesen. Die meisten männlichen Nachkommen der Alcantaras werden nicht alt, er war die große Ausnahme. Die Männer haben auch nicht dieselben … Fähigkeiten wie die Alcantara-Frauen. Dass Davide überhaupt erwachsen geworden ist und noch dazu alle Eigenschaften besaß, die ihn zu einem guten *capo* gemacht hätten, muss seine Mutter überrascht haben. Falls sie überhaupt in der Lage war, so etwas wie Liebe zu spüren, dann vermutlich für ihn. Sie hat ihn Florinda immer vorgezogen und keinen Hehl daraus gemacht. Das war einer der Gründe, warum dein Vater und seine Schwester nie besonders gut miteinander ausgekommen sind. Als er eines Tages mit mir im Palazzo aufkreuzte, hat Costanza das nicht gefallen. Eine Amerikanerin mit irischen Wurzeln statt eines bodenständigen sizilianischen Mädchens … Costanza hat alles getan, damit das rasch wieder enden würde. Sie hat auf ihn eingeredet und intrigiert, wieder und wieder, aber das hat nichts geändert. Erst als Zoe und schließlich du geboren wurdet, gab sie eine Weile lang Ruhe – die meiste Zeit über war sie sowieso nicht im Palazzo, sondern in Rom oder Mailand oder Neapel, weiß der Teufel, wo noch.«

Gemma wandte den Kopf zur Seite, so dass Rosa sie nur noch im Profil sehen konnte. Zoe hatte ihr auf bemerkenswerte Weise ähnlich gesehen. »Dann ist sie eines Tages zu mir gekommen und hat mir Geld angeboten, damit ich verschwinde. Euch sollte ich bei ihr lassen – bei ihr und Davide. Erst waren es ein paar Hunderttausend Dollar, dann eine Million, irgendwann zwei. Je eine für dich und eine für Zoe. Ich hab ihr gesagt, dass ich meine Töchter niemals im Leben verschachern würde und auch nicht meinen Mann. Es war das einzige Mal, dass ich miterlebt habe, wie sie ihre Fassung verlor.«

»Sie hat sich verwandelt?«

Aus Gemmas Zügen war alle Farbe gewichen. »Ich hab es nur dieses eine Mal mit eigenen Augen gesehen. Davide konnte sich nicht verwandeln, so wie alle Alcantara-Männer, er war einfach nur ein gewöhnlicher Mensch. Aber Costanza … Sie wurde zu einer riesigen schwarzen Kobra. Und ich glaube, sie hätte mich umgebracht, wenn nicht in diesem Augenblick Davide aufgetaucht wäre.«

Rosa runzelte die Stirn und spürte, wie die Winterkälte durch die Fensterscheibe in ihrem Rücken kroch.

»Ein paar Stunden später saßen wir in einem Flugzeug nach New York. Ich hab sie nie wiedergesehen. Für Davide schien sie nicht mehr zu existieren. Aber für mich war sie immer noch da, wie ein Geruch, den wir von Sizilien mitgebracht hatten. Und selbst wenn wir über ganz andere Dinge gesprochen haben, dann schien da immer etwas von ihrer Anwesenheit mitzuschwingen. Klingt blödsinnig, ich weiß … Aber wenn du sie gesehen hättest, an diesem Tag, und gehört hättest, was sie zu mir gesagt hat, um mich loszuwerden …« Gemma rieb sich wütend die Augen. »Eine Weile hatten wir Ruhe vor ihr. Bis vor vierzehn Jahren, bis zu diesem Anruf.«

»Das war in dem Jahr, als er gestorben ist, oder?«

Gemma lachte auf eine bittere, verzweifelte Weise, die Rosa noch stärker frösteln ließ. »Offenbar war Costanza schon seit Jahren schwer krank, zuletzt hat sie nur noch im Bett gelegen. Florinda führte die Geschäfte des Clans bereits eine ganze Weile lang, sie wurde mehr oder minder durch die Umstände dazu gezwungen. Geplant hat sie das so nicht, glaube ich, und auch das hat sie deinem Vater nicht verzeihen können.« Sie holte tief Luft, als müsste sie für den Endspurt ihrer Geschichte noch einmal alle ihre Kräfte sammeln. »Vor vierzehn Jahren ging es mit Costanza zu Ende. Kurz nach ihrem Tod bekam Davide einen Anruf, ich weiß nicht, von wem, wahrscheinlich von Florinda oder einem der *consiglieri*. Danach war er ein anderer Mensch. Wie ausgewechselt.«

»Sie haben ihm das Erbe angeboten, schätze ich.«

»Das dachte ich auch. Selbst wenn ihn Costanzas Tod derart mitgenommen hätte … ich hätte das nachvollziehen können. Nicht *verstehen*, aber … Herrgott, sie war seine Mutter.« Gemma schüttelte langsam den Kopf. »Aber es war nichts von alldem. Zwei, drei Stunden lang hat er kein Wort gesprochen, nachdem er den Hörer aufgelegt hatte. Hat einfach nur zum Fenster hinausgestiert – und dann ist er aufgestanden und hat mir erklärt, dass er uns verlassen würde, euch und mich. Dass er fortgehen und nicht mehr zurückkehren würde. Einfach so.«

Rosas Hände lagen fest um die Kante der hölzernen Fensterbank. Ein Splitter stach in ihren Daumen, aber sie spürte es kaum. »Er hat dich verlassen?«

»Uns, Rosa. Nicht mich allein. Uns alle drei.« Gemmas Ton ließ Rosa zum ersten Mal begreifen, welche Beherrschung es sie gekostet haben musste, das all die Jahre über zu verheimlichen. Davide war gestorben, hatte es immer geheißen; er war verreist und unterwegs in Europa an Herzversagen gestorben. Seinen Leichnam hatte man auf Sizilien in der Familiengruft beigesetzt. Rosa war damals vier gewesen, Zoe sieben. Gemma hatte ihnen erklärt, dass es unmöglich sei, nach Italien zu fliegen, um an der Beerdigungsfeier teilzunehmen. Rosa erinnerte sich nicht einmal mehr an die Gründe, wahrscheinlich hatte wieder einmal das fehlende Geld herhalten müssen.

Aber davon, dass ihr Vater die Familie zuvor verlassen hatte, war niemals die Rede gewesen. Seltsamerweise war sie darüber eher erstaunt als verletzt. Es war so lange her, und er war fort gewesen, so oder so. Und dennoch traf es sie auf eine Weise, die sie überraschte und auch verunsicherte.

»Hat Zoe das gewusst?«, fragte sie leise.

»Nicht von mir. Ich hab's euch beiden nie erzählt.« Gemma hob abwehrend die Hände. »Und bevor du mir mehr Vorwürfe machst, weil ich dir auch das verheimlicht habe, versetz dich nur mal in meine Lage. Ich war völlig vor den Kopf gestoßen, als er mir sagte, dass er gehen würde. Wir hatten Probleme, sicher, aber wer hat die nicht, mit zwei kleinen Kindern, ohne Geld, aber mit dem Wissen, dass da all dieser Reichtum ist, fast greifbar, aber eben nur fast ... Er hätte euch nur mitnehmen und zurück zu Costanza gehen müssen. Stattdessen hat er sich von ihr losgesagt, hat nie wieder ein Wort über sie verloren und alle Entbehrungen in Kauf genommen, ein Leben hier in diesem Viertel, in dieser Bruchbude. Es wäre gelogen, wenn ich behaupten würde, wir wären immer glücklich gewesen. Und ich bin sicher, er hat Sizilien vermisst, das weite Land, die Einsamkeit in den Hügeln, das Mittelmeer ... Aber ich glaube nicht, dass irgendetwas davon der Grund für seine letzte Entscheidung war. Sehnsucht oder Unzufriedenheit oder einfach nur Enttäuschung – das alles hätte ich euch erklären können. Aber dass er *gar nichts* gesagt hat, keine Begründung lieferte ... Wie hätte ich das zwei Mädchen in eurem Alter klarmachen sollen?« Gemma ließ sich im Türrahmen zu Boden sinken und starrte auf ihre angezogenen Knie. »Also wollte ich warten, bis er sich noch einmal meldet, bis wir noch einmal über alles gesprochen hätten.«

»Hast du gehofft, dass er zurückkommt?«

Gemma schüttelte den Kopf. »Ich hab ihm in die Augen gesehen, als er gesagt hat, dass er geht. Und er sah so entschlossen aus, vielleicht war es auch Angst, die –«

»Angst?«

»Da war ein Ausdruck, den ich bei ihm nie zuvor gesehen hatte. Fast Panik.«

»Was hätte ihm einen solchen Schrecken einjagen können? Irgendwas, das er über Costanza erfahren hat?« Sie benutzte jetzt absichtlich den Namen, weil Gemma in einem Recht hatte: Rosa hatte die alte Frau nicht gekannt, und das Wort Großmutter klang nach einer Nähe, die niemals existiert hatte.

»Er hat mir nicht gesagt, mit wem er geredet hat oder worüber«, sagte ihre Mutter. »Er hat auch während des Telefonats kaum ein Wort gesprochen.«

»Nachdem er gegangen ist, hast du da noch einmal was von ihm gehört?«

»Nichts. Bald darauf rief Florinda mich an und sagte, dass er tot sei. Sein Herz sei schwach gewesen, hätten die Ärzte festgestellt – tatsächlich sei es ein Wunder gewesen, dass er überhaupt so alt geworden ist. Vielleicht ist ja doch etwas dran am Fluch, der auf den männlichen Nachkommen der Alcantaras liegt.«

»Nathaniel ist nicht tot wegen irgendeines Fluchs. Das wäre sehr bequem, nicht wahr? Aber so war es nicht.«

»Du kannst mir nicht ein Leben lang die Schuld daran geben. Ich wusste genau, wie schwer es ist, Kinder ganz allein und mit mehreren Jobs durchzubringen – und *ich* war keine siebzehn! Wie hättest du denn –«

»Du hast einfach nur Angst davor gehabt, noch eines am Hals zu haben.«

»Und dafür verurteilst du mich?« Gemma hatte jetzt beide Hände am Boden zu Fäusten geballt, aber es wirkte nicht aggressiv, nur hilflos. »Schau dich doch um! Ist es das, was du gewollt hättest für dein Kind? Crown Heights, dieses Loch hier?« Sie lehnte resigniert den Kopf zurück gegen den Türrahmen, atmete tief durch und sagte leiser: »Es gibt noch etwas, das ich dir verschwiegen habe.«

Überraschung!, dachte Rosa.

»Einen Tag nachdem du Zoe am Telefon erzählt hast, dass du schwanger bist, hat Florinda mich angerufen. Sie hat mir dasselbe Angebot gemacht wie Costanza all die Jahre zuvor: dass ich dich mit dem Kind zu ihr schicken soll.«

»Sie hat dir Geld angeboten?«

»Florinda war nicht so plump wie ihre Mutter. Sie hat mir versprochen, dass es dir und dem Baby nie wieder an irgendwas fehlen würde. Und dass es dir, sobald du achtzehn bist, auch freistehen würde, für mich zu sorgen.« Ihr Lachen klang eine Spur zu schrill. »Für mich sorgen. Genau so hat sie das gesagt.«

Rosa erinnerte sich an Florindas Gesicht bei ihrer Ankunft auf Sizilien, an ihr Lächeln. Vielleicht war das keine Freundlichkeit gewesen. Nur der Triumph, am Ende doch noch gewonnen zu haben.

Rosa war öfter benutzt worden, als sie bislang geglaubt hatte. Von Tano und Michele; von Salvatore Pantaleone, dem *capo dei capi;* von Florinda; sogar von Zoe, die sich auf das Spiel ihrer Tante eingelassen hatte.

Die Einzige, die in dieser Reihe fehlte, war ihre Mutter. Ausgerechnet diejenige, der sie die größten Vorwürfe gemacht hatte.

»Ist dir mal der Gedanke gekommen«, fragte sie, »dass Florinda für Dads Tod verantwortlich sein könnte?«

Gemma lachte leise. »Ich war eine ganze Weile lang überzeugt davon. Die beiden hatten sich nie gemocht, und Florinda hat die Geschäfte der Alcantaras geführt, nachdem Costanza krank wurde. In gewisser Weise hatte sie sich ihren Anspruch auf das Erbe verdient, und möglicherweise hat sie schließlich doch noch Gefallen daran gefunden. Vielleicht hat sie befürchtet, nach Costanzas Tod werde Davide zurückkehren und alles an sich reißen, so wie ihre Mutter es ursprünglich vorgesehen hatte. Florinda hätte wirklich einen guten Grund gehabt, ihn loszuwerden.«

»Aber du glaubst nicht mehr daran?«

»Nein. Weil ich Florinda kenne ... oder kannte. Und weil sie ein paar Monate nach Davides Tod nach New York kam, um sich mit mir zu treffen.«

Auch das war Rosa neu.

»Wir haben lange geredet, sie und ich, und sie hat beteuert, dass sie nichts mit seinem Tod zu tun hat.«

»Sie war eine gute Lügnerin«, wandte Rosa ein.

»Aber keine Heuchlerin. Sie hätte es gar nicht nötig gehabt, hier aufzukreuzen und mir ihr Herz auszuschütten. Aber genau das hat sie getan. Sie hat mir erzählt, wie sehr sie unter Costanza gelitten hat, schon als Kind. Auch darunter, dass Constanza Davide bevorzugt hat. Und sie hat kein Geheimnis daraus gemacht, dass sie im ersten Moment froh war, als Davide mit mir aus Italien fortging. Bis ihr klar geworden ist, was es bedeutete, mit ihrer Mutter im Nacken den Clan zu führen. Falls Florinda überhaupt irgendwen getötet hat, dann Costanza selbst – ich hätte es verstanden. Ich weiß nicht, ob sie es getan hat, und ich hab sie nicht danach gefragt. Aber sie hat mir geschworen, dass sie keine Schuld hatte an Davides Tod. Ich meine, sie war eine Clanführerin der Cosa Nostra! Welchen Wert hätte es für sie gehabt, zu mir zu kommen und mit mir darüber zu reden? Ich hätte ihr im Traum nicht schaden können. Und bei allem, was man gegen sie sagen kann: Ich hatte damals das Gefühl, dass sie aufrichtig war.«

Rosa versuchte, all das mit ihrem eigenen Bild von ihrer Tante in Einklang zu bringen. Gewiss, sie hatte Florindas Methoden verabscheut – aber zugleich musste sie sich eingestehen, dass ihre Tante eine Frau mit Prinzipien gewesen war. Wenn Florinda ihren Bruder beseitigt hätte, dann hätte sie keinen Hehl daraus gemacht. Sie war eiskalt gewesen und zweifellos mehr als einmal über Leichen gegangen – aber sie wäre niemals um die halbe Welt geflogen, um Davides Witwe eine Schmierenkomödie vorzuspielen.

Rosa lehnte sich an das kalte Fensterglas. »Wie ist er gestorben?«

»Sekundenherztod. Beim Start einer Boeing 737 in der Businessclass. Er ist obduziert worden und Florinda hat ihn in der Kapelle des Palazzo bestatten lassen.«

»Ich hab seine Grabtafel gesehen.«

Welche Verbindung hatte es zwischen ihrem Vater und TABULA gegeben? War er wirklich eines natürlichen Todes gestorben? Und falls nicht, trug möglicherweise kein Mafioso oder Arkadier die Schuld, sondern TABULA?

»Warum erzählst du mir das alles gerade jetzt?«, fragte sie.

»Weil du mir vorwirfst, dass ich Geheimnisse vor euch hatte, vor dir und Zoe. Und ich will, dass du es verstehst. Hätte ich nach Davides Tod alles nur noch schlimmer für euch machen sollen, indem ich euch die Wahrheit gesagt hätte? Dass ihr ihn nicht verloren habt, weil er gestorben ist, sondern weil es seine eigene Entscheidung war, durch die Tür da vorn zu gehen und nicht mehr zurückzukommen? Was genau wäre dadurch besser geworden?« Sie schüttelte den Kopf. »Denk von mir aus über mich, was du magst, Rosa – aber ich glaube immer noch, dass es so richtig war. Ich wollte, dass ihr die Chance bekommt, wie normale Mädchen aufzuwachsen, und dieser Mafiamist, all die Verhöre und Vorladungen – das war schon schwer genug.« Sie sah jetzt sehr müde aus, ausgelaugt von ihren Erinnerungen. »Und was die Verwandlungen angeht: Ich bin keine Arkadierin, und auch Davide hat nie die Fähigkeit gehabt, etwas anderes zu sein als er selbst. Ich hab gehofft, dass ihr die Kinder gewöhnlicher Eltern sein könntet, dass ihr seid wie er und wie ich – und nicht wie Costanza. Was hätte ich euch denn sagen sollen? Dass ihr euch *vielleicht* einmal in Schlangen verwandelt, wenn ihr erwachsen seid? Meinst du nicht, durch so etwas hätte ich euch nur noch viel früher verloren?«

Draußen raste ein Krankenwagen mit heulender Sirene die Straße hinab. Der kleine Hund, den Rosa schon von ihrem ersten Besuch kannte, lief vor dem Haus umher und kläffte dem Wagen nach.

»Wenn du glaubst, dass ich dich verraten habe, dann kann ich das nicht mehr ändern«, sagte Gemma. »Es ist für so vieles zu spät, und dafür ganz bestimmt.«

»Vielleicht hast du Zoe wirklich an Florinda verloren«, sagte Rosa. »Aber mich nicht. Einmal hätte ich Florinda fast erschossen.«

Gemma lächelte traurig. »Mein Mädchen.«

»Du kannst noch immer mitkommen nach Sizilien. Möglich, dass sie hier aufkreuzen, um mich zu suchen.«

»Arkadier?«

»Carnevares.«

»Was ist mit dem Konkordat?«

»Das ist schon vor Monaten gebrochen worden, von beiden Seiten. Ich schätze, es hat jetzt keine Gültigkeit mehr.«

»Darüber entscheidet das Tribunal, dachte ich.«

»Du kennst dich noch immer gut aus.«

»Ich habe lange genug bei den Alcantaras gelebt.«

»Komm mit mir«, sagte Rosa noch einmal.

Ihre Mutter schüttelte den Kopf. »Das ist lieb von dir. Aber, nein, danke.«

»Du bist hier nicht sicher.«

»Ich bin auch auf Sizilien nicht sicher. Niemand ist das, der sich mit den Dynastien einlässt.«

Rosas Blick wanderte über die Fotos an ihrem Spiegel – und da war er, halb verdeckt von einem verblichenen Magazinschnipsel. »Du hast Dad wirklich geliebt, nicht wahr?«

»Sehr.«

»Und er dich?«

»Ich glaube schon.«

»Und trotzdem ist er einfach gegangen.«

»Ja.«

Diesmal fragte sie nicht, warum.

Ihre Mutter gab ihr die Antwort auch so. *Eine* Antwort.

»Er hatte keine Wahl, glaube ich.« Gemma stand auf, blieb aber in der Tür stehen. »Weißt du, die Leute lügen, wenn sie sagen, nichts sei so stark wie die Liebe. Das ist eine der größten und gemeinsten Lügen überhaupt. Liebe ist nicht stark. Sie ist so verletzlich wie nur irgendwas. Und wenn wir nicht achtgeben, dann zerbricht sie wie Glas.«

»Aber du liebst ihn noch immer. Sogar heute noch.«

»Und, hilft mir das weiter? Macht mich das stärker?« Sie schüttelte den Kopf. »Es tut nur weh, das ist alles. Es tut furchtbar weh, jeden Tag und jede Nacht. Es ist auch nicht wahr, dass die Zeit alle Wunden heilt. Sie macht es schlimmer. Die Zeit macht es immer nur noch schlimmer.«

Vor dem Fenster wandte der kleine Hund den Kopf, entdeckte Rosa hinter der Scheibe und heulte sie an wie den Mond.

Sizilien

Am späten Vormittag landete Rosas Anschlussmaschine aus Rom in Palermo. Eine Limousine erwartete sie am Flughafen. Während der Fahrer ihren Koffer verstaute, döste sie bereits auf der Rückbank ein.

Irgendwo auf der Strecke erwachte sie frierend und stellte fest, dass Kälte für sie seit der Nacht im Central Park einen neuen, unguten Beigeschmack bekommen hatte. Sie bat den Fahrer, die Klimaanlage zu regulieren, und bald darauf schwanden auch das Gefühl des Gejagtseins und die Schwere des Winters aus ihren Gliedern.

Die Sonne schien golden durch die getönten Scheiben; obwohl es Mitte Februar war, sah es auf der Insel schon beinah nach Sommer aus. Vierzehn Grad Außentemperatur las Rosa am Armaturenbrett ab, kühler wurde es auf Sizilien tagsüber nur selten. Das war ein solcher Unterschied zur klirrend kalten Ostküste der USA, dass ihr in den nächsten Stunden wahrscheinlich nicht nur der Jetlag, sondern auch der Klimawechsel zu schaffen machen würde.

Die Autobahn zog sich durch die Weiten einer ockerfarbenen Ebene, an deren Rändern sich schroffe Berge erhoben. An den braungelben Hängen lagen Ruinen verlassener Gehöfte, die Trümmer des feudalen Siziliens. Gelegentlich rauschte hinter den Leitplanken der A19 eine Werbetafel vorüber, dann herrschte wieder sonnendurchglühte Leere. Einem der Gipfel war das weiße Schachtelgewirr eines Bergdorfs wie eine Kappe aufgesetzt worden. Dahinter hingen wattige Wolkenballen vor dem satten Tiefblau des Himmels.

Sie hätte niemals große Worte verloren über die Liebe, die sie beim allerersten Blick auf diese Landschaft verspürt hatte, aber sie empfand sie auch jetzt wieder – die Zuneigung für diesen Ort, der die uralte Geschichte des Mittelmeers atmete. Nach der Enge New Yorks, wo alles in die Höhe strebte – die Gebäude, die Erwartungen, die Egos –, war dies hier der größtmögliche Gegensatz: Die Welt reichte wieder über den Horizont hinaus.

Sie konnte es nicht erwarten, Alessandro zu sehen. Neben allem, dem sie mit Ablehnung entgegenblickte – ihren Beratern, Geschäftsführerinnen, nicht zuletzt dem Avvocato Trevini –, war es die Vorfreude auf ihn, die den Druck und den Schrecken der vergangenen Tage dämpfte. Am liebsten hätte sie den Fahrer gebeten, sie gleich zum Castello Carnevare zu bringen. Aber Alessandro saß im Konferenzraum einer seiner Firmen in Catania; sie hatte ihm verschwiegen, wann ihre Maschine landete, nur dass sie auf dem Weg nach Hause war, wusste er. Was sie mit ihm zu besprechen hatte, war nichts für Telefonate oder überfüllte Flughäfen. Und es gab einiges, über das sie reden mussten. Über eine Adresse, 85 Charles Street. Über eine Wohnung, die Tano gehört hatte.

Kurz flammte die Erinnerung an Mattia in ihr auf. Sie sah sein Gesicht vor sich, seinen letzten verzweifelten Panthersprung durch die Flammen. Hatten die anderen Carnevares ihn gestellt? Michele würde kein Erbarmen kennen mit einem Mann, der ihr das Leben gerettet hatte.

An der Abfahrt Mulinello verließen sie die Autobahn und rasten auf der Schnellstraße 117 nach Süden. Nach einer Weile tauchten links hinter den kahlen Bäumen der Dom von Piazza Armerina und die Dächer der Stadt auf. Rosa hatte erwartet, dass sie sich bei ihrer Rückkehr unwohl fühlen würde, aber tatsächlich geschah das Gegenteil: Sie war froh, wieder hier zu sein.

Gut zehn Kilometer südlich der Stadt, kurz nach der Gabelung Richtung Caltagirone, führte links eine Auffahrt in die bewaldeten Hügel. Ein schweres Gittertor glitt rumpelnd auf einer Führungsschiene beiseite, als die beiden Wächter den Wagen und seinen Fahrer erkannten.

Während sich das Tor hinter der Limousine wieder schloss, warf Rosa einen Blick durch die Heckscheibe. Ein silberner BMW fuhr an der Mündung vorbei nach Süden. Er war ihnen seit der Autobahnabfahrt gefolgt. Das Anti-Mafia-Team der Richterin Quattrini verfügte nur über eine begrenzte Anzahl von Wagen, und Rosa kannte die meisten. Der hier hatte sie schon vor ein paar Wochen beschattet. Sie schickte der Richterin eine SMS mit lakonischem Dank für das Empfangskomitee.

Der Weg führte zwei Kilometer sanft bergauf. Knorrige Oliven- und Zitronenbäume bedeckten einen Großteil des Hangs, an manchen Stellen wuchsen Pinienhaine. Als die Dächer des Palazzo Alcantara über den Baumkronen auftauchten, überkam sie doch noch jene Unruhe, auf die sie seit der Landung gewartet hatte. Auf dem Vorplatz parkte nur ein einzelner Wagen, ein klappriger roter Toyota, keine der Nobelkarossen ihrer Geschäftsführer. Gott sei Dank. Die Rostlaube gehörte Signora Falchi, Ioles Privatlehrerin.

Der Brunnen mit den steinernen Faunfiguren war nicht wieder in Betrieb genommen worden, aber die Gärtner sammelten keine Vogelnester mehr darin. Eine von Rosas ersten Anweisungen war die Aufhebung von Florindas Order gewesen, regelmäßig alle Nester aus den Bäumen der Umgebung zu entfernen und in dem Becken zu verbrennen. Sie nahm sich vor, dafür zu sorgen, dass möglichst bald wieder Wasser aus den geschwärzten Speiern in den Brunnen floss.

Der Palazzo bestand aus vier Flügeln, angeordnet als Quadrat um einen Innenhof. An zahlreichen Stellen der hellbraunen Fassade war Putz abgeplatzt. Auch die Figuren aus Tuffstein, die aus Nischen und von der Dachkante herabblickten, hatten eine Restauration dringend nötig. Schmiedeeiserne Balkongitter ließen erahnen, wie prunkvoll das Anwesen einmal gewesen war. Heute wirkte es vernachlässigt und morbide.

Die Limousine rollte durch den Tortunnel unter dem Vorderhaus. Das Beet im Zentrum des Innenhofs war noch immer dicht überwuchert, die vier Fassaden rundum hatten die Farbe von Terracotta, das zu viele Winter im Freien gestanden hatte.

Der Wagen hielt am Fuß der Doppeltreppe, die hinauf zum Haupteingang im ersten Stock führte. Rosa kam dem Fahrer zuvor und stieß die Autotür auf. Der Geruch von mürbem, durchfeuchtetem Gestein war selbst im Hochsommer allgegenwärtig; im Februar ließ er sich erst recht nicht verleugnen. Einmal mehr überlegte sie, ob es nicht besser wäre, sich eine andere Bleibe zu suchen. Noch eine Entscheidung, die sie immer wieder vor sich herschob.

Wildes Hundegebell ertönte, als ein schwarzer Mischling die Stufen herabraste, auf Rosa zusprang und im nächsten Moment die Vorderpfoten auf ihre Schultern legte. Ausgelassen schleckte er ihr über das Gesicht und verschluckte sich vor Aufregung.

»Hey, Sarcasmo«, brachte sie hervor, ging in die Hocke, zog den Hund mit nach unten und umarmte ihn. Grinsend strubbelte sie durch sein wolliges Fell, kraulte ihn hinter den Ohren und vergrub das Gesicht an seinem Hals. »Ich hab dich vermisst, Kleiner. Hmm, du riechst noch immer genauso gut.« Kein Wunder, lag Sarcasmo doch von morgens bis abends auf den antiken Sofas und Teppichen des Palazzo. Nachts kroch er zu Iole ins Bett und schnarchte, was das Zeug hielt.

Der Fahrer trug ihr Gepäck ins Haus und wäre im Eingang beinahe mit einer zierlichen Frau zusammengestoßen, die in diesem Moment ins Freie stürzte. Sie trug eine Brille mit Drahtgestell und eine weiße Bluse. Ihre Jeans hatte Bügelfalten.

»Signorina Alcantara!«, rief sie aus, als müsste sie im nächsten Augenblick der Schlag treffen. »Signorina, wurde auch Zeit, dass Sie wieder da sind!«

Rosa knuddelte Sarcasmo ein letztes Mal, dann erhob sie sich. Der Hund raste vorneweg ins Gebäude, als sie die Stufen hinaufstieg und durch einen Schleier ihrer verwuschelten Haare die Lehrerin erkannte. Raffaela Falchi war Mitte dreißig, sah aber fünfzehn Jahre älter aus und schien es aufgegeben zu haben, dagegen anzukämpfen. Sie wirkte bieder und ein wenig matronenhaft, und genau das war auch der Grund, weshalb Rosa ihren eindrucksvollen Referenzen vertraute. Einer Frau wie Signora Falchi wäre es niemals in den Sinn gekommen, ihre Vita in den Fälscherwerkstätten Siziliens beschönigen zu lassen. Auch als Spitzel der Staatsanwaltschaft schien sie ungeeignet. Letztlich aber hatte Rosa die Auswahl ihrem Sekretariat in Piazza Armerina überlassen. Ihre eigene Highschool-Zeit lag kaum mehr als ein Jahr zurück; sie fühlte sich vollkommen ungeeignet, ausgerechnet die Kompetenz einer Lehrerin zu beurteilen.

»Signorina Alcantara!«, rief Raffaela Falchi zum dritten Mal, und spätestens jetzt wünschte sich Rosa einen Pulk ihrer verhassten Berater herbei, um sich hinter ihnen zu verstecken.

»Ciao, Signora Falchi«, grüßte sie freudlos.

»Ihre Cousine, also, ich weiß gar nicht, wo ich anfangen soll ...«

Rosa strich sich missmutig die blonden Strähnen aus dem Gesicht. Sie hatten Iole als Rosas Cousine ausgegeben, um lästigen Fragen aus dem Weg zu gehen. »Haben wir Sie nicht eingestellt, damit Sie das allein regeln?«

Die Lehrerin plusterte sich auf, und weil sie noch immer einige Stufen über Rosa auf der Treppe stand, gab sie dabei eine durchaus einschüchternde Figur ab. »Iole spricht nicht mit mir, und es wäre wünschenswert, wenn Sie nicht denselben Fehler machen würden, Signorina Alcantara.«

Rosa seufzte. »Was ist passiert?«

»Iole erscheint nicht regelmäßig zum Unterricht. Sie führt Selbstgespräche. Sie schmiert in ihren Heften herum. Manchmal summt sie vor sich hin, und nicht einmal melodisch. Sie missachtet meine Autorität.« So ging es weiter, und Rosa machte in Gedanken Häkchen hinter die Beschwerden, die sie schon vor ihrer Abreise zu hören bekommen hatte. »Sie schminkt sich während des Unterrichts. Und sie macht *Lalala*, wenn ich sie bitte, mir zuzuhören.«

»Lalala?« Rosa hob eine Augenbraue.

»Laut!«

»Und dann?«

»Nichts, dann! Sie macht es eben.« Die Lehrerin rang die Hände. »Gestern hat sie gerülpst wie ein Bauer! Vorgestern hat sie darauf bestanden, einen Hut mit Schleier zu tragen, den sie weiß der liebe Himmel wo gefunden hat. Und dann diese schrecklichen Duftkerzen!«

»Duftkerzen?«

»Die hat sie im Internet bestellt, sagt sie. Wissen Sie eigentlich, wie viele Stunden am Tag dieses Kind vor dem Computer verbringt?«

»Dieses *Kind* wird bald sechzehn.«

»Aber wir wissen beide, dass sie nicht auf dem intellektuellen Niveau einer Sechzehnjährigen ist.«

»Iole ist nicht behindert, Signora Falchi«, sagte Rosa entschieden.

»Das weiß ich. Und mir ist durchaus bewusst, was sie durchgemacht hat. Sechs Jahre in der Gewalt von Verbrechern … Aber das ändert nichts daran, dass sie sich bestimmten Regeln unterwerfen muss, wenn ich diese sechs Jahre mit ihr nachholen soll. Ich bin keine Therapeutin, aber als Pädagogin weiß ich, was ich zu tun habe. Und was nötig ist, um Iole zu einer gebildeten jungen Frau zu machen. Aber sie muss meinen Rat beherzigen, ob es ihr nun gefällt oder nicht.«

Rosa atmete tief durch, dann nickte sie. »Ich rede mit ihr.« Sie setzte ihren Aufstieg fort und trat neben die Lehrerin auf das Podest vor dem Eingang. »Aber ich bin nicht Ioles Mutter. Nicht mal ihre große Schwester. Vielleicht hört sie auf mich, vielleicht nicht. Wo steckt sie eigentlich?«

Signora Falchi rückte ihre Brille zurecht, blies die Backen auf und ließ die Luft mit einem ploppenden Laut entweichen. »Im *Keller*!«, stieß sie hervor.

»Was, zum Teufel, treibt sie im Keller?«

»Woher, *zum Teufel*, soll ich das wissen?«

Da war sie wieder. Die Verantwortung. Für die Geschäfte der Alcantaras, für ihre Beziehung zu Alessandro, nicht zuletzt für sich selbst – und auch für Iole. Sie hatte das dringende Bedürfnis, sich in einen der Sportwagen in der Garage zu setzen und mit zweihundert Sachen Richtung Küste zu rasen. Oder durch die Berge. Egal, wohin. Hauptsache allein.

»Reden Sie mit ihr«, sagte die Lehrerin und fügte dann erstaunlich sanftmütig hinzu: »Wenn Sie meine Hilfe brauchen oder meinen Rat, dann bin ich für Sie da. Für Sie beide, Signorina Alcantara.« Es war einer der wenigen Momente, in denen sie durchblicken ließ, dass sie sich sehr wohl im Klaren darüber war, dass ihre Auftraggeberin nur unwesentlich älter war als ihre Schülerin.

»Okay«, sagte Rosa, »danke. Ich kümmere mich darum.«

Alle Empörung schmolz von Signora Falchis Zügen und plötzlich lagen darin Verständnis und Mitgefühl. Sie *war* eine gute Pädagogin, und wenn sie auch eine entsetzliche Schreckschraube sein konnte, hatte Rosa doch bislang nicht ernsthaft bereut, sie eingestellt zu haben.

»Iole ist ein kluges Mädchen«, sagte die Lehrerin, »sie muss sich nur selbst eine Chance geben. Und mir.«

Rosa nickte und machte sich auf den Weg in die Kellergewölbe.

»Sie riechen nach Vanille! Und Mango! Und Bernstein! Und Schneeflocken!«

»Wie, bitte schön, riechen Schneeflocken?«

»Ich hab noch an keiner gerochen. Ich hab noch nie eine echte gesehen. Nur im Fernsehen.«

»Und Bernstein?«

»Wie Honig. Mit *Himbeeren*!« Iole stieß ein glückliches Lachen aus, ergriff Rosa an den Händen und zerrte sie in einem albernen Tanz einmal im Kreis herum. »Sie riechen *so* gut! Und es gibt so viele verschiedene! Und wenn man fünfhundert bestellt, kosten sie fast nichts mehr!«

»Shit. Du hast fünfhundert Duftkerzen bestellt?«

»Nur in dem *einen* Shop.« Iole ließ Rosa los, drehte sich aber weiter im Kreis. Ganz allein, an ihrer Kette in der Geiselhaft der Carnevares, hatte sie das oft stundenlang getan.

Rosa stöhnte. »In wie vielen Shops hast du eingekauft?«

»In allen, die so tolle Angebote hatten.« Sie gluckste vergnügt und blickte Rosa aus ihren hübschen Augen an, als könnte sie nicht fassen, dass die sie nicht verstehen wollte. »Genau deshalb machen sie doch Angebote! Damit alle dort billig einkaufen können. Auch Menschen, die wenig verdienen. Das ist *so* toll!«

»Und was genau machst du jetzt mit all den Kerzen?«

»Ich zünde jede Stunde eine andere an. Signora Falchi mag es auch, wenn es gut riecht.«

»Das ist gelogen.«

Aber Iole wechselte schon das Thema, während sie eine letzte Pirouette drehte und schwankend zum Stehen kam. »Alessandro hat angerufen.«

Rosa kaute an ihrem Nagel. »So?«

»Willst du gar nicht wissen, was er gewollt hat?«

»Du wirst es mir ja gleich erzählen.«

Iole senkte verschwörerisch die Stimme. »Er hat gefragt, wie's mir geht.«

»Lieb von ihm.«

»Er macht sich immer Sorgen um mich, glaube ich.«

»Alessandro macht sich um vieles Sorgen.«

»Aber er kann mich gut leiden.«

Rosa lächelte, nahm Iole bei den Schultern und zog sie an sich. »Ja, natürlich kann er das. Alle können dich gut leiden. Signora Falchi übrigens auch. Wenn sie dich öfter zu sehen bekäme.«

Ioles kurzes schwarzes Haar roch nach dem Moder der Keller. Sie musste sich schon eine ganze Weile hier unten herumtreiben.

»Besonders gern hat er aber dich«, sagte Iole.

»Kann sein.«

»Das weißt du doch!«

»Können wir über was anderes reden?«

»Er hat Fundling verlegen lassen. In eine andere Klinik an der Küste.«

Rosa bekam ein schlechtes Gewissen, weil sie sich nicht früher nach Fundling erkundigt hatte. Seit dem Schusswechsel am Monument von Gibellina lag er im Koma. Die Ärzte hatten die Kugel aus seinem Schädel entfernt, aber erwacht war er auch nach vier Monaten noch nicht. Alessandro zahlte alle Rechnungen und er hatte schon vor einigen Wochen die Entscheidung getroffen, Fundling aus dem öffentlichen Krankenhaus in ein teures Privatsanatorium verlegen zu lassen. Bis heute war Rosa sich nicht im Klaren über seine Motive. Alessandro sprach kaum darüber, aber sie spürte, dass er sich für Fundling verantwortlich fühlte; vielleicht wegen dessen entscheidender Rolle im Kampf gegen Cesare Carnevare, den Mörder von Alessandros Eltern.

Iole nahm eine von Rosas Haarsträhnen in die Hand und roch daran, als wäre das die selbstverständlichste Sache der Welt. »Hast du schon die Richterin gefragt?«

»Ich rede mit ihr, sobald ich ... sie sehe.«

»Sie *muss* es einfach erlauben! Ich würde Onkel Augusto so gern wiedersehen.«

Augusto Dallamano war Ioles letzter lebender Verwandter. Vor sechseinhalb Jahren war ihre ganze Familie von den Carnevares ermordet worden, Iole selbst hatten sie als Geisel festgehalten – bis Rosa und Alessandro sie befreit hatten. Seit Wochen lag sie Rosa in den Ohren, dass sie ihren Onkel besuchen wollte. Nur war es alles andere als einfach, das zu bewerkstelligen.

»Onkel Augusto hat mir Schießen beigebracht«, verkündete Iole stolz.

»Ja, er ist super.«

»Mit einer automatischen Pistole. Und mit einer Schrotflinte.«

»Und da warst du wie alt?«

Iole runzelte die Stirn und zählte in Gedanken. »Acht?«

Rosa ächzte.

Dallamano lebte mit falscher Identität im Zeugenschutzprogramm der Staatsanwaltschaft. Rosa war ihm einmal begegnet, in Sintra bei Lissabon. Im Park der Quinta da Regaleira hatte er einige ihrer Fragen über den rätselhaften Fund beantwortet, den die Dallamanos bei ihren Tauchexpeditionen in der Straße von Messina gemacht hatten.

»Die Richterin ist nicht besonders gut auf mich zu sprechen, weißt du?« Rosa ahnte, dass solche Erklärungen an Iole abprallen würden. Ihr fehlten sechs Jahre unter Menschen, sechs Jahre Kontakt zur Außenwelt. Es fiel leicht, sie gernzuhaben, aber manchmal konnte sie einen auf die Palme bringen, ohne dass sie überhaupt verstand, was sie falsch gemacht hatte.

Eine Therapie hatte sie nach der ersten Sitzung abgebrochen, und dafür hatte Rosa Verständnis; ihre eigenen Erfahrungen mit Psychologen waren nicht die besten.

»Richterin Quattrini gibt einem nie etwas ohne Gegenleistung«, sagte Rosa. »Wenn sie keinen Vorteil dadurch hat, interessiert sie sich nicht dafür.«

»Dann müssen wir ihr eben was anbieten.«

»Duftkerzen?«

»Die mit Tannengeruch. Die mag ich nicht.«

»Das wird nicht reichen, schätze ich.«

»Wie wär's mit Mafiakram?«

Gelegentlich sagte Iole Dinge mit so entwaffnender Naivität, dass Rosa sich fragte, ob nicht doch ein wenig Berechnung dahintersteckte.

Aber das Mädchen war schon wieder einen Gedanken weiter. »Ich muss dir was erzählen.«

»Was hast du noch gekauft?«

Iole beugte sich verschwörerisch vor, als könnte irgendwer sie belauschen. »Ich hab die Keller erforscht.«

Rosa blickte an ihr vorbei den langen Gang hinunter. Seit Florindas und Zoes Tod war sie erst ein einziges Mal hier unten gewesen. In weiten Abständen brannten gelbe Gitterlampen an der Decke. Zwischen ihren Lichtkreisen zogen sich Schattenstreifen über das Mauerwerk. Wie Tigerfell.

»Da ist eine Eisentür, weiter hinten, unter dem Nordflügel«, sagte Iole geheimnistuerisch. »Dahinter brummt was. Eine Maschine, glaube ich.«

»Das ist der alte Kühlkeller. Er läuft noch, aber er ist abgeschlossen. Niemand kommt da rein, um das Ding auszustellen.«

»Jetzt schon.«

»Die Tür hat ein Zahlenschloss.«

Iole nickte und verzog die Mundwinkel zu einem stolzen Grinsen.

Rosa sah sie zweifelnd an. »Du hast den Code geknackt?«

»Schon möglich.«

»Wie hast du das angestellt?«

»Hab alle ausprobiert.«

Der Code bestand aus vier oder fünf Ziffern. Zig Millionen Möglichkeiten. Rosa schüttelte fassungslos den Kopf. »Blödsinn«, sagte sie.

»Ich hab Glück gehabt. Und imemrhin fünf Tage Zeit … minus Signora Komm-sofort-zum-Unterricht.«

»Hast du ihn aufgeschrieben?«

»Hab ihn mir gemerkt.«

Kopfschüttelnd nahm Rosa ihre Hand und sagte etwas, von dem sie annahm, dass sie es sagen *sollte*. »Ich will nicht, dass du allein hier unten im Keller rumläufst.«

»Ist doch keiner da.«

»Aber es ist … dunkel.« Gott, schlimmer als ihre Mutter.

»Und?« Iole lachte. »Ich hab keine Angst im Dunkeln. Da, wo sie mich eingesperrt haben, war's oft dunkel. In den Hütten, oben in den Bergen. In den leeren Bauernhöfen. Sogar in der Villa auf der Isola Luna.«

Rosa fühlte sich überfordert mit ihrer Rolle der großen Schwester. Zoe war nicht gut darin gewesen, und sie selbst machte es kein bisschen besser. »Schon gut«, sagte sie resigniert. »Wahrscheinlich gibt es wirklich keinen vernünftigen Grund, warum du nicht in die Keller gehen solltest. Mach, was du willst, aber komm danach nicht an und … beschwer dich.« Oje.

Iole sah sie triumphierend an. »Willst du's nicht sehen?«

»Was?«

»Den Kühlkeller. Das, was hinter der Tür ist.«

»Ist es wichtig?«

»Na ja, wichtig …« Iole zuckte die Achseln.

»Dann hat's Zeit bis morgen, oder? Ich bin fix und fertig.«

Sie warf noch einen Blick den düsteren Kellergang hinab. Staub-schwaden wogten im gelblichen Tigerlicht. Sie unterdrückte ein Schaudern. »Außerdem hab *ich* Angst im Dunklen.« Sie sagte es mit einem Augenzwinkern, aber im Moment war es nä-her an der Wahrheit, als ihr lieb war.

Iole pikte sie mit einem Finger in den Bauch. »Mädchen!«

Rosa seufzte. »Heute schon.«

Wiedersehen

Sie schlief wie eine Bewusstlose bis zum nächsten Vormittag. Aber schon beim Erwachen erinnerte sie sich panisch an ihre Verabredung mit Alessandro und erledigte Dusche und Frühstück in Rekordzeit.

Der Helikopter wartete auf dem Landefeld neben dem Palazzo. In Jeans, schwarzem Pullover und Turnschuhen sprang sie hinein und schnallte sich an. Wie immer fluchte der Pilot beim Abheben über die Macken der alten Kiste, aber sie vertraute ihm, als er ihr mit Leidensmiene erklärte, dieses eine Mal würden sie wohl doch noch heil ankommen.

Bald erhob sich vor ihnen der graue Vulkankegel des Ätna. Um den tückischen Aufwinden an seinen Hängen zu entgehen und nicht in den überwachten Luftraum von Catania zu geraten, lenkte der Pilot den Hubschrauber ein gutes Stück weiter südlich auf die offene See. In einigem Abstand folgten sie dem Verlauf der Küste nach Nordosten und rasten dann tief über dem Wasser hinaus auf die Straße von Messina, die Meerenge zwischen Sizilien und der Spitze des italienischen Stiefels.

Das stahlblaue Mittelmeer rauschte unter ihnen hinweg. Der Schatten des Helikopters wurde von den Wellenkämmen wie ein Ölfleck auf und ab geworfen. Abgesehen von ein paar Segelbooten war die See wie leer gefegt.

Erst nach einer Weile wurden am Horizont zwei Punkte sichtbar.

»Das sind sie«, drang die Stimme des Piloten aus Rosas Kopfhörer. Sie saß neben ihm in der Glaskanzel, aber der Lärm des Hubschraubers war zu groß, als dass man auf Ohrschützer hätte verzichten können. Kurz darauf begann das Headset zu knistern. Sie kamen jetzt in das Gebiet, in dem Alessandros Leute den Funkverkehr störten.

Die *Gaia*, die Vierzig-Meter-Jacht der Carnevares, schimmerte blendend weiß auf dem Wasser. Von oben sah Rosa, dass der Whirlpool auf dem Sonnendeck mit einer Plane abgedeckt war. Auch die luxuriösen Sitzgruppen waren verlassen.

Das zweite Schiff, das unweit der Jacht auf den Wellen trieb, war auf den ersten Blick weniger eindrucksvoll, obgleich sein Wert dem der *Gaia* vermutlich kaum nachstand. Unter Deck beherbergte der unscheinbare Kahn kubikmeterweise Hightech. Rosa wusste, welche Unsummen der Einsatz der *Colony* Tag für Tag verschlang; ganz abgesehen von der unbemannten Tauchdrohne.

Punktgenau senkte sich der Helikopter auf den Landeplatz auf der *Gaia*.

Alessandro eilte ihr gebückt entgegen, als sie aus der Kanzel sprang. Er umarmte sie noch unterhalb des kreisenden Rotors, dann liefen sie Hand in Hand zur Reling, während der Hubschrauber hinter ihnen aufstieg. Der Pilot hob zum Abschied die Hand, drehte in einer engen Kurve nach Westen ab und flog zurück Richtung Küste.

Sie gab Alessandro einen innigen Kuss, bis der Lärm des Hubschraubers in der Ferne verebbte. Er hielt sie fest, als könnte der Wind sie mit sich übers Meer davontragen. Und etwas geschah, mit dem sie nicht gerechnet hatte. Ein heißes Kribbeln loderte von Kopf bis Fuß über ihren Körper, so unverhofft und aufregend, dass sie einen Moment brauchte, ehe sie begriff: Es war die Reaktion ihrer neuen Haut auf seine Berührung. Die Rötung hatte längst nachgelassen, aber die Nerven, die Alessandros Nähe zum ersten Mal spürten, gerieten in Aufruhr. Sie hatte Kälte erwartet, die Regungen der Schlange in ihrem Inneren; stattdessen ergriff eine wohlige Wärme von ihr Besitz. Sie schmiegte sich noch enger in seine Arme.

Als sie sich schließlich voneinander lösten, wurde ihr bewusst, dass sie ihn bisher nur gefühlt, aber kaum angesehen hatte. Das holte sie jetzt nach – und erschrak.

Er war bleich, wirkte übermüdet und hatte dunkle Ringe unter den Augen. Sein braunes Haar war noch zerzauster als sonst, und nicht einmal die ewigen Grübchen konnten darüber hinwegtäuschen, dass er während der vergangenen Tage wenig Grund zum Lächeln gehabt zu haben schien. Selbst erschöpft sah er noch immer unverschämt gut aus, auch weil seine grünen Augen die Blässe mühelos überstrahlten; aber sie konnte spüren, dass etwas nicht in Ordnung war. Auf einen Schlag war ihre eigene Müdigkeit wie weggeblasen.

»Du siehst furchtbar aus«, stellte sie fest.

»Ich hab nicht viel geschlafen. Und wenn doch, hab ich schlecht geträumt.«

Das hatte sie auch, aber sie hatte bereits beschlossen, die Gründe vorerst für sich zu behalten. Nicht nur aus Rücksicht, sondern aus purem Eigennutz: Sie wollte nicht, dass Tanos Geist ihr Wiedersehen überschattete. Das war die Macht, die sie über ihn hatte. Tano mochte ihren Körper in Besitz genommen haben, aber die Erinnerung an ihn konnte sie mit ein bisschen Anstrengung aus ihrem Gedächtnis streichen.

»Hätte ich gewusst, dass du herkommst, dann hätte ich –«

Sie legte die Hand in seinen Nacken und brachte ihn sanft mit einem weiteren Kuss zum Verstummen. Dann erst fragte sie: »Was ist los?«

»Meine eigenen Leute wollen mich loswerden, und früher oder später wird es irgendeiner versuchen, aber das ist ja nichts Neues.« Er lächelte mit dieser Mischung aus Traurigkeit und Entschlossenheit, die niemand außer ihm zu Stande brachte. »Was ist mit dir?«, fragte er. »Du hast nicht mehr angerufen.«

»Später, okay?«

Er sah ihr in die Augen. »Du hast was rausgefunden.«

»Gib mir ein bisschen Zeit, in Ordnung?«

»Sie haben dir wehgetan.«

»Alessandro, bitte ... Ich erzähl dir alles, aber erst mal will ich einfach nur bei dir sein. Ohne dass wir uns gegenseitig mit unseren Problemen zuquatschen.«

Er nahm sie bei der Hand, führte sie von der Landeplattform ins holzgetäfelte Innere der Jacht und durch ein Treppenhaus mit Goldbeschlägen hinunter aufs Hauptdeck. Als sie wieder ins Freie traten, sah Rosa, dass die *Gaia* und die *Colony* durch armdicke Seile miteinander vertäut waren. Über einen Steg wechselten sie von einem Schiff zum anderen.

Zwei Männer und eine Frau in blauen Overalls standen rauchend an der Reling der *Colony* und blickten ihnen entgegen. Einer der Männer, braungebrannt und grauhaarig, deutete ein Kopfnicken in Rosas Richtung an. Professor Stuart Campbell, Engländer, Egozentriker, Schatzsucher – er leitete die Untersuchungen, mit denen Alessandro seinen Trupp von Archäologen und Meeresforschern beauftragt hatte.

»Signorina Alcantara«, grüßte er sie.

»Professor Campbell.« Sie mochte die Art nicht, wie er sie ansah, so als wäre sie irgendein dummes Blondchen, das Alessandro sich geangelt hatte. Aber sie interessierte sich nicht genug für Campbell, um ernsthaft darüber in Rage zu geraten.

Alessandro ließ ihr den Vortritt, als sie den Kontrollraum der *Colony* betraten. Ein halbes Dutzend Männer und Frauen, gleichfalls alle in Overalls, saß gedrängt vor einer Unzahl von Radargeräten und Echoloten. Der fensterlose Raum hätte ebenso gut im Inneren jener Drohne liegen können, die sie von hier aus ferngesteuert durch die Schluchten und Gräben am Meeresgrund lenkten. Die Luft war stickig, und dass der Qualm der Raucher zur Tür hereinzog, machte es nicht angenehmer. Niemand der anderen störte sich daran.

»Hier«, sagte Alessandro und deutete auf einen der Bildschirme. »Sieh dir das an.«

Es handelte sich um eine dreidimensionale Rasterdarstellung des Meeresbodens, einhundert Meter im Quadrat. Alessandro berührte ein Touchpad unterhalb des Monitors, und sofort änderte sich die Perspektive. Als er zwei Fingerspitzen auf dem Pad auseinanderzog, zoomte die virtuelle Kamera tiefer in das gewellte Gitterwerk.

»Das sind die exakten Koordinaten aus den Unterlagen der Dallamanos«, sagte er.

Rosa blickte angestrengt auf die gewöhnungsbedürftige Grafik. »Sieht leer aus.« Was erklärte, weshalb Alessandro und sie bei ihren beiden Tauchgängen nichts entdeckt hatten.

»Falsch«, mischte sich eine Frau ein, rothaarig, Mitte dreißig. Rosa hatte ihren Namen vergessen, aber sie war schon bei ihrem letzten Besuch an Bord die Einzige gewesen, die sich zu mehr als einer knappen Begrüßung herabgelassen hatte. »Leer trifft es nicht ganz.«

»Sondern?«

Die Archäologin schob Alessandros Hand beiseite und bediente das Touchpad. Perspektive und Größe änderten sich in Windeseile, als sie auf eine unscheinbare Stelle des Gitternetzes zoomte. Ein knappes Fingertippen auf das Pad, und sofort legte sich ein zweites, ungleich feineres Raster über das erste.

Rosa runzelte die Stirn. »Steine.«

»Das dachten wir auch erst«, entgegnete die Frau. »Jedenfalls keine Statue – nicht das, wonach wir gesucht haben.«

Rosa warf Alessandro einen fragenden Blick zu.

Geduld, sagten seine Augen.

Die Forscherin zog einen virtuellen Schieber am Bildrand nach unten. Eine Zahlenkolonne in der Ecke veränderte sich. Das Raster füllte sich von außen nach innen; gleich darauf sah es aus, als hätte jemand ein graues Tuch über die Struktur gelegt.

Rosa beugte sich näher an den Monitor. »*Runde* Steine?«, fragte sie skeptisch.

»Sockel.«

»Zwölf Stück«, ergänzte Alessandro, »alle innerhalb dieses Quadrats.«

Rosa fuhr sich nervös durchs Haar. »Heißt das –«

»Jemand ist uns zuvorgekommen«, sagte die Frau. »Irgendwer hat uns die Statuen vor der Nase weggeschnappt.«

»Aber keiner kennt diese Koordinaten!«

»Ganz sicher?«

»Dallamano hat uns reingelegt«, murmelte sie.

Alessandro schüttelte den Kopf. »Nicht unbedingt.«

»Ausgerechnet du verteidigst ihn? Er wäre dir fast an die Gurgel gegangen.«

»Nach ihm hatte deine Tante die Unterlagen, jedenfalls für ein paar Stunden. Und von ihr hat Pantaleone sie bekommen. Wir wissen nicht, mit wem die beiden oder einer von ihnen darüber gesprochen haben.«

»Ganz abgesehen davon«, setzte die Forscherin hinzu, »dass diese Gegend hier außerhalb der Dreimeilenzone liegt und theoretisch jeder darauf gestoßen sein könnte. Vielleicht durch Zufall oder auch weil er gezielt gesucht hat.«

Rosa schnaubte. »Zufall!«

»Daran glauben wir auch nicht«, meldete sich hinter ihnen ein Mann zu Wort. Rosa roch den Zigarettenqualm, den er mit in die Zentrale brachte, noch bevor sie sich zu ihm umdrehte.

Professor Campbell deutete auf einen Monitor an der gegenüberliegenden Wand. Einer der Männer an den Kontrollen räumte seinen Stuhl für ihn. Rosa wechselte einen Blick mit Alessandro. Er nickte ihr aufmunternd zu.

»Kommen wir zu dem Grund, aus dem ich Sie hergebeten habe, Signore Carnevare. Sehen Sie.« Der Schatzsucher wies auf den Bildschirm, über den nacheinander die verschiedenen

Kamerablickwinkel de Unterseedrohne flimmerten. Schließlich hielt er einen fest. »Das hier hat die Steuerbordkamera der *Colony II* aufgenommen.«

Einer der Scheinwerfer strich über den felsigen Meeresgrund. Spalten und Löcher klafften im Gestein. Die Straße von Messina wurde immer wieder von Seebeben heimgesucht und war verkrustet von geologischem Narbengewebe.

»Wie tief ist das?«, fragte Rosa.

»Nicht sehr tief. Ein wenig über vierzig Meter. Wir suchen den Boden auch mit Tauchern ab, aber das ist mühsam und nicht halb so effektiv wie die Instrumente an Bord der *Colony II*.« Campbell hielt die Aufnahme auf dem Monitor an und tippte mit einem Kugelschreiber gegen das Glas. »Um das hier geht's mir. Das ist einer unserer Sockel.«

Rosa erkannte nicht viel mehr als eine runde Erhebung, im Hintergrund ein paar kantige Felsbrocken.

»Er misst Pi mal Daumen etwa einen Meter im Durchmesser, ist aber vermutlich um einiges höher. Wir können davon ausgehen, dass er, genau wie die anderen elf, tief im Boden eingesunken ist. Wir werden das noch genauer untersuchen.«

Das trübe, geisterhafte Licht des Scheinwerfers und die Partikel, die flirrend im Vordergrund des Bildes zu sehen waren, erinnerten an die Fotos der Dallamanos. Auf ihnen aber waren die Statuen zweier Tiere zu sehen gewesen: ein Panther, aufrecht auf den Hinterbeinen, um den sich der breite Leib einer Riesenschlange wand. Der Kopf des Reptils hing vor den Augen der Raubkatze, beide blickten einander an.

»Wir haben die Aufnahmen, die Sie uns gegeben haben, mit diesen hier verglichen.« Campbell drückte eine Tastenkombination. Das Foto von Panther und Schlange, das sie bei Iole gefunden hatten, legte sich wie eine Folie über das Bild auf dem Monitor. Die Perspektiven stimmten nicht genau überein, dennoch bestand anhand der Felsengebilde im Hintergrund kein Zweifel. Es war dieselbe Stelle. Die Statue war verschwunden.

»Fuck«, flüsterte Rosa.

Der Schatzsucher lächelte. »Sehe ich genauso.«

Sie blickte Alessandro an. Das grünliche Licht vom Bildschirm intensivierte seine Augenfarbe. Einen Moment lang konnte sie den Blick nicht mehr von ihm abwenden. »Hast du das gewusst?«, fragte sie.

»Erst seit gestern. Ich wollte dir heute alles erzählen.«

»Soll das heißen, das war's? Das hier ist alles umsonst gewesen?«

»Umsonst ganz bestimmt nicht«, sagte Campbell trocken. »Warten Sie, bis Sie meine Rechnung sehen.«

»War es nicht eigentlich Ihr Job, die Statuen zu bergen?«, fragte sie spitz.

»Noch bin ich nicht fertig.« Zum ersten Mal redete er mit ihr, als nähme er sie ernst. »Jetzt kommen ein paar Informationen, die auch für Ihren Freund neu sein dürften.«

Alessandros Wangenmuskeln zuckten. »Legen Sie los.«

Campbell zoomte näher auf den runden Steinklotz. »Wie gesagt, die Sockel stecken wahrscheinlich mehrere Meter tief im Boden. Diese Vermutung basiert auf Erfahrungswerten hinsichtlich der geologischen Beschaffenheit dieser Meeresregion, Beben, vulkanische Aktivität et cetera, et cetera … Aber sehen wir uns einmal die Gesteinsoberfläche an, soweit die Qualität der Aufnahmen das zulässt. Ich habe bereits Taucher dort unten, die unseren Fund genauer unter die Lupe nehmen werden, aber so, wie es aussieht, hat man die Statuen sauber von ihren Sockeln abgetrennt.«

»Sie meinen, Sockel und Figuren waren aus einem Stück gehauen?«, fragte Alessandro.

Campbell nickte. »Erkennen Sie die geriffelte Struktur? Was wir dort sehen, sind entweder Spuren äußerst feiner Fräsen oder eines Laser-Cutters, der speziell für einen Unterwassereinsatz wie diesen hergestellt wurde.«

»Jemand muss also eine Menge Geld in die Bergung der Statuen gesteckt haben«, sagte Rosa nachdenklich.

»Vierzig Meter sind für einen geübten Sporttaucher keine problematische Tiefe, erst recht nicht für erfahrene Tiefsee- oder Militärtaucher. Mit der entsprechenden Ausrüstung kann man sich eine ganze Weile lang dort unten aufhalten. Wir haben jedoch berechnet, dass ein sauberes Durchtrennen eines derartigen Steinblocks aller Wahrscheinlichkeit nach mehrere Stunden in Anspruch nimmt. Was bedeuten würde, dass die Tauchmannschaften dort unten entweder mit überaus hochwertiger, vermutlich militärischer Beatmungstechnik gearbeitet haben oder aber mehrfach ausgewechselt wurden.«

Rosas linke Hand lag auf der Lehne von Campbells Stuhl. Als sie die Berührung von Alessandros Fingern spürte, tauschten sie ein flüchtiges Lächeln. Sie hätte nicht sagen können, welche Erwartungen sie in diese Unternehmung gesetzt hatte. Sie hatte selbst ein intensives Tauchtraining absolviert, doch als sie mit Alessandro schließlich hinabgetaucht war, hatten sie nichts finden können außer Felsen und Schlamm. Erst danach hatten sie ein professionelles Bergungsteam angeheuert.

»Immerhin sprechen wir von zwölf dieser Statuen«, fuhr der Schatzsucher fort, »wobei wir bislang mit Sicherheit sagen können, dass mindestens sieben auf dieselbe präzise Weise von ihren Sockeln gelöst wurden. Auf den Fotos, die Sie uns gegeben haben, waren ausschließlich Statuen von Panthern und Schlangen zu sehen, einige waren zertrümmert oder schwer beschädigt. Aber auch diese Überreste müssen geborgen worden sein, und zwar – abgesehen von den Sockeln – bis auf das letzte Bruchstück. Wer immer das getan hat, war erstens sehr gründlich und ist zweitens sehr respektvoll mit seinem Fund umgegangen. Diese Leute haben es sich nicht leicht gemacht. Und wir müssen davon ausgehen, dass sie ohne finanzielle Einschränkungen arbeiten konnten.«

Rosa nickte Alessandro zu. TABULA, formte sie stumm mit den Lippen.

Campbell tippte auf seiner Tastatur und das Unterwasserbild verschwand. Er drehte sich halb um und wandte sich an eine der Frauen an den Instrumenten: »Ruth, geben Sie mir die Vierundreißig auf die Sieben.«

Auf dem Monitor erschien die graublaue Meeresoberfläche, offenbar aus großer Höhe steil nach unten fotografiert.

»Was Sie hier sehen«, sagte Campbell zu Alessandro und Rosa, »ist geheimes Material, das ich mir, sagen wir: ausgeborgt habe.«

»Sieht aus wie Google Earth«, bemerkte Rosa.

»Fast. Und darum erwähne ich es – damit Sie sich später nicht über den entsprechenden Posten auf meiner Abrechnung wundern.« Der Schatzsucher holte weiter aus: »Das Mittelmeer zwischen Nordafrika und Süditalien ist eine der am besten überwachten Regionen der Welt. Rund um Sizilien ist das Netz sogar noch dichter als anderswo.« Mit ironischem Unterton setzte er hinzu: »Es muss hier eine Menge Leute geben, die ihr Geld außerhalb der Legalität verdienen.«

»Mit gestohlenen Militäraufnahmen?«, schlug Rosa vor.

»Ich zeige Ihnen nun eine Vergrößerung unserer mysteriösen Aufnahme. Wäre das Wasser so durchsichtig, wie alle immer glauben, müssten wir jetzt die zwölf Statuen sehen können.«

»Oder ihre Sockel«, sagte Alessandro.

»Nein«, widersprach der Professor, »denn dieses Bild wurde aufgenommen, bevor die Bergung der Statuen stattgefunden hat. Warten Sie ab.«

»Wann war das?«, fragte Rosa.

»Am 17. Januar, vor knapp einem Monat. Es gibt natürlich

keine fortlaufenden Filmaufnahmen jedes Quadratkilometers, aber doch Fotografien in regelmäßigen Abständen. Etwa alle fünfundvierzig Minuten wird jeder Meter des Mittelmeers von irgendeiner Satellitenkamera erfasst. Alles, was wir tun mussten, war, uns das entsprechende Material zu besorgen und es auszuwerten.«

»Und?«

»Hier, siebenundvierzig Minuten später.« Das Bild wechselte, und diesmal war in seinem Zentrum deutlich ein Schiff zu erkennen. »Und noch mal eine Dreiviertelstunde später.« Keine Veränderung, es hatte seine Position beibehalten. »Das sind sie«, sagte Campbell.

Alessandro verengte die Augen. »Wer?«

»Kein Militär, das steht jedenfalls fest. Und das Boot, das wir hier sehen, ist deutlich kleiner als die *Colony*. Es besitzt keinen Kran, lediglich eine ganze Reihe Seilwinden rund um die Reling. Offenbar wurden die Statuen unter Wasser fortgeschleppt und an einem anderen Ort an die Oberfläche geholt und verladen.«

Er zoomte noch näher an das Schiff heran, aber nun wurde die Aufnahme so verpixelt, dass er mit einem Murren wieder zurückfuhr. »Ruth, wie bekomme ich diesen verdammten Filter auf den Schirm?«

Die Frau hinter ihnen an der Konsole nannte eine Tastenfolge. Als Campbell sie eingab, hellte sich sein Gesicht wieder auf. Diesmal wurde das Bild merklich schärfer. Erneut tippte er mit dem Kugelschreiber auf die Glasfläche. »Hier und hier und hier … das sind die Taucher, die sie hinuntergeschickt haben.«

Die drei Gestalten waren noch immer nicht deutlich zu erkennen, nur helle Umrisse an der Reling.

»Sieht fast aus, als trügen die keine Anzüge«, sagte Alessandro.

»Seltsam, nicht wahr?«

»Wollen Sie damit sagen, dass die ohne Tauchmontur dort runtergegangen sind?«

Campbell nickte. »Keine Anzüge. Keine Sauerstoffflaschen. Nicht mal verdammte Flossen.«

Alessandro schüttelte verständnislos den Kopf. »Was, bitte, sehen wir hier gerade?«

Campbell räusperte sich. »Vier Aufnahmen weiter kommen sie wieder aus dem Wasser.« Er ließ ein neues Bild auf dem Monitor erscheinen: das Schiff, das Meer – und die drei hellen Punkte, zwei davon noch im Wasser, der dritte auf einer Leiter außen am Rumpf. »Etwa drei Stunden später. Viel zu wenig Zeit, um zu dritt sieben dieser Statuen von ihren Sockeln zu fräsen und die übrigen Trümmer einzusammeln.«

»Vielleicht sind sie später noch mal runtergetaucht«, sagte Rosa.

»Wir haben sämtliche Aufnahmen überprüft, von dem Tag an, als Sie beide dort waren, bis zu dem Datum, als wir mit unseren Untersuchungen begonnen haben. Nichts. Das Schiff ist nur am 17. Januar an dieser Stelle gewesen, und das für nicht einmal vier Stunden. Und soweit wir das nachvollziehen können, sind in dieser Zeit lediglich diese drei Taucher ins Wasser gegangen. Ohne Ausrüstung, abgesehen von ein paar Gerätschaften, bei denen es sich um die Fräsen oder Cutter gehandelt haben dürfte.«

Campbell machte eine Pause, um seine Worte wirken zu lassen. Rosa und Alessandro schwiegen.

»Aber das ist immer noch nicht alles«, erklärt er schließlich. »Das Schiff ist kurze Zeit später aufgebrochen, auf der nächsten Aufnahme ist es nicht mehr zu sehen. Allerdings ist es uns gelungen, seine Route nachzuvollziehen.« Er wollte Ruth über die Schulter eine Anweisung geben, doch die kam ihm zuvor.

»Schon dabei«, rief sie. Rosa hörte ihre Fingerspitzen auf Tasten klappern.

Mehrere Satellitenbilder erschienen in schneller Abfolge auf dem Monitor, aber diesmal veränderte sich bei jedem die Koordinatenanzeige am Rand. »Sie bewegen sich nach Süden«, erläuterte Campbell. »Etwa eine Stunde lang. Dann sind sie auf das hier gestoßen.«

Rosa kniff die Augen zusammen, als könnte sie das Bild auf diese Weise schärfer stellen. Alessandro pfiff durch die Zähne.

Das Boot sah jetzt winzig aus. Es lag längsseits eines ungleich größeren Schiffes, mindestens zehnmal so lang. Es war schneeweiß, mit verschachtelten Aufbauten, zahlreichen Decks und mehreren Hubschrauberlandeplätzen.

Das nächste Bild erschien. Das kleinere Boot neben dem weißen Giganten war verschwunden.

»Es taucht nirgendwo im Umkreis wieder auf«, sagte Campbell. »Sie müssen es an Bord genommen haben. Einschließlich dessen, was unter Wasser an den Seilwinden hing. Das alles scheint sehr schnell gegangen zu sein. Ich würde ja sagen, das waren Profis – wenn nicht selbst die irgendwelche Atemgeräte und Anzüge bräuchten. So aber sage ich: Ich habe nicht die geringste Ahnung, was für Typen das waren. Kein Militär. Auch keine Schatzsucher, von denen ich je gehört hätte. Experten, ganz sicher – aber nicht vom selben Stern wie ich.«

Alessandro schüttelte ratlos den Kopf. »Das ist ein Kreuzfahrtschiff.«

Campbell nickte. Seine Finger bewegten sich flink über die Tastatur, er zoomte in das Bild hinein.

Die Ansicht war auf einen der Landeplätze zentriert, ein »H« in einem Kreis. Rosa hielt die Luft an.

In großen schwarzen Lettern war dort etwas auf den Boden geschrieben, gut sichtbar für anfliegende Piloten.

Stabat Mater.

Rache

Thanassis«, entfuhr es ihr.

Alessandro und Professor Campbell blickten erstaunt vom Monitor auf. »Sie kennen das Schiff?«, fragte der Schatzsucher.

»Nur dem Namen nach. Es gehört einem griechischen Reeder namens Thanassis.«

Campbell nickte. »Evangelos Thanassis.«

»Ich dachte, der ist tot«, sagte Alessandro.

»Vor ein paar Jahren ging durch die Medien, dass er schwer erkrankt sei«, erklärte der Professor. »Aber es gab nie eine offizielle Todesmeldung, nur allerlei Gerüchte und Vermutungen. Fakt ist, dass er sich seither nicht mehr in der Öffentlichkeit gezeigt hat.«

»Und jetzt hat er sein Faible für Archäologie entdeckt?«, fragte Rosa. Tatsächlich aber beschäftigte sie etwas ganz anderes. Der *Dream Room*. Die tanzende Danai Thanassis in ihrem Reifrock, abgeschirmt von Leibwächtern. Ihr verträumter, fast entrückter Ausdruck.

Campbell zuckte die Achseln. »Alles, was wir auf die Schnelle herausfinden konnten, war, dass die *Stabat Mater* seit Jahren zwischen Europa und Nordamerika kreuzt. Sie scheint sich nie lange in einem Hafen aufzuhalten, meist nur für wenige Tage. Es ist offenbar unmöglich, eine Passage an Bord zu buchen. Entweder ist der Aufenthalt dort nur etwas für äußerst exklusive Kunden, oder aber sie reist so gut wie menschenleer über den Atlantik. Eine Art Geisterschiff.« Er grinste, aber Rosa war nicht zum Lachen zu Mute. Danai Thanassis hatte etwas Gespenstisches an sich, keine Frage. Aber ein Geist war sie ganz sicher nicht.

»Glauben Sie, der alte Thanassis ist an Bord?«, erkundigte

sich Alessandro. »Dass er deshalb nicht mehr in Erscheinung tritt?«

»Möglich. Wir haben diese Aufnahmen erst gestern Abend bekommen und hatten kaum Zeit, mehr als das Allernötigste zu recherchieren.«

»Thanassis' Tochter lebt auf der *Stabat Mater*«, sagte Rosa. »Glaube ich.«

Alessandro musterte sie verwundert. »Woher weißt du das alles?«

Sie suchte nach einer Notlüge, aber dann sagte sie doch nur: »Von Michele.«

Er starrte sie an.

»Reden wir später darüber«, bat sie.

Campbell blickte erneut über die Schulter. »Ruth, habt ihr etwas über die weitere Route rausgefunden?«

Die Frau im Overall schüttelte den Kopf. »Nichts. Der Zugang ist gesperrt, auch für unseren Kontakt.«

Alessandro ließ Rosa nicht aus den Augen. »Du hast mit Michele gesprochen?«

»Nicht jetzt.« Tatsächlich drängte alles in ihr, ihm die Wahrheit zu erzählen – und ihn zur Rede zu stellen über das, was er wusste. Aber sie verkniff sich jede weitere Bemerkung, bis sie allein waren. Schon ärgerte sie sich, dass sie Thanassis überhaupt erwähnt hatte.

Campbell musste die Spannung zwischen den beiden spüren. »Wie es aussieht, bekommen wir keinen Zugriff auf die Route der *Stabat Mater*. Wir wissen, dass sie die Straße von Messina in südwestlicher Richtung verlassen hat, aber danach verliert sich ihre Spur im offenen Mittelmeer. Wir kommen an keine weiteren Satellitenbilder heran, auf denen sie auftaucht. Offenbar wurden sie alle gelöscht, nachdem meine Kontaktperson uns die erste Fotoserie besorgt hatte.«

»Die Familie Thanassis hat tiefere Taschen als wir«, sagte

Alessandro. Unverhohlene Streitlust lag in seiner Stimme. Rosa hatte das immer an ihm gemocht, aber im Augenblick machte es sie wütend. Welchen Grund hatte er, ihr Vorwürfe zu machen? Weil sie gegen seinen Wunsch Kontakt zu den New Yorker Carnevares aufgenommen hatte? Sie war es, die im Central Park beinahe zerfleischt worden wäre. Sie brauchte niemanden, der sich nachträglich als ihr Beschützer aufspielte.

Campbell erhob sich von seinem Drehstuhl und sah die beiden mit steilen Brauen an. »Wie wär's, wenn Sie uns nun wieder unsere Arbeit erledigen lassen. Es scheint auch so genug zu geben, das Sie zu besprechen haben.«

Rosa löste widerwillig den Blick von Alessandro und verließ die Zentrale.

»Halten Sie mich auf dem Laufenden«, hörte sie ihn hinter sich sagen, dann eilte sie über den Steg zur *Gaia* und erwartete ihn auf dem Oberdeck.

౧⊙౨

»Du hast es gewusst!«, rief sie in den Fahrtwind hinaus. »Im selben Augenblick, als ich dir von der Party im Village erzählt habe, da hast du es gewusst!«

Sie stand an der Reling, beide Hände um das kühle Eisen geklammert, und starrte hinaus zum Horizont. Wo das Meer und der Himmel sich berührten, konnte sie verschwommen eine braungraue Linie erkennen. Sizilien.

Der Wind schmeckte salzig auf ihren Lippen und brannte in ihren Augen. Aber sie wollte sich nicht umdrehen. Er stand hinter ihr auf dem Deck, hatte wortlos zugehört, als sie ihm alles berichtete, aber sie brachte es nicht über sich, ihn anzusehen. Sie wünschte, sie könnte anderswo sein. Allein mit ihrem Zorn und Kummer und mit ihren unbeantworteten Fragen.

»Ich wollte die Wahrheit herausfinden«, sagte er düster. »Bis du es mir am Telefon gesagt hast, hatte ich keine Ahnung, dass es auf dieser Party passiert ist. Das musst du mir glauben. Und danach … gleich danach habe ich angefangen, Fragen zu stellen. Es gibt Leute, ganz in Micheles Nähe, die mir etwas schulden. Von ihnen bekomme ich Auskunft.« Leiser fügte er hinzu: »Auch in dieser Sache.«

»Und wann wolltest du mir die Wahrheit sagen? Dass es Tano war? Und Michele?«

Er schwieg lange, und sie hörte, wie er einen Schritt auf sie zu machte. Vielleicht dachte er daran, sie zu berühren, doch dann blieb er stehen. »Michele wird dafür bezahlen«, sagte er. »Diesmal kommt er nicht davon.«

Sie schloss die Augen, blinzelte Tränen fort. »Ich wollte es nur *wissen*. Nur die Wahrheit erfahren. Du hättest es mir überlassen müssen, wie ich damit umgehe.« Sie schüttelte langsam den Kopf, bekam wirbelnde Haarsträhnen in den Mund und strich sie sich aus dem Gesicht. »Alles, was ich mir gewünscht hätte, ist, dass du aufrichtig gewesen wärst.«

Er kam heran, sie spürte ihn jetzt und versuchte dennoch, dieses fiebrige Kribbeln zu unterdrücken, das seine Nähe bei ihr verursachte. Nicht jetzt.

»Ich wollte es nicht vor dir verheimlichen«, verteidigte er sich. »Aber was hast du denn erwartet? Dass ich dich in New York anrufe und dir am Telefon erzähle, dass ausgerechnet Tano –« Seine Stimme wurde heiser, er verstummte und fuhr dann stockend fort: »Dass dieser Scheißkerl und Michele … dass sie dahintergesteckt haben.«

Ihr fiel wieder auf, wie erschöpft und ausgelaugt er aussah. Vielleicht waren doch nicht nur die Beratungen bis tief in die Nacht der Grund dafür.

Langsam drehte sie sich zu ihm um. »Ich muss dir vertrauen können. Ganz und gar und für immer vertrauen. Ich will keine

Geheimnisse zwischen uns, jedenfalls keine, die mit uns *beiden* zu tun haben.«

Er wich ihrem Blick nicht aus, aber sie sah ihm an, dass er es gern getan hätte. »Ich hab überlegt, wie ich es dir sagen soll. Und wann der beste Zeitpunkt dafür wäre. Aber es gibt keinen richtigen Moment, um zu sagen: Übrigens, das Schwein, das dich vergewaltigt hat, war mein Cousin.«

Sie streckte die Hand aus und berührte sachte seine Wange, strich über die stoppelige Haut. »Jetzt kommt Michele einfach damit davon.«

»Michele wird noch bereuen, dass er dir jemals begegnet ist«, widersprach er. »Und Tano ist tot.«

»Aber nicht *deshalb*«, sagte sie, »sondern nur weil er es ein zweites Mal tun wollte. Weil er ein perverses Arschloch war ...« Das wäre der Zeitpunkt gewesen, um zu zetern und zu schreien oder sonst irgendetwas Dramatisches. Aber ihr war nach nichts von alldem zu Mute. Sie erinnerte sich noch immer nicht an irgendwelche Bilder jener Nacht, nicht einmal an Schmerz – die Stunden waren wie ausgelöscht. Nun jedoch fragte sie sich, ob der Blackout in Wirklichkeit nicht Blindheit war. Schwäche. Ein Makel.

»Tano ist tot«, wiederholte sie seine Worte. »Ich kann mir nicht mal mehr wünschen, dass er sterben soll. Oder leiden. Er war tot, bevor er überhaupt mitbekommen hat, was mit ihm passiert. Und vielleicht findest du es schrecklich, wenn ich das sage, aber ich hätte mir gewünscht, dass es lange dauert und wehtut. Verdammt wehtut. Weil er es verdient hat. Weil er selbst in seinem Scheißgrab noch immer jeden Schmerz verdient hat, den ich mir vorstellen kann.«

Er schloss für einen Moment die Augen. »Da ist noch was. Ich weiß nicht, ob das etwas ändert, aber ...« Ein kurzes Zögern.

Fragend sah sie ihn an, während er nach Worten suchte.

»Michele war dabei, aber er hat dich nicht vergewaltigt. Jedenfalls behauptet das mein Spitzel. Sie waren zu viert, und Michele hat mit Sicherheit das Maul am weitesten aufgerissen und allen anderen gesagt, was sie zu tun haben. Aber angefasst hat dich nur Tano.«

»Es ist gleichgültig, wer nur zugeschaut und wer selbst –« Sie verstummte, als sie begriff, worauf er hinauswollte. »Tano ist Nathaniels Vater«, flüsterte sie tonlos.

Alessandro sagte nichts. Sah sie nur an. Sie war ihm dankbar dafür. Mitleid war das Letzte, was sie wollte.

Benommen schüttelte sie den Kopf. »Am Ende macht es keinen Unterschied.«

»Michele wird dafür büßen – für alles.« Sie spürte seinen Blick so heiß wie seine Hände, als er nach ihren Fingern griff.

»Ich will dich nicht auch noch verlieren«, sagte sie. »Das ist die Rache nicht wert. Ganz sicher ist sie das nicht.«

»Sollen wir etwa so tun, als wäre nichts geschehen?«

»Nein.« Sie lehnte sich gegen die Reling und zog ihn näher heran. »Dieses Mädchen, ihr Name war Jessy … Er hat sie im Maul getragen wie eine Trophäe. Darum ging es ihm. Zu beweisen, wer er ist und wozu er fähig ist. Deshalb veranstaltet er diese Jagden. Und *dafür* hat er den Tod verdient.«

»Er ist ein blutrünstiger Bastard. Tano hat ihn angebetet.«

Sie spürte die Kälte der Reling in ihrem Rücken, aber in ihr war alles wie taub. »Was hast du noch herausgefunden?«

»Die Sache mit Micheles Bruder und den anderen – das ist die Wahrheit. Irgendwer tötet die Carnevares in Micheles engstem Kreis und mir wäre wohler, wenn ich wüsste, wer und warum.«

»Er verdächtigt dich.«

Alessandro lächelte grimmig. »Mich.«

»Du weißt, was er getan hat. Und er weiß von uns beiden. Wenn er dich auch nur ein wenig kennt, dann muss ihm klar sein, dass du keine Ruhe geben wirst.«

Er neigte den Kopf, und sie bemerkte die Überraschung in seinen leuchtenden Raubtieraugen. »Glaubst *du* das? Dass ich schon begonnen habe, Rache an ihm zu nehmen? Dass ich gerade dabei bin, seine Familie auszulöschen?«

»Nicht, wenn du mir sagst, dass es nicht so ist.«

Er schwieg lange. »Damit hab ich nichts zu tun«, sagte er schließlich.

Da war sie es, die lächelte, und sie hatte sich niemals so sehr wie eine Alcantara gefühlt.

»Schade«, flüsterte sie, und als sie ihn küsste, spürte sie sein Frösteln.

Fundlings Schlaf

Neben dem Bett des Schlafenden stand ein Arsenal lebens-
erhaltender Apparate, aber die meisten waren nicht in Betrieb.
Fundling atmete aus eigener Kraft, nur Nahrung musste ihm
künstlich durch eine Magensonde zugeführt werden. Sein Gesicht war bleich und eingefallen. Das dichte schwarze Haar war
seit der Schädeloperation nachgewachsen, aber noch nicht so
lang wie damals, als er Fahrer der Carnevares gewesen war. Und
Spitzel des *capo dei capi*. Und Informant der Richterin.

Rosa fragte sich, was Fundling wohl noch gewesen war, von
dem sie nichts ahnten.

»Er sieht friedlich aus«, sagte die Krankenschwester, die
gerade frische Blumen an sein Bett gestellt hatte.

»Er sieht tot aus«, sagte Rosa.

Die Schwester rümpfte die Nase, schien etwas erwidern zu
wollen, ließ sich dann aber vor Rosas finsterem Blick abschre-
cken und ging aus dem Zimmer.

»Von wem sind die Blumen?«, fragte Rosa.

»Das gehört hier zum Service«, sagte Alessandro. »Jeden
Tag ein frischer Strauß.« Er stand vor der Fensterfront des Ein-
zelzimmers. Draußen reichte ein gepflegter Garten bis zum
Rand der Klippe, auf der sich die Klinik erhob. Die Wellen-
kämme funkelten in der Abendsonne wie Rubine.

»Verschwendung«, sagte sie mit Blick auf die Blumen.

»Sie wählen welche aus, die besonders intensiv riechen.«

»Wegen des Leichengestanks?«

»Er ist keine Leiche.«

Sie setzte sich auf Fundlings Bettkante und berührte seine
Hand. »In seinem Schädel hat eine Kugel gesteckt, die wer
weiß was dort angerichtet hat. Er liegt seit vier Monaten im

Koma. Was unterscheidet ihn von einem Toten? Abgesehen davon, dass er atmet.«

»Sie sagen, wenn es hart auf hart kommt, dann muss ich die Entscheidung treffen, was mit ihm passieren soll.«

»Ihr seid nicht mal verwandt.«

»Das interessiert hier niemanden. Offiziell ist er gar nicht in dieser Klinik.«

Sie sah zu ihm auf. »Du hast ihn doch aus einem öffentlichen Krankenhaus verlegen lassen. Wie –«

»In seinen Akten dort steht jetzt was anderes.«

»Du hast ihn für tot erklären lassen?« Das hätte sie nicht erstaunen dürfen. Auf groteske Weise bestätigte es das, was sie gerade gesagt hatte.

Alessandro drehte sich zu ihr um. »Ich hab schon schlimmere Entscheidungen getroffen, die mir trotzdem leichter gefallen sind. Aber hier geht's nun mal um Fundling. Er und ich, wir sind zusammen aufgewachsen. Dieses Wort *Verstorben* in seinen Unterlagen zu lesen war fast genauso schlimm, wie ihn hier liegen zu sehen. Aber jetzt wird niemand mehr Fragen stellen, was damals in Gibellina wirklich passiert ist. Außerdem ist er nur sicher, solange keiner weiß, dass er hier ist. Es hat sich herumgesprochen, dass er für die Richterin gearbeitet hat. So was vergeben die Clans einem nicht, das weißt du.«

»Aber er liegt im Koma!«

»Es ist nicht lange her, da sind hier auf Sizilien Säuglinge in Säurefässer geworfen worden, weil ihre Väter als Kronzeugen gegen die Cosa Nostra ausgesagt haben. Glaubst du, dieselben Leute würden sich durch Fundlings Zustand davon abbringen lassen, ihn ein für alle Mal zum Schweigen zu bringen?«

»Noch mehr Schweigen geht kaum.«

»Fundling wird wieder aufwachen, irgendwann.«

»Ach ja?«, fragte sie niedergeschlagen.

Er presste die Lippen aufeinander, bis alles Blut daraus entwichen war. Dann nickte er. »Ja.«

Sie wandte sich wieder dem Bett zu. Die Schwester hatte Recht gehabt: Auf den ersten Blick sah Fundling friedlich aus. Nur wenn man genauer hinsah, schien es, als tobte hinter dieser leblosen Maske ein stummer Kampf. Rosa war nicht sicher, was sie darauf brachte. In den ersten Tagen hatten seine Augen hinter den Lidern gezuckt, aber das war längst abgeebbt. Jetzt waren seine Züge vollkommen leblos, und dennoch meinte sie, dahinter Regungen zu erkennen. Als könnte sie ihn denken sehen, fühlen sehen.

Ihr fiel auf, dass die Blumenvase das Foto verdeckte, das Iole an Fundlings Krankenbett gestellt hatte. Das Bild von Sarcasmo, Fundlings Hund. Rosa stand auf, schob die Blumen beiseite und zog den Rahmen näher an den Rand des Nachttischs. Vielleicht war es unsinnig, aber sie wollte, dass Fundling das Foto sah, falls er je die Augen wieder öffnete. Er und Sarcasmo waren unzertrennlich gewesen, und auch nach vier Monaten spürte sie jeden Tag von neuem, wie sehr das Tier ihn vermisste.

Vielleicht hörte er genau, was sie sprachen. Es kam ihr sonderbar vor, mit ihm zu reden, solange jemand dabei war – selbst wenn es sich um Alessandro handelte –, und sie beschloss, beim nächsten Mal allein herzukommen.

Alessandro folgte ihrem Blick auf das Hundefoto und lächelte traurig. »Iole sagt, dass sie ihn nicht mehr hergeben wird, egal, was passiert.«

»Sie liebt ihn heiß und innig.«

»Ich hab mit ihr telefoniert, während du fort warst. Sie klang fröhlich. Der Unterricht scheint ihr gutzutun.«

»Sie treibt ihre Lehrerin in den Wahnsinn. Statt zu lernen, sitzt sie tagelang im dunklen Keller und probiert Zahlenkombinationen an einem Türschloss aus.«

»Sie war sechs Jahre lang eingesperrt. Wenn irgendwer weiß, wie man sich allein beschäftigt, dann sie.«

»Aber sie hat das doch gar nicht mehr nötig.« Noch einer dieser Müttersprüche, für die sie sich selbst strangulieren wollte.

»Wie viele von *deinen* alten Gewohnheiten hast du abgelegt, seit du hier in Italien bist?«

»Ich stehle nicht mehr«, erklärte sie trotzig. »Nicht oft.«

»Du bist das Oberhaupt eines Cosa-Nostra-Clans«, entgegnete er amüsiert. »Du stiehlst vierundzwanzig Stunden am Tag, ohne selbst auch nur einen Finger zu rühren.«

»Das ist was anderes.«

»Erzähl das der Richterin.«

Sein Grinsen steckte sie an, und sie beugte sich vor und gab ihm einen langen Kuss.

Mit einem Mal hatte sie das Gefühl, Fundlings Blick zu spüren. Als sie ihre Lippen widerstrebend von Alessandros löste und zu dem Schlafenden hinübersah, lag er unverändert mit geschlossenen Augen da.

Alessandro lächelte so unwiderstehlich, dass es ihr schwerfiel, ein anderes Thema anzuschneiden. »Ich fahre morgen zu Trevini«, sagte sie.

»Das solltest du bleibenlassen, finde ich.«

»Ich bin nun mal auf ihn angewiesen. Er ist der Einzige, der den Überblick über alle Alcantara-Geschäfte hat. Und ich will wissen, was er im Schilde führt.«

»Er hat dir dieses Video geschickt, um uns auseinanderzubringen. Vielleicht sogar, um dich zu sich zu locken. Wie gut werden da wohl seine Absichten sein, was deine Geschäfte angeht?«

»Wenn ihm die Gewinne der Alcantara-Firmen wirklich derart am Herzen liegen, wie er behauptet, dann kann er das mit uns gar nicht ignorieren«, sagte sie. »Was, wenn wir uns in den Kopf setzen würden, die Geschäfte beider Clans zusammenzulegen?«

Er lachte bitter. »Das würden wir keine zehn Minuten überleben. Da gibt es ganz andere als Trevini, die –«

»Jetzt unterschätzt du ihn.«

»Ein Grund mehr, nicht allein zu ihm zu fahren. Er ist gefährlich, Rollstuhl hin oder her. Du weißt nicht, was er plant. Und was für Tricks er noch im Ärmel hat. Dieses Video war nur ein Köder.«

»Ich kann nicht zulassen, dass er hinter meinem Rücken Intrigen spinnt.« Sie hielt seinem Blick stand, und endlich schien er einzusehen, dass es sinnlos war, länger gegen ihre Überzeugung anzureden.

»Du bist fest entschlossen.«

»Ich hab keine andere Wahl.«

»Und du glaubst, das Video stammt tatsächlich von dieser Valerie?«

»Ich war dabei, als sie es aufgenommen hat. Die Frage ist nur, wie es ausgerechnet bei Trevini gelandet ist.« Sie stand von der Bettkante auf, ging an ihm vorbei und blickte über die Gartenanlagen hinaus auf das glosende Meer. Fischkutter waren auf dem Weg hinaus in ihre Fanggründe. Die Nacht würde sternenklar werden, der Mond hing strahlend weiß im Abenddämmer. »Du wirst dich um sie kümmern, ja?« Sie sah zu, wie das Fenster von ihrem Atem beschlug.

»Hör auf mit so was.«

»Wenn mir was zustößt, egal ob morgen oder irgendwann sonst, dann kümmerst du dich um Iole. Und um Sarcasmo.«

»Ich lasse nicht zu, dass dir etwas passiert.«

»Versprich es mir.« Sie drehte sich langsam zu ihm um. Jetzt fiel ihr auf, dass das Abendlicht auch den Raum in Gold tauchte. Fundling, die Einrichtung, die Wände – und Alessandro. Alles schien zu glühen. »Iole hat niemanden sonst auf der Welt.«

»Das weiß ich. Und ich hab sie genauso gern wie du.«

»Sarcasmo bekommt Diätfutter.«

Das brachte ihn wieder zum Lächeln.

»Und er liebt seinen Kong.«

Vom Bett her ertönte ein Laut. Beide fuhren herum.

Eine Wespe schwebte surrend über Fundlings geschlossenen Augen.

Ohne nachzudenken, sprang Rosa vor, öffnete den Mund – und heraus schoss ihre lange Schlangenzunge, packte das Insekt in der Luft und zerquetschte es im Bruchteil eines Augenblicks. Ehe Rosa begriff, was geschehen war, stand sie schon hustend vornübergebeugt und spuckte die tote Wespe auf den Boden.

Sie murmelte einen Fluch, den nicht mal sie selbst verstand. Ihre Zunge bildete sich blitzschnell zurück, aber der scheußliche Geschmack blieb.

»Ich hab das nicht gewollt«, stöhnte sie und schüttelte sich angewidert. »Das ist … einfach passiert.«

Alessandro nahm sie in den Arm. »Wir können lernen, es zu kontrollieren«, sagte er. »Wie man die Verwandlung bewusst auslöst. Oder aufhält.«

»Und das willst ausgerechnet du mir beibringen?« Nur zu gut erinnerte sie sich an seine Temperamentsausbrüche, die stets damit endeten, dass er zum Panther wurde. Auf Kosten seiner Jeans und T-Shirts.

»Alles nur eine Frage der Übung.«

Sie hob eine Augenbraue. »Was tust du heimlich, wenn ich nicht dabei bin, *capo* Alessandro?«

Er küsste sie, aber als sich seine Lippen öffneten, zog sie sich zurück; sie traute ihrer Zunge nicht. Wahrscheinlich schmeckte sie nach Wespengift.

»Also?«, flüsterte sie.

»Ich zeig dir, wie es geht.«

»Sofort?«

»Nein.« Er grinste jetzt ganz unverhohlen, aber mit solchem Charme, dass ihr schwindelig wurde. »Ich weiß einen Ort, an dem uns niemand stört.«

Artgenossen

Das ist nicht dein Ernst.«

»Ich war schon oft hier. Und ich weiß, wie wir reinkommen.«

»In einen Zoo?«

Er nahm sachte ihr Gesicht in beide Hände und lächelte. »Vertrau mir.«

»Okay.«

»Ganz sicher?«

»Shit, nein. Jedenfalls nicht, wenn wir noch länger hier rumstehen.«

Bei Valcorrente waren sie von der Landstraße 121 abgefahren. Tagsüber hätten sie von hier aus wohl die grauen Vulkanhänge des Ätna sehen können. Jetzt aber, kurz vor Mitternacht, lag das Gelände des *Etnaland* als erleuchtete Insel inmitten tiefer Dunkelheit. Alessandro hatte seinen Ferrari auf einem Feldweg geparkt, neben einem hohen Drahtzaun.

Zu Fuß folgten sie dem Zaun etwa fünfzig Meter weit, dann erreichten sie eine Stelle, an der er auf Hüfthöhe säuberlich durchtrennt worden war. Damit der Schnitt nicht auf den ersten Blick auffiel, wurde er von einigen Drahtstücken zusammengehalten. Alessandro entfernte sie und drückte eine Ecke nach innen, so dass Rosa hindurchschlüpfen konnte.

»Wir sind *so* kriminell«, flüsterte sie.

»Ich hab dem Zoo gerade erst hunderttausend Euro gespendet.« Alessandro folgte ihr ins Innere und drückte den Maschendraht wieder zu. »Außerdem beliefert ihn eine meiner Firmen mit Tierfutter zu Sonderkonditionen.«

Sie verzog das Gesicht. »Wobei wir nicht verschweigen sollten, woraus dieses Tierfutter besteht.«

»Das war einmal. Seit sich die Carnevares aus der Entsorgung zurückgezogen haben, geht alles mit rechten Dingen zu.«

Es hatte ihn eine Menge Mut und Mühe gekostet, einen der einträglichsten Geschäftszweige seines Clans von heute auf morgen aufzugeben. Darum nickte sie nur und spähte durch die Büsche an der Innenseite des Zauns hinaus auf einen Fußweg.

»Gibt's hier keine Nachtwächter?«

»Zwei«, erwiderte er. »Aber die sitzen in ihrem Büro am Haupteingang und spielen Karten. Alle drei Stunden macht einer von ihnen einen Rundgang. Wir haben noch« – er blickte auf seine Uhr – »zwei Stunden und zwanzig Minuten.«

Auf dem Zoogelände brannten nur vereinzelte Lampen. Einige der Seitenwege lagen im Dunkeln. Aus manchen Gehegen drang das Lärmen nachtaktiver Tiere, doch in den meisten herrschte Ruhe.

Sie gelangten auf einen Platz, an dem sich zwei Wege in spitzem Winkel trafen. Wie ein Pfeil zeigten sie auf einen haushohen Käfig von enormen Ausmaßen. »Den hat Cesare finanziert«, sagte Alessandro. »Wahrscheinlich das einzig Anständige, das er in seinem Leben getan hat.«

Die Vorderseite musste an die dreißig Meter breit sein; wie tief das vergitterte Gehege nach innen reichte, konnte Rosa nicht erkennen. Gerade einmal zwei Lampen erhellten den gepflasterten Vorplatz, ihr Schein reichte nicht weit in den Käfig hinein. Beim Näherkommen sah sie, dass der Boden abschüssig war. Weiter unten erhoben sich kantige Felsformationen, aber den tiefsten Punkt konnte sie nicht ausmachen.

Alessandro trat an das Gitter und atmete tief ein.

Sie rümpfte die Nase. »Du riechst besser.«

Er hatte die Augen geschlossen. Im fahlen Schein der Lampen erkannte sie, dass eine schwarze Fellspur aus seiner Lederjacke am Nacken empor ins Haar kroch.

»Und das nennst du kontrollierte Verwandlung?«

Er öffnete die Augen. »Komm mal näher ran.«

Sie machte einen weiteren Schritt, blieb aber eine Armlänge vor dem Käfiggitter stehen. Zu gut erinnerte sie sich an die Raubkatzen, von denen sie über die Isola Luna gejagt worden war.

»Die hier tun dir nichts«, versicherte er ihr.

Ihr Herz pumpte Kälte in ihre Adern. Trotzdem trat sie neben ihn, unmittelbar vor die Eisenstäbe. Mit einem Mal stieß sie der scharfe, animalische Geruch aus dem Gehege nicht mehr ab.

»Kannst du sie sehen?«, fragte er.

Ihre Augen gewöhnten sich an die Finsternis. Oder war das schon ihr Schlangenblick? Etwas dort unten strahlte Wärme aus. Das Innere des Geheges ähnelte einem Krater, mit abgestuften Felsen, in denen dunkle Nischen und Öffnungen klafften. Weiter unten gab es einen Teich; er hätte aus Glas sein können, so still und schwarz lag er da. An seinem linken Ufer hatte sich die Nacht zu einem unförmigen Ballen verhärtet.

»Das Rudel«, sagte Alessandro.

»Wittern sie dich nicht?«

»Die meisten schlafen. Aber sieh mal da ... und dort.« Er deutete auf mehrere Stellen in den Schatten der Felsen und sie erkannte, dass sie längst beobachtet wurden. Raubkatzen saßen starr wie Statuen auf steinernen Erhebungen. Je länger Rosa hinsah, desto deutlicher erkannte sie funkelnde Augen inmitten der Silhouetten. Das Licht der Lampen auf dem Vorplatz brachte sie zum Glimmen.

»Sie überwachen den Schlaf der anderen«, sagte Alessandro.

Sie rückte ein wenig näher an ihn heran. Er legte den Arm um ihre Taille. Sie spürte, wie sich seine muskulöse Brust schneller hob und senkte und dabei fester an ihre presste. Seine Hand schob sich unter ihr langes Haar, streichelte ihren Nacken. Spürte er die Kälte nicht, die nun auch ihre Lippen erreichte?

Ihre Hände strichen an seinem Rücken hinunter und sie war jetzt sicher, dass unter der Lederjacke und dem Pullover Pantherfell auf seiner Wirbelsäule wuchs und sich über die Schulterblätter ausbreitete.

Lächelnd neigte sie den Kopf. »Was hast du vor?«

»Kannst du dir das nicht denken?«

»Du hast mich hergelockt«, sagte sie mit gespielter Empörung, »um –«

»Um dir zu zeigen, wie ich gelernt habe, es zu beherrschen.« Er verzog den Mundwinkel. »Klappt nur nicht so gut, wenn wir gerade das hier machen.«

Sie erwiderte sein Grinsen und ließ ihn los. »Also?«

»Ich muss da reingehen.«

Sie schüttelte den Kopf. »Musst du nicht.«

»Mir passiert nichts. Sie kennen mich.«

Zweifelnd sah sie von ihm zu den reglosen Wächtern auf den Felsen. Sie wirkten wild und ungebändigt – selbst in Gefangenschaft.

Als sie wieder in Alessandros Augen blickte, glühten sie im Dunkeln smaragdfarben wie die der Raubkatzen.

»Du verstehst es, oder?«, fragte er sanft.

Sie schüttelte den Kopf. Aber vielleicht war das vorschnell.

Unter den älteren Arkadiern ging die Legende um, dass die Seelen der Verstorbenen nach dem Tod in ein neugeborenes Tier ihrer Rasse schlüpften; dass kein Arkadier je wirklich starb, sondern ein ewiges Leben in den Körpern von Tieren führte, von einer Generation zur nächsten. Falls das die Wahrheit war, standen die Chancen nicht schlecht, dass einige der Raubkatzen in diesem Gehege früher Menschen gewesen waren, Vorfahren Alessandros und der anderen Panthera.

Sie schüttelte den Kopf, ungläubig und zugleich fasziniert. »*Sie* haben es dir beigebracht?«

Er nickte und verneinte gleich darauf. »Ich bin noch nicht

so weit. Es funktioniert manchmal, aber längst nicht immer. Trotzdem können wir es von ihnen lernen.«

Unruhe kam in das schlafende Rudel am Grund des Geheges. Eines der Tiere erhob sich, schlenderte zum Wasser und trank. Dann kehrte es zurück zu den anderen und rollte sich wieder am Boden ein.

»Wie lernen?«, fragte sie.

»Indem wir akzeptieren, dass wir wie sie sind. Wir müssen uns ihnen ausliefern. Es ist ein bisschen wie Meditieren.« Er hob die Achseln, als sei es ihm unangenehm, das zu sagen. »Indem wir eins mit ihnen werden.«

»Möge die Macht mit dir sein und so?«

»Ungefähr.«

Er strich ihr durchs Haar, dann ganz leicht am Arm hinab bis zu den Knöcheln. Seine Hand griff nach ihrer. »Der Hungrige Mann und die anderen, die den alten Zeiten nachtrauern, all dem Morden und Jagen … sie lenken einen davon ab, dass Arkadien nicht nur mit Barbarei und Blut zu tun hat. Es gibt auch noch etwas anderes. Etwas sehr … Schönes.«

»Und ich soll hier stehen bleiben, während du da reingehst?«

»Du kannst mitkommen, wenn du willst.«

»Mein Bedarf an Panthera ist seit New York gedeckt.« Sie fühlte seine Hand, spürte seine Haut auf ihrer. »Mehr oder weniger.«

Er gab ihr einen Kuss, dann ließ er sie los und bewegte sich am Gitter entlang. »Warte hier.«

Sie war drauf und dran, ihm zu folgen, aber dann blieb sie doch stehen und sah ihm hinterher. »Wie du meinst.« Sie forschte nach der Kälte von vorhin und stellte überrascht fest, dass sie nachgelassen hatte.

Im Dunkeln hörte sie Scharniere knirschen, als er eine Tür in der Seitenwand des Geheges öffnete. Sie konnte ihn nicht mehr sehen, aber irgendwo dort drüben klirrten Schlüssel. Der Zugang wurde wieder geschlossen, dann raschelte seine Kleidung, als er sie abstreifte.

Nackt erschien er wenig später auf dem oberen Felsenring. Die Blicke der Wächterkatzen folgten ihm, aber keines der Tiere verließ seinen Platz. Ein Leopard, der ihm am nächsten saß, schnurrte leise.

Sicheren Schrittes stieg Alessandro über die Felsen nach unten. Rosa kaute auf ihrer Unterlippe, stellte aber fest, dass sie keine Angst empfand. Das Vertrauen, das er vorhin von ihr erbeten hatte, erfüllte sie jetzt durch und durch.

Der Lichtschein vom Vorplatz tauchte seinen Körper in Bronze. Seine Muskulatur bewegte sich geschmeidig unter seiner Haut, nur am Rücken wurde sie vom Schwarz des Pantherfells überdeckt. Der Pelz breitete sich nicht weiter aus. Alessandro hatte die Verwandlung unter Kontrolle.

Er brauchte nicht zu klettern; die Felsstufen waren in einer weiten Spirale angelegt, der er geduldig abwärts folgte. Rosa beobachtete jeden Schritt, jede sanfte Wölbung seines Körpers an den Oberarmen und Schenkeln, seiner Brust, den scharf definierten Muskeln seiner Bauchdecke. Einmal, nur einmal, blickte er zu ihr herüber und schenkte ihr ein Lächeln. Lass das, dachte sie. Konzentrier dich.

Unten am Wasser hoben mehrere Tiere die Köpfe und witterten ihn. Ein Löwe knurrte leise, aber es klang nicht aggressiv, eher als wollte er die übrigen Angehörigen seines Rudels beruhigen. Erstmals fiel ihr auf, dass dort unten Raubkatzen aller Art eng beieinanderlagen. Tiger neben Löwen, Geparden neben Panthern. Warum gab es keine Konkurrenz zwischen ihnen? Kein Dominanzgehabe?

Sie dachte an die Schlangen, die im Glashaus des Palazzo Alcantara lebten. Sie war nur ein paarmal dort gewesen und hatte den Ort nie wieder so intensiv erlebt wie bei ihrem ersten

Besuch. Auch dort existierten die unterschiedlichsten Schlangenarten auf engem Raum. Boas und Pythons, Nattern und Ottern und Vipern. Hochgiftige Kobras neben Blindschleichen.

Alessandro erreichte das Ufer des kleinen Sees. Auf der gegenüberliegenden Seite lag das Rudel. Ohne zu zögern, ging er am Wasser entlang darauf zu.

Die Raubkatzen erhoben sich. Erst nur wenige, dann auch alle übrigen, in einer einzigen, schattenhaften Woge.

Er trat mitten unter sie.

Der Rudelführer erwartete ihn am Ende einer Schneise, die die anderen für ihn bildeten. Dort standen sich die beiden gegenüber, als wären sie einander ebenbürtig. So als besäße der Löwe *nicht* die Kraft, sein Gegenüber in Sekundenschnelle zu zerreißen.

Lange sahen sie einander an. Das Rudel umstand sie regungslos. Rosa legte die Hände ans Gitter, schob das Gesicht zwischen die eiskalten Stangen. Gebannt blickte sie in die Tiefe.

Alessandro verwandelte sich. Nicht explosionsartig wie Mattia im Central Park, sondern in einem fließenden, eleganten Übergang von einer Gestalt zur anderen. Dem Wandel wohnte nichts Widernatürliches inne, nichts Beängstigendes. Aus dem einen Körper entstand ein anderer, und im Übergang lag eine Schönheit, die ihr die Tränen in die Augen trieb.

Alessandro sank nach vorn, jetzt ganz und gar Panther. Er und der Löwe überbrückten die letzte Distanz und senkten die Köpfe, als wollten sie geflüsterte Worte wechseln.

Nach einer Weile lösten sie sich voneinander. Alessandro richtete sich auf, stellte sich auf die Hinterbeine, wurde wieder zum Menschen. Er wandte Rosa das Gesicht zu, und selbst in der Dunkelheit sah sie ihn lächeln. Ruhig hob er den Arm, um sie heranzuwinken. Sie wollte den Kopf schütteln, wollte zurückweichen, aber da begriff sie, dass sie längst auf der anderen

Seite des Gitters war, hindurchgeglitten in ihrer Schlangenge-stalt, ohne die Verwandlung überhaupt wahrzunehmen.

Der Löwe stieß ein Brüllen aus. Ein Tiger oben auf den Fel-sen hielt inne und ließ Rosa passieren.

Alessandro kam ihr entgegen, verließ den Pulk der Katzen und trat an den Fuß der Felsen. Fellflecken huschten über sei-nen Körper wie elektrische Entladungen, zuckten über seine Arme, seine Schenkel, bedeckten seine Hüften und entblößten sie wieder.

Als bernsteinfarbener Strom floss Rosa die Felsen hinab. Sie erreichte ihn, schlängelte sich an ihm empor, ringelte sich um seine Glieder, streichelte mit ihrer Schuppenhaut seine Muskulatur, sein Haar, seinen ganzen Körper. In ihrer Umar-mung wurde er wieder zum Panther, und die Sinnlichkeit dieser Bewegung erfüllte sie mit eisiger Ekstase.

Der Avvocato

Die Sonne hing gleißend über dem Meer, ihre Strahlen funkelten auf den erstarrten Rotorblättern des Helikopters. Er stand mit abkühlenden Motoren auf dem Landeplatz unterhalb des Hotels. Der Pilot saß in der Kanzel und blätterte in der *Gazzetta dello Sport*.

Rosa stand eine Etage höher auf der Terrasse des Grandhotels *Jonio*, hatte die Hände auf das schmiedeeiserne Geländer gelegt und blickte die steile Küste hinab auf das graublaue Wasser. Tief unter ihr, auf einem schmalen Streifen zwischen den Felsen und der schäumenden Brandung, verliefen Eisenbahnschienen. Ein kleiner Bahnhof mit roten Dächern hob sich vom tristen Gestein ab. Der alte Stadtkern von Taormina lag linker Hand des Hotels auf dem Felsplateau, zweihundert Meter über dem Meer und den Gleisen.

Rosa trug einen halblangen schwarzen Ledermantel, schwarze Stiefel und ein enges Kleid von Trussardi. Ihr blondes Haar hatte sie zu einem Pferdeschwanz gebunden in der Hoffnung, dass sie das strenger und älter erscheinen ließ. Wenn sie eines von Florinda gelernt hatte, dann war es, sich für geschäftliche Termine in Schale zu werfen. Sie wollte dem Avvocato Trevini auf den ersten Blick klarmachen, dass sie das Oberhaupt ihres Clans war, kein eingeschüchtertes Mädchen, das sich mit einem Video hatte locken lassen.

In ihrem Rücken erklang das harte Klacken von Stilettos auf dem Marmor der Terrasse. Rosa wartete, bis das Geräusch unmittelbar hinter ihr verstummte, dann drehte sie sich um.

»Der Avvocato wird gleich hier sein«, sagte die junge Frau, die zu ihr ins Freie getreten war. Contessa Cristina di Santis – Trevinis neue Assistentin, Vertraute, wer weiß was noch –

stammte aus altem sizilianischen Adel, das hatte Rosas Sekretariat für sie in Erfahrung gebracht. Studium in Paris, London und Mailand, Promotion in Rekordzeit. Es gab keinen Mafiaclan Di Santis mehr, er war in den Achtzigerjahren von den Corleonesen nahezu ausgerottet worden; die letzten Nachkommen verfügten zwar über einigen Reichtum, unterhielten aber keine aktiven Kontakte zur Cosa Nostra.

Mit einer Ausnahme: Cristina di Santis als Trevinis rechte Hand unterwarf sich den Regeln des Alcantara-Clans.

Rosas Regeln.

»Der Avvocato lässt ausrichten, dass er sich sehr über Ihren Besuch freut, Signorina Alcantara«, sagte die junge Anwältin förmlich. »Er bedauert zutiefst, dass es seine gesundheitliche Verfassung erforderlich macht, Sie einige Minuten warten zu lassen.«

»Das macht nichts«, log Rosa. Diese Verspätung war nichts als Schikane. Trevini wartete seit Wochen auf einen Termin mit ihr. Und nun, da sie nach Taormina gekommen war, sollte es ihm nicht möglich sein, pünktlich zu erscheinen?

»Wenn ich Ihnen eine Erfrischung –«

»Danke.« Rosa wandte den Blick nicht von ihrem Gegenüber ab. Sie ließ bewusst offen, ob sie Ja oder Nein meinte, und sie beobachtete, wie Cristina di Santis mit der Ungewissheit umging.

Die Contessa war einen halben Kopf größer als sie, schwarzhaarig, schlank, aber mit all den Rundungen, die Rosa fehlten. Ihre erhobene linke Augenbraue verlieh ihrem Blick etwas Taxierendes. Sie schien nur darauf zu warten, dass Rosa sie ernsthaft auf die Probe stellte; dann würde sie diesem dummen Ding, diesem amerikanischen Emporkömmling, vorführen, wie man hier in Europa mit Stil Verachtung zeigte.

All das überraschte Rosa nicht. In gewisser Weise hatte sie Verständnis dafür. Was sie allerdings erstaunte, war Di Santis'

Reaktion, als das leise Geräusch von Gummirädern auf Stein die Ankunft des Avvocato ankündigte.

Auf das Gesicht der Contessa trat ein Ausdruck beflissener Höflichkeit. Wie ein Automat, ohne jede eigene Persönlichkeit, als wären auf einen Schlag alle ihre Emotionen ausgelöscht worden.

Bemüht, ihre Irritation nicht zu zeigen, wandte Rosa sich dem alten Mann im Rollstuhl zu. Dies war ihre dritte Begegnung mit dem Anwalt der Alcantaras, der grauen Eminenz ihres Clans, und wieder dachte sie, dass er einem Schauspieler ähnelte, dessen Name ihr beim besten Willen nicht einfiel. Sie erinnerte sich an keinen Film, nur an das Gefühl, wie er überlebensgroß von einer Leinwand auf sie herabstarrte. Dabei hatte Trevini auf den ersten Blick nichts an sich, das irgendwen hätte einschüchtern können. Er war ein ausgezehrter Mann, der seit seiner Kindheit an einen Rollstuhl gefesselt war, noch dazu auf einem Auge blind. Einschüchterung und Bedrohung sahen in Mafiakreisen anders aus. Und doch war da etwas, das ihm folgte, ihn umgab, das mit ihm in einen Raum und hinaus auf diese Terrasse wehte.

»Signorina Alcantara.« Seine Mundwinkel verzogen sich, wurden eins mit seinen zahllosen Falten. »Ich freue mich, dass wir uns endlich wiedersehen.«

Der Wind vom Meer fegte Rosas Pferdeschwanz über ihre Schulter nach vorn, aber das weiße Haar des Avvocato blieb vom Luftzug unberührt. Vielleicht hatte er die wenigen Strähnen, die ihm geblieben waren, mit Pomade angelegt. Seine Lippen waren schmal und farblos, so als presste er beim Lächeln narbige Hautränder aufeinander.

Sie ging ihm entgegen und warf verstohlen einen Blick auf ihre beiden Leibwächter, die reglos in schwarzen Anzügen am Rand der Terrasse standen. Schon bereute sie, dass sie sich von Alessandro hatte überreden lassen, die Männer mitzunehmen.

Sie gab Trevini die Hand. »Avvocato.«

»Sie haben meine Botschaft erhalten«, stellte er fest.

»Sie haben nicht auf meine Fragen dazu geantwortet.«

»Weil manche Dinge von Angesicht zu Angesicht besprochen werden müssen.«

Sie machte gute Miene zum bösen Spiel. »Deshalb bin ich hier.«

»Begleiten Sie mich ein Stück.«

Er lenkte den Rollstuhl am Geländer der Terrasse entlang. Die Contessa blieb zurück.

Rosa ging neben ihm her, zwanzig, dreißig Meter weit, bis sie sich außer Hörweite der anderen befanden. »Ich vermisse meine Geschäftsführer und all die anderen Nervensägen, die sich sonst bei jeder Gelegenheit auf mich gestürzt haben«, sagte sie. »Seit ich aus den USA zurück bin, lassen sie mich in Ruhe. Ich nehme an, das habe ich Ihnen zu verdanken.«

»Sicher legen Sie nach der anstrengenden Reise Wert auf ein wenig Ruhe.«

»Was haben Sie denen erzählt? Dass fortan Sie die Entscheidungen in allen wirtschaftlichen Belangen treffen werden?«

»Wäre Ihnen das denn lieber?«

Sie war bemüht, sich nicht von der milchigen Membran ablenken zu lassen, die über seinem rechten Augapfel lag. »Was hätte wohl meine Großmutter getan, wenn Sie schon damals Ihre Befugnisse in einem derartigen Ausmaß übertreten hätten?«

Er lächelte. »Ich säße gewiss nicht mehr hier.«

Mit einem Seufzen umfasste sie das Geländer und schaute hinaus auf die See. Ein paar einsame Jachten kreuzten vor der Küste. Nicht einmal im Februar blieb Taormina gänzlich von Touristen verschont. Es gab kaum einen anderen Ort auf Sizilien, der so viele Reisende anzog wie diese Stadt hoch über dem Meer.

»Ich hasse das, was Sie hier versuchen, Avvocato«, sagte sie leise. »Sicher finden Sie das dumm, aber: Ich hab einfach keine Lust darauf. Nicht auf Sie, nicht auf Ihre schäbigen Tricks, nicht auf diesen ganzen Mist.«

»Aber gegen all das Geld haben Sie keine Einwände, nicht wahr?«

Zornig wirbelte sie herum und bemerkte zugleich, dass die Bewegung ihre Leibwächter alarmierte. Mit einem Kopfschütteln gab sie ihnen zu verstehen, dass alles in Ordnung sei.

»War das wirklich nötig?«, fragte Trevini mit Blick auf die beiden Männer.

»Sagen Sie es mir.«

In sein Lächeln mischte sich ein Hauch von Wärme. »Was bringt Sie nur auf die Idee, dass ich Ihnen Böses will?«

»Ich bin für Sie ein Ärgernis, Avvocato Trevini. Ein lästiges Vermächtnis meiner Tante, mit dem Sie sich wohl oder übel herumschlagen müssen.«

»Sehe ich aus, als wollte ich mich mit jemandem schlagen?«

»Warum haben Sie mir dieses Video geschickt?«

»Um Sie zu warnen. Und bevor Sie auch das falsch verstehen: nicht vor mir. Nur vor dem Umgang, den Sie pflegen.«

Sie wandte das Gesicht in den Wind und schloss für zwei, drei Sekunden die Augen. »Wissen Sie, wie leid ich es bin, das zu hören? Meine Familie ist ganz zerfressen von der Angst vor den Carnevares. Die Geschäftsführerinnen in Mailand und sonst wo, meine sogenannten Berater, alle beschwören ein Verhängnis nach dem anderen herauf. Viele ältere Männer machen sich eine Menge Gedanken über mein Sexualleben. Vielleicht sollte mir *das* zu denken geben, und nicht, wie ich zu Alessandro Carnevare stehe.«

In Trevinis gesundem Auge blitzte es spöttisch. »Mich hat nie interessiert, was die Alcantara-Frauen hinter verschlossenen

Türen treiben. Ich kümmere mich lediglich um die Geschäfte des Clans, sein finanzielles Wohlergehen, Profite und Gewinnmargen.«

»Aber die Verantwortung trage ich.« Große Worte, an die sie selbst nicht glaubte.

»Den Carnevares ist nicht zu trauen. Das sollten Sie niemals vergessen.«

»Ich schlafe nicht mit den Carnevares, Avvocato. Nur mit einem von ihnen.«

»Da habe ich anderes gehört.«

Sie starrte ihn an. Dachte, dass sie hier und jetzt einem wehrlosen alten Mann mit der Faust ins Gesicht schlagen müsste. Mit allergrößter Mühe beherrschte sie sich und begriff, dass Provokation eine seiner stärksten Waffen war. Die Erkenntnis machte seine Worte nicht weniger verletzend, zog ihnen aber den giftigen Stachel.

»Ich weiß genau«, sagte er, »was damals geschehen ist. 85 Charles Street, nicht wahr? Michele und Tano Carnevare, dazu noch ein paar andere. Das ist kein Geheimnis mehr, auch wenn Ihnen das lieber wäre, Signorina Alcantara.« Er schüttelte langsam den Kopf. »Ich frage mich nur, wie Sie trotzdem noch immer den Kontakt zu einem Carnevare pflegen können.«

»Ich bin vergewaltigt worden«, presste sie tonlos hervor. »Nicht von Alessandro.«

»Aber er ist einer von ihnen und wird es immer bleiben. Er war dort, an jenem Abend.«

Einen Augenblick lang überfielen sie Zweifel und sie hasste sich dafür. Sie war auf dem besten Weg, sich von ihm in die Defensive drängen zu lassen. Das durfte sie nicht zulassen.

»Wie sind Sie an das Video gekommen?« Die Wut klirrte kalt in ihrer Stimme, und Eis machte sich auch in ihrem Inneren breit.

»Sie kennen mich doch ein wenig, Rosa.« Zum ersten Mal

nannte er sie beim Vornamen, und obwohl es ihr unangenehm war, untersagte sie es ihm nicht. Damit hätte sie nur zugegeben, dass sie sich für die Rolle, die sie zu spielen hatte, um einiges zu jung fühlte. Sollte er sie nennen, wie er wollte.

Vom anderen Ende der Terrasse blickte Cristina di Santis zu ihnen herüber.

»Sie kennen mich«, wiederholte Trevini, als würde es dadurch wahrer. »Ich würde Ihnen gern einen klugen Plan präsentieren, mit dessen Hilfe ich diese Aufnahme an mich gebracht habe. Aber die Wahrheit ist viel profaner. Das Handy mit dem Video wurde für Sie abgegeben, Rosa, in einer Filiale der Alcantara-Bank in Palermo. Die Angestellten wussten nicht recht, was sie damit tun sollten. Es einfach in einen Umschlag zu stecken und per Post ans andere Ende der Insel zu schicken erschien ihnen womöglich nicht angemessen.« Er hob die Schultern, aber das sah seltsam aus, weil bestimmte Bewegungen ihm Mühe machten. »Oder sie fühlten sich verpflichtet, erst einmal jemanden einen Blick darauf werfen zu lassen, der seit dreißig Jahren der Prellbock ist zwischen den Alcantaras und den Härten der Welt.«

Sie fragte sich, ob es ihr gelingen würde, ihn aus seinem Rollstuhl zu ziehen und über das Geländer zu werfen. Schwer konnte er nicht sein, nur Haut und Knochen unter seinem feinen grauen Anzug.

»So kam die Aufzeichnung zu mir. Ich habe Sie darauf gesehen, Rosa, Sie und den jungen Carnevare, und ich dachte mir, dass es eine tiefere Bedeutung geben müsste, sonst hätte nicht jemand solchen Wert darauf gelegt, dass das Video in Ihre Hände gelangt. Also habe ich ein paar Erkundigungen bei der Polizei in New York einholen lassen. Es dauerte nicht einmal eine Stunde, da hatte die tüchtige Contessa alle Informationen beisammen.« Er strahlte. »Ach, ich liebe es, sie so zu nennen — meine Contessa ... Nun, wie auch immer, aus einem scheinbar unbedeutenden Schnipsel von irgendeiner Party wurde plötzlich ein hochbrisantes Bilddokument.«

Rosa sah wieder zu seiner Assistentin hinüber, die reglos dastand in ihrem schicken Kostüm, den eleganten High Heels. Einer der Bodyguards starrte auf ihren Hintern. Rosa entschloss, ihn zu feuern.

»Der nächste Schritt lag auf der Hand«, erklärte Trevini. »Ich ließ die Person ausfindig machen, die das Handy in der Bankfiliale für Sie abgegeben hatte.«

Sie kämpfte wieder gegen die Kälte an und fragte sich, was Alessandro an ihrer Stelle getan hätte.

»Meine Leute stöberten sie in einer Absteige auf. Sie war in keinem guten Zustand, aber noch in der Lage, ein paar Fragen zu beantworten.«

»Sie haben mit Valerie gesprochen?«

»Selbstverständlich.« Trevini frohlockte. »Und Sie können das auch tun. Wissen Sie, Rosa – Valerie Paige ist hier. Hier bei uns in Taormina.«

Die Gefangene

Am Ende eines langen Weges durch die Keller, weitab der Wäscherei und des Weinlagers, bremste Trevini den Rollstuhl vor einer Eisentür mit verriegelter Sichtluke.

»Die Direktion war so freundlich, sie für meine Zwecke einzubauen«, erklärte er.

Rosa konnte den Blick nicht von der verschlossenen Luke lösen. »Guter Service.«

»Ich bewohne meine Suite seit vierunddreißig Jahren. Da darf man ein wenig mehr erwarten als frischen Orangensaft zum Frühstück.«

Sie trat an ihm vorbei zur Tür und schob den Riegel der Luke beiseite. Bevor sie das Sichtfenster öffnete, wandte sie sich noch einmal an den Avvocato. »War es das, was Sie mit *weiterem Material* gemeint haben?«

»Sie werden sehen: Ich habe Ihnen nicht zu viel versprochen.«

Mit einem Ruck öffnete sie den Schieber.

Das Innere der Zelle war mit glänzender, Feuchtigkeit abweisender Farbe gestrichen, im ungesunden Grün chirurgischer Kittel. Auf einem Betonpodest lagen eine Matratze, eine zerknüllte Decke und ein Kissen mit Blutspuren.

Davor am Boden saß, mit angezogenen Knien und leerem Blick, eine abgemagerte Gestalt in zerrissener Jeans und bedrucktem T-Shirt; das Bandlogo darauf war vor Schmutz kaum noch zu erkennen. Valeries dunkles Haar war kurz und wirr. Wahrscheinlich hatte sie es selbst geschnitten. Ihr Gesicht wirkte ausgezehrt, die dunklen Ringe unter den Augen wie mit Fingerfarbe gezogen. Sie hatte sich wieder und wieder die Lippen aufgebissen, daher stammte wohl das Blut auf dem Kissen.

Ohne sich umzudrehen, fragte Rosa: »Sie haben sie nicht gefoltert, oder?«

»Ihr wurden Fragen gestellt. Aber davon hat sie keine körperlichen Blessuren davongetragen. Sie war schon vorher ein Wrack.«

Valeries Arme waren mit Tätowierungen bedeckt, alle aus den vergangenen sechzehn Monaten. Sie war schon damals gepierct gewesen, aber jetzt trug sie in jedem Ohr mehrere Ringe und ein halbes Dutzend silberne Stecker an den Augenbrauen, der Nase und am Kinn. Was immer sie mit ihren blutunterlaufenen Augen gerade sah, befand sich nicht in dieser Zelle.

»Drogen?«

»Beruhigungsmittel. Sie hat Einstiche an den Armen, zwischen den Zehen und unter der Zunge, aber die stammen nicht von uns. Als meine Leute sie gefunden haben, war sie vollgepumpt mit Chemie. Ich weiß nicht, was Ihre Freundin durchgemacht hat, aber ich kann mir nicht vorstellen, dass sie viel davon mitbekommen hat. Nicht in letzter Zeit.«

Valerie musste die Stimmen vor der Zellentür hören, aber sie zeigte keine Reaktion.

»Valerie?« Rosa stellte sich auf die Zehenspitzen, damit ihr Gesicht die Luke ausfüllte. »Ich bin's. Rosa.«

Nicht mal ein Zucken.

Rosa trat einen Schritt zurück und betrachtete das Türschloss. »Machen Sie das auf.«

»Sind Sie sicher?«

»Verdammt, nun machen Sie gefälligst die Tür auf!«

Der Avvocato zog einen Sicherheitsschlüssel hervor und reichte ihn ihr. »Bitte.«

Sie schob ihn ins Schloss, aber bevor sie ihn umdrehte, sagte Trevini: »Nur über eines sollten Sie sich im Klaren sein.«

»Was?«

»Alles Weitere liegt allein bei Ihnen. Sie ist jetzt Ihre Gefangene, nicht mehr meine.«

Wieder wandte sie sich der Tür zu, atmete tief durch. Der Geruch von Waschmittel trieb durch den Hotelkeller, in der Ferne wummerten die Maschinen. In den Rohren unter der Korridordecke gluckste es.

»Entscheiden Sie«, sagte Trevini. »Darüber, was mit ihr geschehen soll. Möchten Sie ihr weitere Fragen stellen? Sie laufenlassen? Das Problem vollends aus der Welt schaffen?«

Sie konnte ihn nicht ansehen. Sie hasste ihn von ganzem Herzen, und noch viel mehr verabscheute sie die Tatsache, dass er die Wahrheit sagte. Jetzt, da sie die Gefangene im Hotelkeller mit eigenen Augen gesehen hatte, konnte sie nicht so tun, als wüsste sie nicht von ihr. Trevini stand auf ihrer Gehaltsliste, der Alcantara-Clan finanzierte seine Assistentin und die Männer, die Valerie gefangen und ihr *Fragen gestellt* hatten. Rosa kam die Galle hoch.

»Sie verstehen doch, was ich Ihnen sage.« Trevini legte den Finger in die Wunde und bohrte. »Wenn Sie das Mädchen da drinnen loswerden wollen, dann wird das geschehen. Niemand wird davon erfahren. Sie hat Ihnen übel mitgespielt. Wer könnte Ihnen da nachtragen, dass Sie einen gewissen Groll gegen sie hegen?«

Sie drehte sich jetzt halb zu Trevini um, zog mit der anderen Hand die Sichtluke zu und fragte: »Was hat sie Ihnen erzählt?«

»Es freut mich, dass ich doch noch Ihre Neugier wecken konnte.«

Sie war hergekommen, um ihm einen Vorschlag zu unterbreiten. Jetzt war sie froh, dass sie ihn noch nicht darauf angesprochen hatte. Siedend heiß wurde ihr bewusst, dass es in ihrer Macht stand, auch ihn ein für alle Mal verschwinden zu lassen. Er wusste das. Und dennoch spielte er mit ihr. Weil sie aufeinander angewiesen waren. Ohne ihn, ohne sein Wissen über drei Jahrzehnte Alcantara-Geschäfte, würde sie im Tauziehen um die Clanführung niemals bestehen. Und ohne Rosa war er nur ein einfacher Rechtsanwalt, den die nachrückenden *capodecini* nur zu gern durch eine moderne Kanzlei in Palermo ersetzen würden.

Aber wollte sie wirklich eine Position, in der sie Entscheidungen wie diese hier treffen musste? Über Leben und Tod eines drogensüchtigen Mädchens?

»Sie haben Mitleid mit ihr«, stellte Trevini fest. »Das sollten Sie nicht. Michele Carnevare hat ihr befohlen, Sie zu dieser Feier zu bringen. Und sie hat ihm gehorcht. Das ist der Kern der ganzen Sache. Sie hat sich erst Ihre Freundschaft erschlichen, Rosa, um sie dann wie ein Lamm zur Schlachtbank zu führen.«

»Vielleicht wusste sie nicht, was Michele vorhatte.« Sie konnte selbst nicht fassen, dass dieses hauchdünne Argument für Valeries Unschuld ausgerechnet von ihr kam.

»Schon möglich.« Trevini rollte noch ein Stück näher heran, bis die Fußstützen seines Rollstuhls beinahe ihre Schienbeine berührten. »Vielleicht hat sie wirklich nichts gewusst. Aber macht es das besser? Ist Nichtwissen nicht die älteste und abgedroschenste Entschuldigung?«

Mattia hatte gesagt, dass Valerie nach Europa geflogen war, um Rosa um Verzeihung zu bitten. Sie hatte ihm versprochen, Valerie etwas auszurichten, wenn sie ihr begegnete. Im Gegenzug hatte er Rosas Leben gerettet. Und nun sollte sie Valeries Todesurteil aussprechen?

Sie drehte den Schlüssel und schob die Tür nach innen.

Trevini lachte leise. Oder war es nur das Gluckern der Leitungsrohre?

»Valerie.« Sie blieb in der Mitte der Zelle stehen, zwei Meter vor der verhärmten Gestalt am Boden. Valeries Blick ging durch sie hindurch. Rosa widerstand dem Drang, hinter sich an die Wand zu schauen.

»Valerie, kannst du mich hören?«

Keine Regung.

Rosa machte noch einen Schritt und ging in die Hocke. Ihre Gesichter befanden sich jetzt auf einer Höhe. Während des vergangenen Jahres hatte sie ihrer Freundschaft nicht nachgetrauert, und heute tat sie es erst recht nicht. Stattdessen waren da Vorwürfe. Zorn. Wie praktisch wäre es gewesen, nur auf Leere zu stoßen. Doch in ihr brodelte die Wut.

Zögernd sah sie über die Schulter, folgte doch noch Valeries Blick.

Nur die kahle Wand.

»Allein Ihre Entscheidung«, glaubte sie Trevini sagen zu hören. Oder eine Stimme aus ihrer Erinnerung?

Ein Blutstropfen lief über Valeries Kinn. Sie hatte die Lippe zwischen die Zähne gezogen und wieder zugebissen. Ihre Augen aber blieben so starr wie zuvor.

Warum spürte Rosa kein Mitleid? War dies das Erbe, das sie hier auf Sizilien angetreten hatte? Dieselbe Kaltblütigkeit wie ihre Großmutter und nach ihr Florinda?

Sie stand auf und verließ die Zelle, zu schnell, zu offenkundig auf der Flucht. Trevini musste das registrieren, und als sie sich zwang, ihn wieder anzusehen, war sein Lächeln das eines verständnisvollen Lehrers.

»Ich kann es Ihnen beibringen«, sagte er. »Alles, was erforderlich ist.«

Sie ließ die Tür offen und warf ihm den Schlüssel in den Schoß. »Behalten Sie sie vorerst hier. Ihretwegen habe ich ein Jahr in der Hölle verbracht, da wird es für Val auf ein paar Tage nicht ankommen.«

»Und was dann, wenn ich fragen darf? Was wird später mit ihr geschehen, in einer Woche oder in einem Monat?« Er wog den Schlüssel in der Hand, als wäre er viel schwerer als zuvor. »Sie könnten ihr die Freiheit schenken. Sie könnten gnädig sein und großzügig. Was sagt Ihr Gewissen, Rosa Alcantara? Was sagt Ihnen Ihr Blut?«

Sie ließ ihn zurück und ging hastig den Gang hinab in Richtung des Aufzugs.

Er rief ihr hinterher: »Sie haben mich vorhin gefragt, was Costanza getan hätte.«

»Ich bin nicht meine Großmutter.«

»Aber Sie werden lernen müssen, wie sie zu sein. Sie wollen ein Leben hier auf der Insel? Sie wollen den jungen Carnevare? Dann müssen sie härter sein als die anderen, grausamer als ihre Feinde. Costanza hat das gewusst. Und auch Sie werden das bald erkennen.«

»Auf der Terrasse!«, rief sie über die Schulter. »Wir reden dort weiter.« Nicht hier unten. Nicht im Dunkeln.

Aber die Dunkelheit folgte ihr ans Tageslicht.

Ein Pakt

Rosa sog die frische Luft ein wie eine Süchtige. Eine kühle Brise vom Meer wehte ihr ins Gesicht, trotzdem wurde sie den Geruch der Hotelkeller nicht wieder los.

Sie schloss die Augen, aber die Sonne brannte sich hellrot durch ihre Lider. Sie zwang sich, keine Schwäche zu zeigen, blickte wieder nach vorn und ärgerte sich, dass die Contessa di Santis in diesem Moment über die Terrasse hinweg auf sie zukam und eine besorgte Miene aufsetzte.

»Alles in Ordnung, Signorina Alcantara?«

»Bestens.«

»Sie sehen blass aus.«

»Heller Hauttyp. Das war schon immer so.«

Die Assistentin nickte verständnisvoll. »Man kann sich nicht aussuchen, was einem in die Wiege gelegt wird, nicht wahr?«

Ehe Rosa etwas erwidern konnte, wandte Di Santis sich dem Avvocato zu, der in diesem Moment aus dem Hotelsalon ins Freie rollte. Rosa dachte, dass dies ein guter Augenblick wäre, ihr von hinten an die Kehle zu gehen.

»Kann ich etwas bringen?«, fragte die Assistentin. »Getränke? Eine Kleinigkeit aus der Küche?«

Trevini schüttelte den Kopf. »Lassen Sie uns bitte allein.«

Di Santis blickte über die Schulter, es sah beinahe vorwurfsvoll aus. Dabei rutschte ihre linke Augenbraue immer höher, bis Rosa sich Sorgen machte, sie könnte unter ihrem Haaransatz verschwinden.

»Wie Sie wünschen«, sagte die Assistentin und stolzierte in den Salon. Rosa gab den beiden Bodyguards einen Wink, sich ebenfalls ins Gebäude zurückzuziehen. Di Santis verkniff es sich nicht zu sagen: »Kommen Sie mit, meine Herren. Vielleicht kann ich ja etwas für Sie tun.«

Trevini lenkte den Rollstuhl an Rosa vorbei zum Geländer. Der Blick seines gesunden Auges wanderte über die See in die Ferne. »Wir alle neigen dazu, uns zu wichtig zu nehmen, finden Sie nicht auch? Was hat dieses Meer nicht schon alles mit angesehen. Das antike Griechenland, Rom, Karthago, die frühen mesopotamischen Stämme. Ur und Babylon, die Völker der Bibel. Und wir reden über ein einziges Leben, einen einzigen, unbedeutenden Menschen.«

»Das bewegt mich wirklich außerordentlich, Avvocato. Aber ich bin nicht für eine Geschichtsstunde hergekommen oder wegen der schicken Aussicht.«

»Ohne das Meer könnte ich nicht leben«, sagte er unbeeindruckt. »Das ist einer der Gründe, warum ich dieses Hotel nie verlasse.«

»Und die anderen?«

»Ich bin zu alt, um Risiken einzugehen.« Er legte die Fingerspitzen an die Schläfe. »Das hier, mein Verstand, ist mein einziges Kapital. Wussten Sie, dass ich keinen Computer besitze? Keine Regale voller Aktenordner?« Natürlich wusste sie das, es war das Erste, was sie über Trevini erfahren hatte. »Alles, was wichtig ist, bewahre ich hier oben, schon seit Jahrzehnten. Keine Beweise, keine Spuren. Ich bin mit diesem außerordentlichen Gedächtnis geboren worden, und ich schätze, es ist nur gerecht, dass ich dafür in anderen Dingen zu kurz gekommen bin.«

Sie beobachtete ihn, während er sprach. Er aber sah nach wie vor auf das Mittelmeer hinaus, in diese atemberaubende blaue Weite.

»Sicher haben Sie sich gefragt, warum ich ausgerechnet die Contessa eingestellt habe«, fuhr er fort. »Sie hat die bestmöglichen Qualifikationen und Beurteilungen, sie schmeichelt dem

Auge – aber nichts davon erklärt, weshalb sie wirklich hier ist. Die Wahrheit ist, dass sie über die gleiche Eigenschaft verfügt wie ich. Ich habe lange nach jemandem gesucht, der es in dieser Beziehung mit mir aufnehmen kann. Sie ist jung, ungeheuer ehrgeizig und, gewiss, sie ist kein unkomplizierter Charakter. Niemand hat mehr darunter zu leiden als ich.« Sein Augenzwinkern hätte anzüglich wirken müssen, stattdessen sah es fast freundlich aus. »Aber vor allem hat sie eine bemerkenswerte Aufnahmefähigkeit. Sie hört etwas, sieht etwas, und von da an ist es in ihrem Kopf gespeichert wie auf einer Festplatte. Ich muss mich damit abfinden, nicht mehr so einzigartig zu sein, wie ich immer dachte. Die junge Dame ist perfekt.«

Rosa seufzte. »Wenigstens ihre Oberweite hat sie sich machen lassen, oder?«

»Ich bedauere«, erwiderte er gutmütig. »Sie müssen die Contessa nicht mögen, Rosa. Ich bin nicht mal sicher, ob ich das tue. Aber sehen Sie sie als so etwas wie Ihre ganz persönliche Sicherheitskopie. Für den Fall, dass mir einmal etwas zustößt.«

»Sie ist in alles eingeweiht? In jedes Geschäft? Jede Transaktion?«

»Ich war so frei, sie einzubeziehen. Wir sitzen beisammen und ich zähle ihr die Fakten auf. Stunde um Stunde, Tag für Tag. Die Contessa speichert sie. Ich habe sie auf die Probe gestellt, mehr als einmal. Sie ist fantastisch. Sie erinnert sich an alles. Und auf Grund ihrer exzellenten Ausbildung ist sie in der Lage, Einschätzungen abzugeben, die selbst mich verblüffen.«

»Wie schön zu wissen, dass ich in Zukunft nicht nur mit Ihnen zu tun habe, sondern auch noch« – sie blickte in den Salon und sah Di Santis mit den Leibwächtern flirten – »mit der da.«

»Das Leben ist eine nimmer endende Kette von Prüfungen, meine Liebe.«

»Wenn Sie mich noch mal so nennen, karre ich Sie über die Brüstung.«

Er lachte. »Gegenseitiger Respekt ist etwas Wunderbares. Aber deswegen sind Sie nicht hergekommen. Das Video hat Sie interessiert, doch das war nicht alles, richtig?«

Haarsträhnen hatten sich im scharfen Seewind aus ihrer Spange gelöst und wehten um ihr Gesicht. »Ich will Ihnen ein Angebot machen, Avvocato. Wir können stundenlang um den heißen Brei herumreden, aber wir wissen beide, worauf es hinausläuft: Wir sind voneinander abhängig. Ich kann Sie nicht leiden – nun, vielleicht ein bisschen mehr als Ihre Contessa da drinnen. *Sie* ist wahrscheinlich sogar beim Sprint auf High Heels unschlagbar.«

Da lachte er herzhaft. Auf diese Art also bekam sie ihn zu fassen. Einfach die Wahrheit sagen.

»Sie sind so abhängig von mir wie ich von Ihnen«, sagte sie, ein wenig erleichtert, dass sie nun auf den Monolog zurückgreifen konnte, den sie sich zurechtgelegt hatte. »Ich hab keinen Schimmer von den Geschäften der Alcantaras und brauche jemanden, der das alles von mir fernhält. Und damit haben Sie offenbar schon begonnen. Umgekehrt könnten Sie nie der *capo* der Alcantaras sein, weil Sie nicht zur Familie gehören. Meine Verwandtschaft in Mailand und Rom würde einen wie Sie niemals als Oberhaupt des Clans akzeptieren. Als Anwalt, der sie aus dem Knast herausboxt, und als menschliches Rechenwunder und Finanzgenie – kein Problem, dafür lieben die Sie. Aber Sie sind kein Alcantara und werden niemals einer sein.«

Er beobachtete sie jetzt ganz genau. »Was schlagen Sie vor?«

»Ich bin das Oberhaupt des Clans, und daran wird sich nichts ändern. Ich fange an, mich hier auf der Insel zu Hause zu fühlen. Ich repräsentiere das, wofür diese Familie steht, und ich bin jetzt das Gesicht des Clans, ob es den anderen gefällt oder nicht.«

Auswendig gelernt, aber es klang ganz gut, fand sie.

»Warum wollen Sie sich das antun?«, fragte er. »Warum nehmen Sie nicht einfach einen Haufen Geld und Ihren neuen Freund und leben irgendwo am anderen Ende der Welt in ewiger Glückseligkeit?«

»Weil niemand – nicht Sie und nicht diese Idioten in Palermo und Rom und sonst wo –, weil keiner von Ihnen mir etwas zutraut. Weil alle nur darauf warten, dass ich Scheiße baue.«

»Das ist eine« – er lächelte wieder – »unorthodoxe Sicht der Dinge. Aber ich verstehe, worauf Sie hinauswollen.«

»Ich nehme dieses Erbe an, Avvocato. Ich werde die Alcantaras anführen.«

»Und Sie glauben, dass Sie das können?«

Sie schenkte ihm ein süßes Lächeln. »Genau hier kommen Sie ins Spiel. Sie tun das, was Sie schon all die Jahrzehnte über getan haben – Sie bleiben das Genie im Hintergrund. Der Drahtzieher. Der liebe Gott von Taormina. Was Sie auch hören wollen, ich schmier's Ihnen ums Maul. Ich kenn mich aus mit Komplimenten, wirklich.«

Er stieß ein Seufzen aus. »Ich denke, ich verstehe Sie auch so. Sie repräsentieren. Und ich erledige die ganze Arbeit.«

»Das ist der Plan.«

Er atmete tief durch. »Ich bin ein alter Mann.«

»Was brauchen Sie? Noch eine Pflegerin wie die da? Längere Beine, größere Brüste?«

»Ich kann sehr stur sein. Eigensinnig. Unangenehm.«

»Und Sie haben die Contessa, um das an ihr auszulassen.«

Er lächelte. »Kein Vetorecht für Sie. Keine Mitsprache in geschäftlichen Belangen.«

»Vergessen Sie's.«

»Wir spielen das Spiel so oder gar nicht.«

Sie schüttelte den Kopf. »Sie verstehen es offenbar noch nicht, Avvocato. *Ich* mache die Regeln. *Sie* werfen die Würfel und sorgen dafür, dass die Sechs oben liegen bleibt.«

Er blinzelte, vielleicht weil sie vor der Sonne stand. Oder weil sein Ausdruck nun doch etwas verkniffener wurde. »Was wollen Sie, Rosa?«

»Ich bin nicht Mutter Theresa. Ich weiß, worauf ich mich einlasse. Aber es *wird* Regeln geben. Keine Waffengeschäfte. Keine Drogen.«

Er lachte sie aus, wie sie es geplant hatte. »Womit sollen wir dann Geld verdienen? Mit Klingeltönen?«

»Womit wir die ganzen letzten Jahre über das meiste verdient haben – mit Subventionen aus Rom und Brüssel, die Sie für uns abgegriffen haben. Geld für Windräder, die keinen Strom erzeugen, zum Beispiel.«

»Es geht nicht ohne die Waffen«, sagte er kategorisch. »Sonst suchen Sie sich einen anderen.«

Rosa hatte das kommen sehen und ihr war klar, dass sie Zugeständnisse machen musste. »Wohin werden die geliefert?«

»Afrika. Südamerika. Südostasien. Das meiste von dem Zeug kommt aus Russland, aber auch aus den USA, Deutschland, Frankreich. Was glauben Sie, woher Ihr verdammter Hubschrauber stammt? Made in Italy ist der bestimmt nicht.«

»Was ist mit den Drogen?«

»Das Geschäft ist nicht mehr das, was es mal war. Zu viel Konkurrenz aus Russland und vom Balkan. Daran hängt mein Herz nicht. Aber Sie werden niemals hundertprozentig dagegen ankommen, wenn irgendwelche *soldati* eigene Geschäfte laufen haben.«

»Wenn es so ist, dann sollte ich davon erfahren.«

»Damit werden Sie sich keine Freunde machen.«

»Ich weiß.« Sie lächelte. »Darum will ich ja, dass Sie das für mich tun.«

»Sie denken, Sie machen es sich leichter. Aber Sie werden bald merken, dass genau das Gegenteil der Fall ist. Fürchten Sie nicht die Justiz – fürchten Sie Ihre eigenen Leute.«

»Dann fange ich damit am besten bei Ihnen an, nicht wahr?«

»Ich habe Ihrer Großmutter den Eid geschworen, dass mein Leben dieser Familie gehört. Und ich halte mein Wort.«

»Sie haben bisher nicht schlecht daran verdient.«

»Da wir gerade davon sprechen, eine Bedingung habe ich: Lampedusa.«

»Florindas Lieblingsprojekt?«

»Es stehen noch einige Ihrer Unterschriften aus. Ich habe ein, sagen wir: persönliches Interesse am Geschäft mit den Flüchtlingen auf dieser Insel. Wir können die Drogen streichen und die Waffen reduzieren – aber Lampedusa muss bleiben, was es ist. Sie werden mir in dieser Sache keine Steine in den Weg legen.«

Sie nickte widerstrebend.

»Dann sind wir uns einig?«, fragte er.

»Wir werden uns wahrscheinlich niemals einig sein, Avvocato. Aber wir haben einen Deal.« Ein *Pakt* wäre treffender gewesen, dachte sie zähneknirschend.

Er reichte ihr die Hand, und Rosa nahm sie, ohne zu zögern.

Im Hinausgehen schenkte sie der Contessa ein liebenswürdiges Lächeln und hielt ihre Hand beim Abschied eine Spur zu lange. Den Diamantring, den sie auf dem Weg zum Hubschrauber in der geballten Faust hielt, warf sie kurz darauf ins Meer.

Costanzas Vermächtnis

Rosa fand Iole im Palmenhaus. Der gläserne Anbau ragte als lang gestreckter Arm aus der Nordwand des Palazzo Alcantara. Die Wände und die gewölbte Decke waren aus Scheiben zusammengesetzt, die im Wind gefährlich knirschten. Rost und Grünspan bedeckten die eisernen Rahmen. Wie so viele Teile des Palazzo hätte auch dieser eine Restauration dringend nötig gehabt.

»Sie mögen mich«, erklärte Iole stolz.

Eine Schlange lag um ihren Nacken wie eine schillernde Stola. Iole liebkoste ihren Schädel. Das Ende des Reptils ringelte sich um ihre Hüfte. Weitere Schlangen aalten sich zu ihren Füßen, züngelnd und zischend.

Rosa schloss die Tür des Glashauses hinter sich und betrat den schwülen Dschungel im Inneren. Palmenstämme, Riesenfarne, exotisches Buschwerk und Schlingpflanzen hatten sich über die Jahre zu Dickicht verwoben. Die feuchte Hitze, die das Glas beschlagen ließ, raubte ihr einen Moment lang die Luft. Aber schon nach einem Augenblick stellte sich ihr Körper darauf ein. Tatsächlich hatte sie zum ersten Mal seit Monaten das Gefühl, im Palazzo frei durchatmen zu können. Ein Teil ihrer Verpflichtungen, die diesem Ort eine bleierne Schwere verliehen hatten, war bei Trevini in Taormina zurückgeblieben. Sie fühlte sich besser als zuvor – und kämpfte zugleich mit neuen Sorgen.

»Willst du es jetzt sehen?«, fragte Iole und versuchte umständlich, die Schlange von ihren Schultern zu heben. Die Zutraulichkeit der Tiere war bemerkenswert. Iole war keine Lamia, überhaupt keine Arkadierin, und dennoch akzeptierten die Reptilien sie wie eine der Ihren.

»Was will ich sehen?« Rosa verdrängte das Bild der gefangenen Valerie, das sich vor ihren Augen über Ioles fröhliche Miene legte.

»Das Kühlhaus!« Iole zog eine vorwurfsvolle Grimasse. »*Hallo?* Der Türcode? Tagelang im dunklen Keller? Ich, das Zahlengenie?«

Rosa lächelte und half ihr die Schlange zwischen den anderen am Boden abzulegen. Aus allen Richtungen erklang Zischeln und Fauchen. Immer mehr Tiere krochen aus dem Unterholz und bildeten einen weiten Ring um Rosa, nicht so verspielt wie bei Iole, sondern in ehrfurchtsvollem Abstand.

Rosa nahm Ioles Hand. »Okay, gehen wir. Bin gespannt, was du gefunden hast.«

Iole strahlte. »Du hast echt Zeit?«

»Du tust so, als ob ich nie welche hätte.«

Iole verzog den Mund und sah sie an, als wollte sie sagen: Nun überleg mal genau, was du da sagst.

Rosa ächzte schuldbewusst und zog Iole mit sich zum Ausgang. Blitzschnell wuselten die Schlangen auf ihrem Weg zur Seite und bildeten eine Gasse. Rosa war froh, als sie das Glashaus verließen und die Tür hinter ihnen ins Schloss fiel. Es war kein Widerwillen gegen die Nähe der Schlangen, vielmehr die Irritation darüber, dass sie sich in ihrer Gegenwart von Woche zu Woche wohler fühlte.

Es gab mehrere Zugänge zu den Kellern des Palazzo. Sie benutzten die enge Treppe, die sich hinter einer Tür in der Küche befand, unweit der offenen Feuerstelle, in der früher ganze Schweine geröstet worden waren.

Der Schacht war schmal und wurde seit Jahren nicht mehr benutzt. Iole ging voraus, warnte Rosa vor zu kurzen Stufen und Spinnweben und gefiel sich merklich in der Rolle der Führerin. Als sie einen altmodischen Drehschalter an der Wand betätigte, flammten runde Gitterlampen unter der Korridordecke auf.

Nach dem tropischen Klima des Glashauses war es hier unten empfindlich kalt. Ein sanfter Luftzug roch nach schimmelndem Gestein und Moder.

»Ich muss dich mal was fragen«, sagte Rosa, während sie Iole durch die Ziegelsteineingänge folgte. Das Mädchen trug mit Vorliebe weiße Kleider – womöglich, um sich von Rosas ewigem Schwarz zu emanzipieren – und hatte eine starke Abneigung gegen alles, was eng am Körper anlag. Im trüben Halblicht verlieh ihr der wehende Stoff etwas Feenhaftes.

»Was denn?«

»Ich weiß nicht, ob du überhaupt darüber sprechen willst.«

Iole blickte sich nicht zu ihr um. »Wie es war, als ich gefangen war?«

Rosa seufzte leise. »Ja. Aber mir geht's um was ganz Bestimmtes.«

»Frag ruhig.«

»Was hast du für die Männer empfunden, die dich festgehalten haben? War das Hass oder Wut oder Angst? Eine Mischung aus allem? Oder etwas ganz anderes?«

Iole schüttelte den Kopf. Nach wie vor sah Rosa sie nur von hinten. »Gar nichts.«

»Nichts?«

»Ich hab nur an sie gedacht, wenn sie gekommen sind, um mir Essen oder Kleidung zu bringen. Oder wenn sie mich in ein anderes Versteck gebracht haben. Ansonsten hab ich getan, als würden sie gar nicht existieren. Wie wenn man im Wasser untertaucht und sich die Ohren zuhält – man hört einfach gar nichts mehr. Das klappt auch mit Gefühlen. In dir geht einfach alles zu, alles wird ganz dicht. Und dann ist es, als wäre man taub für Gefühle. Man spürt sie nicht mehr.« Sie blieb stehen und drehte sich um. »Klingt ein bisschen irre, oder?«

Rosa umarmte sie. »Nein, gar nicht irre.«

Iole löste den Kopf von Rosas Schulter und sah sie an. »Warum fragst du?«

»Nur so.«

»Das ist gelogen.« Iole neigte den Kopf ein wenig und musterte sie sorgfältig. »Hältst *du* jemanden gefangen?«

»Wie kommst du denn darauf?«

»Da war einer bei den Männern, die mir Sachen gebracht haben. Er sah immer ein bisschen traurig aus, so als würde er sich schämen. Du guckst genau wie er.«

Rosa machte einen Schritt zurück, schüttelte den Kopf und fuhr sich durchs Haar. »Lass uns weitergehen, ja?«

Iole zuckte die Achseln. »Du musst darauf achten, dass es immer was zu trinken gibt. Und was zu essen. Nicht zu süß oder zu scharf. Außerdem einen Fernseher. Sonst wird man ganz dumm im Kopf.«

Rosa wusste nicht, wie gut Trevini Valerie verpflegte, aber sie war sicher, dass es in ihrer Zelle keinen Fernseher gab. Merkwürdigerweise bereitete ihr ausgerechnet das nun ein schlechtes Gewissen.

Iole war weitergegangen und Rosa beeilte sich, mit ihr Schritt zu halten. Sie war schon einmal hier unten gewesen, aber nichts kam ihr bekannt vor. Das grobe braune Mauerwerk; die wehenden Spinnennetze vor den Glühbirnen in ihren Käfigen; der gebrochene Beton unter ihren Füßen, der irgendwann einmal über noch ältere Böden verteilt worden war – als wollte der Palazzo erstmals sein wahres Gesicht zeigen, das hinter halbherzigen Instandsetzungen verborgen lag.

»Kalt hier unten.« Im Gehen schlang sie die Arme um ihre Schultern.

»Gleich wird's noch kälter«, sagte Iole.

Kurz darauf erreichten sie den Vorraum des Kühlhauses. Sie waren nur wenige Minuten unterwegs gewesen, aber Rosa kam es vor, als wäre eine Stunde verstrichen. Unter der Decke erwachten summende Neonröhren. Der Raum war leer bis auf einen Metallkasten neben einer schweren Eisentür.

»Und du bist schon da drinnen gewesen?«

Iole nickte. »Sarcasmo war bei mir. Er war total aufgeregt, als er die Sachen gerochen hat.«

»Welche Sachen?«

»Abwarten.«

Iole öffnete die Klappe an dem Metallkästchen. Ihre Füße knirschten auf Hundekuchenkrümeln. Ihr Zeigefinger tanzte über ein unbeleuchtetes Tastenfeld. Die Zahlen im Display waren aus groben Strichen zusammengesetzt – vor ein paar Jahrzehnten musste das modernste Technik gewesen sein.

Eine Hydraulik zischte, als stieße die Eisentür ein widerwilliges Stöhnen aus. Mehrere Schlösser öffneten sich mit schnappenden Lauten. Für einen Kühlraum, in dem normalerweise Vorräte und Jagdbeute aufbewahrt wurden, schien das ein ungewöhnliches Sicherheitssystem.

»Hilfst du mir mal?« Iole zerrte an dem riesigen Türgriff.

Rosa war noch immer nicht sicher, ob sie sehen wollte, was ihre Großmutter hier eingelagert hatte. Aber der Risikojunkie meldete sich zurück, und das tat ihr gut.

Gemeinsam mit Iole zog sie am Griff und wich Schritt um Schritt zurück, als die schwere Tür nach außen aufschwang.

Dahinter herrschte Dunkelheit. Die kühle Luft des Kellers schien vor einer Woge polarer Kälte zurückzuweichen.

»Dir ist schon klar, dass ich Vegetarierin bin?« Sie blickte an Iole vorbei in die Finsternis. »Wenn da irgendwelche alten Schweinehälften baumeln –«

Iole schüttelte hektisch den Kopf. »Viel besser.«

Der Neonschein aus dem Vorraum reichte nur wenige Meter weit. Rechts und links fiel das Licht auf etwas, das wie aufgereihte Kokons aussah. Sie hingen von der Decke, ohne den Boden zu berühren. Dazwischen verlief ein Gang.

»Warte.« Iole drückte auf einen Knopf neben dem Zahlenfeld. Unter der Decke knisterten weitere Neonröhren. Ihr Schein flackerte in einer Wellenbewegung vom Eingang bis in die Tiefen des Kühlkellers. Das weiße Licht beschien einen lang gestreckten Raum, der eher einem Tunnel als einer Kammer glich. Er war breit genug, um nicht einem, sondern drei Gängen zwischen den hängenden Gebilden Platz zu bieten.

Rosa trat an die Stahlschwelle. Iole huschte an ihr vorüber, wuchtete einen metallenen Türstopper aus dem Inneren ins Freie und verkeilte ihn unter der offenen Eisentür. »So«, sagte sie zufrieden.

Rosas Atem dampfte. »Was sind das für Dinger?«

Iole ging voraus. »Komm mit.«

Gemeinsam näherten sie sich den vorderen Objekten – Stoffsäcke, erkannte Rosa jetzt. Aus Leinen oder Baumwolle, prall gefüllt. Vier Stangen liefen parallel zu den Seitenwänden unter der Decke entlang. Wahrscheinlich waren hier früher Tierkadaver aufgehängt worden. Ihr Magen rebellierte.

Sie sah sich einen der Säcke genauer an.

Rechts und links zeichneten sich Arme ab.

Keine Beine. Kein Kopf.

Iole streckte eine Hand aus und tippte gegen die vorderste Hülle. Der Haken, mit dem sie an der Stange befestigt war, knirschte leise. Das unförmige Ding geriet in Schwingung.

»Also schön«, sagte Rosa, bemüht um so etwas wie Sachlichkeit, »das sind keine Leichen, oder?«

Iole grinste. »Wie man's nimmt.« Sie fuhr jetzt mit beiden Händen über den Stoff, fand einen Reißverschluss und zog ihn mit einem heftigen Ruck nach unten.

Braunes Fell quoll aus der Öffnung. Iole schob eine Hand hinein und strich über die flauschige Oberfläche.

»Pelzmäntel«, sagte sie. »Hundertsechzehn Stück. Ich hab sie gezählt.«

Rosa neigte den Kopf und versuchte, zwischen den Reihen hindurch bis zur gegenüberliegenden Wand des Kellerschlauchs zu blicken. Aber die hängenden Leinenkokons schienen nach hinten immer enger zusammenzurücken, als wollten sie ihr den Blick ans Ende der Kühlkammer verwehren.

»Meine Großmutter hat hier unten ihre *Pelzmäntel* aufbewahrt?«, flüsterte sie.

»Im Kalten halten sie länger.« Iole klang stolz. »Ich hab's nachgelesen.« Sie hob den vorderen Mantel von der Stange und zog ihn vollständig aus der Hülle. Begeistert rieb sie ihre Wange an dem Kleidungsstück.

Jetzt spürte Rosa wieder, wie sehr sie fror. »Wer braucht auf Sizilien einen Pelzmantel? Und erst recht *hundertsechzehn* Stück!«

Aber die Antwort darauf gab sie sich selbst. Die Cosa Nostra liebte Statussymbole, von prächtigen Anwesen über schnelle Autos bis hin zu Designermode. Manch ein Mafioso sammelte Villen an der Riviera, andere umgaben sich mit Scharen schöner Frauen. Costanza hatte augenscheinlich eine Schwäche für Pelze gehabt. Florinda hatte sie verabscheut, so viel wusste Rosa.

Rosa deutete die Reihen hinab. »Schwarze Lederjacken gibt's keine, oder?«

»Wenn du die Mäntel alle verkaufst, kannst du dir tausend Lederjacken kaufen.«

»Dann hab ich nicht nur die Polizei, sondern auch alle Tierschützer Italiens am Hals.«

»Ich find sie toll!« Iole zog den Mantel über. Er war ihr viel zu groß, der Saum wellte sich rund um ihre Füße am Boden.

Rosa ging langsam zwischen den Leinensäcken hindurch. Vier Reihen – das machte rund dreißig Pelze je Deckenstange. Sie hingen in Abständen von einem halben Meter. Und wie es schien, ging die Kühlkammer jenseits der letzten Stoffhüllen weiter. Sie konnte die Neonröhren im hinteren Teil des Raumes sehen.

»Zieh dir auch einen an«, sagte Iole. »Sonst erkältest du dich noch.«

Wahllos zog Rosa einen der Mäntel aus seiner steifen Schutzhülle und schlüpfte hinein. Der Pelz fühlte sich weich und geschmeidig an, aber nicht nur als Vegetarierin war ihr die Berührung unangenehm.

Langsam drehte sie sich inmitten der Leinensäcke einmal um sich selbst. Auch ihr Mantel schleifte über den Boden. »Was soll ich mit all dem Zeug anstellen?«

»Beerdigen?«

»Was ist hinter den Mänteln, am anderen Ende?«

»Fässer«, sagte Iole achselzuckend.

Rosa runzelte die Stirn und eilte den schmalen Gang hinab. Die breiten Pelzschultern ihres Mantels streiften einige der Leinenbeutel auf ihrem Weg und versetzten sie in sanftes Schaukeln. Als sie zurückblickte, um zu sehen, ob Iole ihr folgte, war überall um sie herum gespenstische Bewegung. So als rührte sich etwas Lebendiges in den Kokons, das im nächsten Augenblick schlüpfen könnte. Iole machte sich einen Spaß daraus, noch weitere anzustoßen, und Rosa musste sich verkneifen, sie anzufahren; Iole trug nun wirklich keine Schuld an ihrer Nervosität.

Endlich kam sie ans Ende der Mantelreihen. Von weitem hatte es so ausgesehen, als würde der Gang nach hinten hin immer enger, aber sie hatte sich geirrt. Was sie für weitere Leinensäcke gehalten hatte, war in Wirklichkeit eine Wand aus weißen Plastikfässern. Doppelt übereinandergestapelt bildeten sie einen Wall, der fast von einer Seitenwand des Kühlkellers zur anderen reichte, quer zu den Gängen. Aber auch damit war das Ende des unterirdischen Raumes noch nicht erreicht. Rechts und links konnte man an der Mauer aus Fässern vorbeigehen.

Iole trat hinter ihr zwischen den schwingenden Mänteln hervor. »Fässer. Sag ich doch.«

»Weißt du, was drin ist?«

»Keine Ahnung.«

»Und dahinter?«

»Ein Schrank. An der Rückwand. Sonst nichts.«

Rosa trat an die Fässer und erkannte beim Blick durch die Zwischenräume, dass es dahinter eine zweite Reihe gab. Sie überschlug kurz die Anzahl und kam auf mindestens vierzig Fässer, jedes gut siebzig Zentimeter hoch und fünfzig im Durchmesser.

»Willst du reingucken?«, fragte Iole unternehmungslustig.

»Gleich.« Rosa setzte sich wieder in Bewegung und schaute um die Ecke des Fässerwalls. Sie hatte sich abermals getäuscht. Es waren nicht zwei, sondern vier Reihen der runden Plastikbehälter. Um die achtzig also.

Noch einmal blickte sie zurück zu Iole, die bereits zu ihr aufschloss. »Erst mal der Schrank. Was ist drin?«

»Er ist abgeschlossen.«

»Das hat dich vorn an der Tür nicht aufgehalten.«

»Mit einem *Schlüssel*.«

»Hast du nicht versucht ihn aufzubrechen?«

»Ein bisschen. Ging aber nicht.«

»Sehen wir's uns an.«

Mit Verschwörermiene folgte Iole ihr. Zwischen der letzten Fässerreihe und der Rückwand lagen drei Meter freie Fläche. Vor der Mauer stand ein grauer Eisenschrank, wuchtig wie ein Altar.

Rosa untersuchte das Schloss. Nichts Kompliziertes. Costanza musste ganz auf den Zahlencode am Eingang vertraut haben. Auf den Straßen von Crown Heights hatte sie Autos geknackt. Das hier war ein Kinderspiel. »Ich brauche irgendwas Spitzes.«

Iole lief zurück um die Fässer und Rosa hörte sie mit den raschelnden Leinensäcken hantieren. Wenig später kehrte sie mit einem Drahtkleiderbügel zurück.

Rosa brauchte keine Minute, dann klickte es im Türschloss des Schranks. »Voilà«, sagte sie, trat einen Schritt zurück und ließ den verbogenen Bügel zu Boden fallen.

Iole wippte aufgeregt von einem Fuß auf den anderen.

Die Türflügel quietschten, als Rosa sie nach außen zog.

Das Neonlicht reflektierte auf Glas. Zahllose Ampullen mit einer gelblichen Flüssigkeit waren auf fünf Regalböden aufgereiht. Alle waren unbeschriftet, Reihe um Reihe der daumengroßen Glasbehälter.

Rosa nahm einen heraus und hielt ihn ins Licht. Der honigfarbene Inhalt war klar und so flüssig wie Wasser.

»Was soll das sein?«, fragte Iole.

»Keine Ahnung.«

»Irgendwelche Drogen?«

»Die hätte sie nicht hier im Palazzo aufbewahrt. Viel zu gefährlich. Für so was gibt es geheime Lager überall auf Sizilien.«

Iole nahm ebenfalls eine Ampulle in die Hand. »Vielleicht hat deine Großmutter selbst welche gebraucht. Oder Florinda.«

Zumindest für ihre Tante konnte Rosa das mit einiger Sicherheit ausschließen. Was aber Costanza anging ... Sie wusste viel zu wenig über sie. Trotzdem passte das alles nicht zueinander. Die Pelzsammlung, diese Ampullen. Die Fässer.

Sie stellte den Behälter zurück ins Regal. »Schauen wir uns mal an, was da drin ist.« Sie trat vor den Wall aus Fässern und versuchte, eines in der oberen Reihe anzuheben.

Iole eilte an ihre Seite. »Warte, ich helf dir.«

Gemeinsam wuchteten sie das Fass zu Boden. Es hatte einen Schraubverschluss wie ein Marmeladenglas, rundum mit breitem Klebeband gesichert.

Rosas schwarz lackierte Fingernägel waren zu kurz, um es zu lösen. Iole stellte sich geschickter an. Mit einem ratschenden Geräusch riss sie das Band herunter, verhedderte sich mit den Fingern darin und hatte erst einmal genug damit zu tun, sich aus dem klebrigen Gewirr zu befreien. Rosa half ihr ungeduldig, weil sie darauf brannte, den Deckel zu öffnen.

Schließlich schraubte sie ihn beidhändig um eine Vierteldrehung nach links. Ein Zischen ertönte wie bei einer Tupperware-Dose.

»Uh«, machte Iole und hielt sich die Nase zu.

Rosa holte Luft durch den Mund, dann hob sie den Deckel herunter. Der Gestank war abscheulich. Sie machte sich auf einiges gefasst.

Zum Vorschein kam ein schmutziges, verklebtes Fell. Im ersten Moment war sie überzeugt, dass es sich um einen Tierkadaver handelte. Die Kälte des Kühlkellers und der luftdichte Verschluss des Fasses hatten Fäulnis im Inneren verhindert, aber der Geruch nach altem Blut drang aus dem Behälter.

Iole würgte. »Eklig.«

Rosa streckte widerwillig eine Hand aus und berührte den Pelz. Dass sich darunter nichts bewegte, war eine ziemliche Erleichterung. Zögernd griff sie mit der zweiten Hand zu, bekam den Rand zu fassen und zog das Fell mit ausgestreckten Armen wie ein Wäschestück nach oben.

Es war kein Kadaver, sondern ein abgezogener, sandbrauner Pelz. An der Unterseite klebten getrocknetes Blut und Hautreste.

Iole wollte das Fell berühren, zog die Finger aber kurz davor wieder zurück. »Daraus wollten sie neue Mäntel machen, oder?«

»Sieht so aus.«

»In dem Fass sind noch mehr davon.«

Rosa legte den ersten Pelz am Boden ab, hob mit spitzen

Fingern einen zweiten hervor und breitete ihn darüber. Für den dritten musste sie sich so tief in das Fass beugen, dass sie sich beinahe übergeben hätte. Es gab noch einen weiteren ganz unten, aber den ließ sie, wo er war.

»Vier«, stellte sie fest. »Mal achtzig.«

»Das sind 'ne Menge Pelze«, sagte Iole. »Wie viele braucht man für einen Mantel?«

Rosa zuckte die Achseln und blickte wieder zurück zu den Ampullen mit der gelben Flüssigkeit. Es gab noch eine andere Möglichkeit als Drogen. Sie trat zum Schrank, nahm erneut eine der kleinen Glasröhren in die Hand und betrachtete sie genauer. Der verplombte Metalldeckel besaß einen runden Gummikern, durch den eine Kanüle gestoßen werden konnte, um die Flüssigkeit in einer Spritze aufzuziehen. Oder um einen Injektor damit zu laden.

»Sieh mal«, sagte Iole. »Da hängen kleine Schilder an den Pelzen.«

Rosa verkrampfte sich.

»Es steht was drauf.«

Mit bebenden Händen begann Rosa, den Pelzmantel auszuziehen. Es war, als hätte er sich an ihrem Körper festgesaugt.

»Das sind Namen.«

Der Mantel fiel rund um Rosa zu Boden. »Iole«, brachte sie tonlos hervor. »Zieh das Ding aus.«

Aber das Mädchen kauerte unbeirrt über den Pelzen und las die Schilder vor. »Paolo Mancori ... Barbara Gastaldi ... Gianni Carnevare.«

»Iole. Der Mantel.« Rosas Beine fühlten sich an wie taub, als sie einen ungelenken Schritt aus dem Kleidungsstück machte.

»Kennst du einen von denen?«, fragte Iole.

Rosa trat hinter sie und musste sich zwingen, den Pelzmantel zu berühren, um ihn von Ioles Schultern zu heben.

»Hey!«

Energischer zog Rosa ihr das schwere Kleidungsstück herunter. »Wir verschwinden von hier.« Angewidert warf sie den Mantel fort.

»Aber –«

Rosa zerrte sie auf die Füße, packte sie an den Schultern und blickte ihr fest in die Augen.

»Diese Pelze«, sagte sie, »stammen nicht von Tieren.«

»Nicht?«, fragte Iole mit belegter Stimme.

Rosa führte sie am Arm um die Fässer, bis sie vor sich die Reihen aus hängenden Leinensäcken sahen, all die Mäntel unter den grauen Hüllen.

»Das alles«, flüsterte sie, »waren einmal Arkadier.«

Apollonio

Haben Sie das gewusst?«, fauchte sie in den Hörer. »Scheiße, natürlich wussten Sie's!«

Trevini seufzte am anderen Ende der Leitung. »Wir sollten das nicht am Telefon besprechen.«

»Ich will jetzt die Wahrheit wissen!« Sie war am Abend mit Alessandro verabredet, aber statt sich auf ihn zu freuen, musste sie sich nun mit diesem Mist herumschlagen.

»Sie sind unvernünftig. Sie lassen sich da zu etwas hinreißen, das –«

»Mir reicht's!« Sie sprang vom Drehsessel auf, umrundete den riesigen Schreibtisch und begann, im Arbeitszimmer auf und ab zu laufen. Ihre schweren Metallkappenschuhe hämmerten auf das Parkett, als würde ein Sonderkommando den Palazzo stürmen.

Der Rechtsanwalt stieß im fernen Taormina den Atem aus. »Warten Sie.« Etwas klickte in der Leitung, gefolgt von einem Rauschen, dann einem erneuten Klacken. »So, das ist besser.«

»Was?«

»Ich habe einen Verzerrer zwischengeschaltet, damit Sie uns nicht alle ans Messer liefern. Sie werden niemals – *niemals!* – wieder versuchen, über solche Dinge mit mir am Telefon zu reden, ohne mich vorzuwarnen.«

»Was sind das für Pelze im Keller? Warum hat meine Großmutter sie da unten gesammelt? Woher stammen sie? Und warum so *viele?*«

»Costanza hat diese Menschen nicht getötet, Rosa. Wenn es das ist, was Sie so aufbringt. Und wenn man denn überhaupt von Menschen sprechen will.«

»Bin ich für Sie kein Mensch, Avvocato Trevini?«

Er lachte leise. »Tatsächlich wünsche ich mir, Sie wären etwas *weniger* menschlich. Wie Ihre Großmutter.«

»Sie war ein Ungeheuer!«

»Eine Sammlerin mit erlesenem Geschmack.«

»*Geschmack?* Tickt's bei Ihnen noch richtig? Das da unten waren einmal Männer und Frauen! Und zwar ein paar Hundert!«

»Wie gesagt: Sie hat sie nicht eigenhändig getötet. Sie hat ihren Tod nicht mal in Auftrag gegeben.«

»Oh, das ist beruhigend.«

»Wir sollten das –«

»Bei Ihnen besprechen? Vergessen Sie's.«

»Die Abhörspezialisten der Staatsanwaltschaft brauchen nicht länger als drei, vier Minuten, um das Signal des Verzerrers zu knacken. Falls sie uns gerade zuhören, bleibt uns nicht viel Zeit.«

»Dann drücken Sie eben noch mal auf den Knopf.«

»Sie sind aufgebracht, weil –«

»Weil ich in meinem Keller ein Scheißmassengrab entdeckt habe!«

Er schien etwas zu trinken, sie hörte ein leises Gluckern. Jeden Moment würde sie platzen vor Wut. In einem hatte er Recht: Sie musste sich dringend beruhigen, erst mal runterkommen.

Widerwillig nutzte sie die kurze Pause, um zurück zum Schreibtischstuhl zu gehen. Florindas geräumiges Arbeitszimmer – ein ehemaliger Salon des Palazzo mit dunkel getäfelten Wänden und Blick von einem schmiedeeisernen Balkon auf den Innenhof – war ihr fremd. Sie fühlte sich darin klein und deplatziert.

Es knackte und rauschte wieder in der Leitung. Trevini hatte das Signal neu codiert. Weitere drei Minuten.

»Also?«, fragte sie.

»Ich weiß nicht viel darüber, das müssen Sie mir glauben.

Costanza hatte ein Faible für Pelze aller Art. Der Palazzo war voll davon. Kaminvorleger, Läufer, sogar Vorhänge. Sie hat Pelze über alles geliebt. Nach ihrem Tod verschwand das meiste davon. Florinda hat alles entsorgen lassen.«

»Florinda hat nichts von dem Kühlraum gewusst?«

»Doch, ich denke schon. Vielleicht hat sie die Wahrheit verdrängt.«

»Wer weiß noch davon?« Plötzlich kam ihr ein Gedanke. »Ist *das* der Grund, warum alle anderen Clans die Alcantaras so hassen?«

»Wenn die anderen auch nur etwas davon ahnten, wäre Ihre Familie schon vor Jahrzehnten ausgelöscht worden. Nichts davon darf jemals bekannt werden, sonst geht der Palazzo innerhalb weniger Stunden in Flammen auf – und wir alle mit ihm.«

Sie ließ den Kopf zurück gegen die ledergepolsterte Lehne sinken. »Das heißt, Sie und ich und Iole sind die Einzigen, die davon wissen?«

»Sagen Sie nicht, Sie haben diesem unzurechnungsfähigen *Kind* davon erzählt!«

»Iole ist nicht unzurechnungsfähig! Abgesehen davon war sie es, die den Code geknackt hat. Sie hat die Mäntel gefunden.«

»Herrgott noch mal!« Seine Aufregung hob ihre Stimmung ein wenig. Es gefiel ihr, ihn aus der Fassung zu bringen. »Sie müssen die Kleine zum Schweigen bringen!«

»Iole wird keinem Menschen davon erzählen. Lassen Sie das meine Sorge sein.«

Sein Schnauben klang verächtlich. »Es gibt noch jemanden.«

»Wen?«

»Einen Mann namens Apollonio. Er hat Ihre Großmutter mit den Pelzen beliefert. Ich kannte ihn nicht, hatte nie zuvor von ihm gehört. Aber kurz nach Costanzas Tod meldete er sich bei mir und erklärte, dass sie ihm bei ihrem Ableben Geld schuldig geblieben sei. Offenbar war sie nicht mehr dazu gekommen, die Kosten für seine letzte Lieferung zu begleichen.«

»Was haben Sie getan?«

»Ich habe ihm den Betrag auf ein Nummernkonto überwiesen, um ihn erst einmal ruhigzustellen. Und dann habe ich Davide angerufen.«

Sie horchte auf. »Meinen Vater?«

»Natürlich.«

»Aber der hatte doch zu dem Zeitpunkt längst nichts mehr mit den Geschäften des Clans zu tun.«

»Ich habe immer gehofft, dass er eines Tages zurückkehrt, um seinen rechtmäßigen Platz an der Spitze der Familie einzunehmen.«

Interessant. Trevini hatte Florinda demnach so wenig gemocht, dass er diese Sache lieber mit dem verstoßenen Sohn der Alcantaras als mit ihr besprochen hatte. »Was hat mein Vater gesagt?«

»Er war sehr aufgeregt.«

»Kann ich mir vorstellen. *Ich* bin sehr aufgeregt.«

»Davide wollte alles über diesen Apollonio erfahren und wies mich an, zunächst nichts weiter zu unternehmen.«

»Haben Sie Florinda informiert?«

»Auch das hat er mir ausdrücklich untersagt.«

»Und Sie haben nur zu gern gehorcht, nicht wahr?«

»Ihre Tante war kein so fähiges Familienoberhaupt, wie sie selbst geglaubt hat. Zudem war sie Salvatore Pantaleone hörig. Gut, dass er tot ist.«

Wusste Trevini, dass Rosa für Pantaleones Tod verantwortlich war? Eigentlich unmöglich. Aber mittlerweile traute sie ihm so einiges zu.

»Warten Sie«, sagte er, »das Signal ...« Wieder das Klicken und Rauschen. »In Ordnung«, erklärte er schließlich.

Sie versuchte ihre Gedanken zu sortieren. Zwei Dinge gab

es, über die sie mehr herausfinden musste. »Hat mein Vater noch irgendwelche anderen Anweisungen gegeben?«

»Nein. Er bat mich, die Sache auf sich beruhen zu lassen. Und er sagte, dass er sich um alles Weitere persönlich kümmern würde.«

»Wann genau ist das gewesen?«

»Kurz vor seinem Tod.«

Das mysteriöse Telefongespräch, von dem ihre Mutter erzählt hatte. Die merkwürdige Reaktion ihres Vaters darauf. Und dann die überstürzte Entscheidung, seine Frau und die beiden Töchter zu verlassen und nach Europa zu gehen.

»*Sie* waren das«, flüsterte sie.

»Ich verstehe nicht.«

»Der Grund dafür, dass er abgehauen ist. Sie haben ihn angerufen und danach ist er …« Sie brach ab und drehte sich langsam mit dem Schreibtischstuhl im Kreis.

»Ich weiß nicht, was passiert ist«, sagte Trevini. »Aber es scheint, dass Apollonio Anlass genug für ihn war, wieder selbst aktiv zu werden.«

»Erzählen Sie mir alles über diesen Apollonio. Jedes Detail!«

»Wie ich schon sagte: Ich weiß nicht viel über ihn. Erst hat sich eine Anwaltskanzlei aus Rom in seinem Auftrag gemeldet. Es gelang mir schließlich, selbst mit ihm zu sprechen, aber niemals von Angesicht zu Angesicht, nur telefonisch. Ich wusste von Costanzas Sammlung im Keller –«

Warum eigentlich?

»– und bin immer davon ausgegangen, dass sie mich als Einzigen ins Vertrauen gezogen hatte. Dieser Apollonio aber ließ keinen Zweifel daran, dass er sehr genau über alles im Bilde war.«

»Hat er versucht Sie zu erpressen?«

»Nun, ich musste ihm wohl oder übel glauben, dass er der Lieferant der Pelze war. Und ich hielt es für denkbar, dass die letzte Zahlung auf Grund von Costanzas plötzlichem Tod unbeglichen geblieben war. Er drohte damit, die Angelegenheit publik zu machen. Diese Sache hätte das Ende der Alcantaras bedeuten können.«

»Ein Bruch des Konkordats«, murmelte sie.

»Schlimmer«, widersprach er. »Verrat.«

Das Wort schien einen Augenblick lang in der Leitung nachzuhallen. »TABULA?«, flüsterte sie tonlos.

»Apollonio hat dieses Wort nie erwähnt. Aber, ja, ich glaube, dass es einen Zusammenhang gibt. TABULA stellt Experimente mit Mitgliedern der Dynastien an. Wie sonst hätte er an die Pelze so vieler Arkadier kommen können?«

Sie erinnerte sich an das Video, das Cesare Carnevare ihr gezeigt hatte. Endlose Käfigreihen, in denen Arkadier in Tiergestalt eingesperrt waren. Offenbar hatten die Gefangenen die Fähigkeit verloren, sich in Menschen zurückzuverwandeln.

»Soweit ich weiß«, fuhr Trevini fort, »ist kaum einer, der von TABULA entführt und festgehalten wurde, jemals wiederaufgetaucht.«

»Und Sie denken, diese Leute sind krank genug, um ihren Opfern die Felle abzuziehen und sie zu verkaufen? Ausgerechnet *zurück* an eine Arkadierin?« Sie musste unwillkürlich an Alessandro denken. An sein schwarzes, seidiges Pantherfell.

»Vielleicht gibt es noch andere Sammler. Vielleicht auch nicht. Ich kann Ihnen darauf keine Antwort geben.«

»Schön«, sagte sie nach kurzer Pause. »Dieser Apollonio hat also die Pelze von TABULA bezogen. Wahrscheinlich gehört er sogar selbst dazu. Und meine Großmutter hat Geschäfte mit ihm gemacht, mit TABULA, dem Todfeind aller Arkadischen Dynastien.«

»Das ist die Gefahr, die ich damals gesehen habe. Und auf die ich reagieren musste.«

»Hat mein Vater davon gewusst?«

»Er hat dieselben Schlüsse gezogen wie Sie gerade eben.«

»Und Sie haben keine Idee, was er unternehmen wollte?«

»Nicht die geringste. Er hat mir ausdrücklich untersagt, weitere Nachforschungen in dieser Sache zu betreiben. Er wollte alles selbst in die Hand nehmen.«

»Was er nicht überlebt hat.«

»Möglicherweise hat er Apollonio aufgespürt. Und die Begegnung ging nicht gut für ihn aus.« Er räusperte sich. »Aber das ist alles reine Spekulation.«

»Glauben Sie, Florinda wusste davon?«

»Zumindest hat sie es nie erwähnt.«

Wie sonst aber, wenn nicht von Florinda, hätte Zoe davon erfahren können? War das die Verbindung zwischen ihrem Vater und TABULA, von der Zoe kurz vor ihrem Tod gesprochen hatte?

»Ist das alles?«, fragte Rosa.

»Ich habe den Wunsch Ihres Vaters respektiert. Apollonio war seine Angelegenheit, nicht mehr meine.«

»Und das soll ich Ihnen glauben?«

Trevinis Tonfall wurde eisig. »Sie mögen mich nicht. Dafür habe ich Verständnis. Aber ziehen Sie nicht meine Loyalität in Zweifel. Ich habe keine dreißig Jahre für diese Familie gearbeitet, um mich jetzt von Ihnen beleidigen zu lassen.«

»Nennen Sie es allen Ernstes Loyalität, etwas so Wichtiges vor Florinda geheim zu halten?«

»Was ich tue, gilt dem Besten des Clans. Ihr Vater, Rosa, wäre vielleicht ein guter *capo* geworden. Deshalb war ich auf seiner Seite. So wie die Dinge heute liegen, gibt es aber nur noch eine einzige Seite in dieser Familie – Ihre. Das sollte Ihnen genügen, um mir zu vertrauen.«

»Wenn ich Ihnen den Auftrag gebe, mehr über diesen Apollonio herauszufinden – dort weiterzumachen, wo Sie vor elf Jahren aufgehört haben –, werden Sie das tun?«

»Ich kann Ihnen keine Resultate versprechen, aber ja, selbstverständlich.«

»Ich wäre Ihnen sehr dankbar.« Und es gelang ihr, das zu sagen, ohne mit den Zähnen zu knirschen.

»Wir sollten dieses Gespräch jetzt beenden«, sagte er. »Aber eines noch: Ihnen ist hoffentlich bewusst, dass Sie mit niemandem, absolut *niemandem*, über das sprechen dürfen, was Sie im Keller gefunden haben.«

»Sie meinen Alessandro Carnevare?«

»Was immer Sie über ihn denken mögen, was immer Sie für ihn empfinden – trauen Sie ihm nicht. Hier geht es nicht allein um Sie, Rosa, sondern um das Schicksal Ihres Clans. Um alles, was Costanza und ihre Vorfahren aufgebaut haben.«

Und um ihn. Das meinte er doch.

Sie schwieg.

»Machen Sie nicht den Fehler, in ihm nur den verliebten jungen Mann zu sehen«, warnte Trevini sie mit einem Unterton, der sie frösteln ließ. »Alessandro Carnevare ist sehr viel mehr als das. Er ist ehrgeizig. Er ist zornig und unversöhnlich. Und er ist gefährlich. Bitte denken Sie immer daran, bei allem, was Sie tun.« Er schwieg einen Moment, dann sagte er noch einmal: »Erwähnen Sie ihm gegenüber nichts von alldem. Das müssen Sie mir versprechen.«

Sie musste gar nichts.

»Ich bitte Sie«, sagte er eindringlich. »Kein Wort.«

Rosa legte auf.

Drei Worte

Ein paar *Hundert*?«, entfuhr es Alessandro.

»Das ganze Kühlhaus ist voll.«

Er schüttelte langsam den Kopf, fassungslos, und einen Moment lang fürchtete sie, das alles könnte auf sie zurückfallen. Was, wenn er sie mit ihrer Großmutter über einen Kamm schor? Wenn er zu glauben begann, was alle ihm seit Monaten einredeten? Dass sie schlecht für ihn war, schlecht für die ganze Cosa Nostra, und dass es ein Fehler war, sich mit einer Alcantara einzulassen.

Rosa saß in der Abenddämmerung neben ihm auf den Zinnen des Castello Carnevare und blickte über die Ebene am Fuß des Burgberges. Das Land war nicht so flach, wie es auf den ersten Blick erschien; je weiter man sich vom Castello entfernte, desto hügeliger wurde die Gegend. Hier im Zentrum Siziliens war die Landschaft karg und unwirtlich, ein Meer aus ockerfarbenen Bodenwellen, durchzogen von ausgetrockneten Flussbetten, über die sich uralte Brücken aus Bruchstein spannten. Die Sonne war im Westen hinter dem Horizont versunken. Auf einer Straße, einige Kilometer entfernt, fuhr ein einzelnes Auto. Seine Scheinwerfer waren zwei einsame Sterne inmitten der Düsternis.

Rosa und Alessandro kauerten in Decken gehüllt ganz eng beieinander. Beide hatten die Knie angezogen und die dicke Wolle eng um die Körper geschlungen. Sie saßen unmittelbar am Abgrund; falls jemand sie von hinten stieß, gab es keinen Halt. Fünfzehn Meter bis zum Fuß der Burgmauer, dann ein ungebremster Sturz den felsigen Hang hinunter.

Aber Rosa spürte nicht einmal Unruhe. Nirgends hatte sie sich je so geborgen gefühlt wie bei ihm, ihre Schulter an seiner, ihre Finger fest mit seinen verhakt.

»Ich liebe dich«, sagte er.

Es kam so unvermittelt, dass sie schluckte. Ganz gleich, worüber sie gerade eben noch gesprochen hatten – ihre Empfindungen waren im Einklang, sie fühlten beide dasselbe. Die Bereitschaft, füreinander da zu sein, für immer.

Sie sagte nichts. Sie konnte es noch immer nicht, brachte die Worte einfach nicht über die Lippen, nicht *so*, dass sie echt klangen, wahrhaftig. Schon wenn sie diesen Satz dachte, *Ich liebe dich*, hörte er sich für sie gekünstelt an. Sie hatte versucht, es ihm zu erklären, und in seinen Augen las sie, dass er verstand.

Sie lehnte ihren Kopf an seine Schulter, spürte seine Lippen in ihrem Haar.

»Wie machst du das?«, fragte sie und blickte in die Ferne.

»Was?«

»So zu sein, wie du bist. Mich gernzuhaben, trotz allem, was ich dir gerade erzählt habe.«

»Das hat nichts mit uns zu tun. Was deine Großmutter getan hat – das ist so lange her. Wir können doch nichts für das, was unsere Vorfahren verbrochen haben.«

Sie hob den Kopf. Im Grün seines Blickes spiegelte sich der Horizont. Einige Herzschläge lang sah sie die Welt mit seinen Augen. Größer, weiter, und trotzdem so nah, dass man danach greifen konnte. Für ihn war nichts unerreichbar.

Sie hatte ihm alles erzählt. Nicht nur von dem grausigen Fund im Kühlkeller, auch von ihrem Besuch bei Trevini und dem Abkommen, das sie mit ihm geschlossen hatte. Und von der gefangenen Valerie.

»Ich muss es loswerden«, sagte sie und erkannte gleich darauf, dass er das falsch verstehen könnte. »Nicht *sie*. Das Zeug im Keller, meine ich. Aber wenn ich es verbrennen lasse, laufe ich Gefahr, dass irgendwer die Namen an den Pelzen sieht.«

»Wir können die Schilder vorher abreißen.«

»All die Fässer öffnen? Jeden einzelnen Pelz in die Hand nehmen?« Sie schüttelte den Kopf. »Lieber ziehe ich woandershin und lasse den ganzen Palazzo in die Luft sprengen.«

»Mit woandershin meinst du –«

»Nicht hierher. Das wäre nicht gut ... nicht sicher«, fügte sie nach einem Moment hinzu. »Komisch genug, dass sie überhaupt zulassen, dass wir uns sehen.«

»Die meisten haben im Moment andere Sorgen.«

»Der Hungrige Mann?«

Alessandro nickte. »Die einen fürchten mehr denn je, dass seine Rückkehr kurz bevorsteht. Und die anderen können es gar nicht mehr erwarten. Allein die Aussicht, dass er irgendwann vom Festland zurück nach Sizilien kommen könnte, lässt sie aufeinander losgehen. Ich hab's gesehen, in einem Konferenzraum in Catania ... Kultivierte Männer in teuren Anzügen. Sie hätten sich buchstäblich auf dem Konferenztisch zerfleischt, wenn wir anderen sie nicht auseinandergerissen hätten. Sie haben sich verwandelt, diese Idioten. Ein Glück, dass nur Arkadier im Raum waren, sonst –«

»Es gerät außer Kontrolle, oder? Die alten Regeln der Dynastien, die Gesetze des Tribunals, all die Abkommen, um den Frieden aufrechtzuerhalten ... Nicht mehr lange, und das alles bedeutet gar nichts mehr.«

Er lächelte traurig. »Ich kenne einige, die behaupten, die Sache mit uns beiden ist schon ein Teil davon. Nichts ist mehr, wie es war. Alcantaras und Carnevares unter einer Decke.«

Sie zupfte an ihrer. »Zwei Decken. Mist auch.«

Er wandte den Oberkörper zu ihr und schob eine Hand unter die weiche Decke. Seine langen, schönen Finger berührten ihren nackten Oberschenkel. Kletterten weiter nach oben. Sie trug nur ein zu großes T-Shirt und ein Paar seiner Shorts. Sie waren im Pool gewesen, unten in der Burg, danach in der

Sauna. Ihre eigenen schwarzen Sachen lagen zerknüllt irgendwo am Beckenrand.

»Warte«, sagte sie und verschluckte sich fast.

Seine Hand verharrte. »Schlangenalarm?«

»Auch. Aber ich muss mit dir reden. Erst mal, meine ich. Also – normal reden.«

Sein Lächeln wurde noch breiter. Ein Wind aus der Ebene, aus dem Süden – vielleicht aus Afrika, wie er immer behauptete –, fuhr in sein strubbeliges Haar. Es war nicht mehr nussbraun wie sonst, sondern fast schwarz. Er hatte es kaum besser unter Kontrolle als sie, ganz gleich, was er von den Raubkatzen im Zoo gelernt haben wollte.

»Valerie«, sagte sie. »Ich weiß nicht, was ich mit ihr tun soll.«

Er stieß einen Seufzer aus. Sie spürte seine Fingerspitzen wie Samtpfoten zurücktasten. »Und du meinst, sie ist verantwortlich für das, was passiert ist?«

»Jedenfalls zum Teil.« Warum sagte sie es nicht, wie es war? Valerie hatte sie ausgeliefert, an Tano, Michele und die anderen. Da gab es nichts zu beschönigen.

»Dann lass sie bei Trevini verschimmeln.« Er meinte es genauso, wie er es sagte, das sah sie ihm an.

»Ich kann das nicht«, erwiderte sie. »Jemandem den Auftrag geben, sie zu töten. Oder einfach so tun, als wüsste ich nichts davon. Es fühlt sich an, als liefe sie die ganze Zeit neben mir – wie an einer Kette. Sogar wenn ich Iole ansehe, sehe ich Valerie.« Sie wühlte sich die Decke zurecht, als eine kalte Brise an der Mauer heraufstrich und unter das Gewebe fuhr. »Wir beide haben Iole damals befreit, weil deine Familie sie eingesperrt hatte. Und jetzt soll ich so etwas Valerie antun?«

»Iole war unschuldig«, entgegnete er. »Valerie ist es nicht.«

»Das weiß ich alles. Und trotzdem …« Sie schüttelte den Kopf. »Trevini und die anderen haben Recht. Als Mafiachefin bin ich eine Katastrophe.« Sie lachte auf. Es klang hysterisch und machte sie wütend auf sich selbst. »Sogar wenn ich es sage, klingt es wie ein schlechter Witz. Mafiachefin!«

»Dann stell ihr Fragen. Versuch herauszufinden, was damals wirklich passiert ist. Was Michele von dir gewollt hat.«

»Tano«, verbesserte sie ihn.

»Sie beide.« Die Wut, die in seiner Stimme mitschwang, ließ sie stärker schaudern als der kühle Wind aus der Tiefe. Aber die Gänsehaut auf ihren Armen und Beinen fühlte sich gut an, ganz natürlich, nicht wie der Eisatem der Schlange.

»Ich kann nicht mit ihr reden«, sagte sie nach einem Augenblick. »Dann gehe ich ihr doch noch an die Gurgel. Es ist … Ich bin vor mir selbst erschrocken, weißt du? Als sie da saß, in dieser Zelle, völlig hilflos, auf irgendwelchen Drogen – sie hat mir nicht mal leidgetan.«

»Sie hat auch nichts Besseres verdient.«

»Das sagt sich so einfach. Aber für jemanden, der nicht von Kind auf das kleine Mafia-Einmaleins gelernt hat, ist das ein bisschen komplizierter.«

Lächelnd streichelte er ihr über die Wange. »Wo ist denn die toughe Rosa, die damals mit mir im Flugzeug saß?«

»Das Seltsame ist, dass mich das alles irgendwie härter machen müsste. Abgeklärter. Aber stattdessen passiert genau das Gegenteil.« Sie fuhr sich durchs Haar und legte das Kinn auf die Knie. »Ich versteh mich selbst nicht mehr. Und das ist ein Scheißgefühl. So will ich das nicht. Kann nicht einfach wieder alles so sein, wie es war, bevor Trevini die Sache von neuem aufgerollt hat?«

»Er ist berechnend. Er hat genau gewusst, was er macht.«

»Ja, sicher. Aber jetzt ist es zu spät. Ich kann nicht einfach so tun, als hätte ich das Video nie gesehen.«

Er blickte ins Dunkel. »Fragst du mich, was ich an deiner Stelle tun würde?«

Das wusste sie längst. Und es war nicht das, was sie wollte. »Nein.«

Eine Weile verging, ohne dass einer von ihnen etwas sagte. Ihre Hände fanden wieder zueinander, aber er machte keinen neuen Versuch, ihr noch näher zu kommen. Wahrscheinlich war es an ihr, den nächsten Schritt zu tun.

Doch sie sagte nur: »Und dann dieses Schiff.«

»Ich hab ein paar Leute darauf angesetzt, so viel wie möglich über Thanassis und die *Stabat Mater* herauszufinden. Mehr als ein paar Zeitungsmeldungen haben sie nicht aufgestöbert. Scheint so, als hätte er sich auf alle möglichen Arten abgeschottet. Um seine Geschäfte und sein Privatleben hat er so was wie eine Firewall errichtet. Nicht leicht, da durchzukommen.«

»Glaubst du, er gehört zu TABULA?«

»Hätte TABULA denn ein Interesse an den Statuen?«

»Woher soll ich das wissen?«

»Eben. Wir wissen gar nichts.« Er machte keinen Hehl aus seiner Ratlosigkeit, und es tat gut, ihn auch einmal so zu erleben. Ohne Antworten. Ohne Vorschläge. Ohne irgendeinen Ausweg.

»Das sind einfach zu viele Dinge, die ich nicht verstehe«, sagte sie. »Und jetzt auch noch mein Vater. Kann nicht irgendwas mal ganz einfach sein?«

»Was hast du zu Trevinis Vorschlag gesagt?«

»Was meinst du?«

»Als er dir vorgeschlagen hat wegzugehen. Einen Haufen Geld einzupacken und von hier zu verschwinden.«

»Dass er sich ins Knie ficken kann. So ungefähr jedenfalls.«

»Er hat Recht.«

»Was?« Sie starrte ihn an, sein feines Profil, das im Indigolicht der Dämmerung aussah wie mit einer Feder gezogen. »Das sagst ausgerechnet du?«

»Ich hab darüber nachgedacht«, gestand er. »Nicht nur einmal.«

»Red keinen Blödsinn. Du bist genau da, wo du hinwolltest.«

»Aber du bist mir wichtiger.«

»Ich lauf dir nicht weg.« Sie versuchte es mit einem Lächeln. »Du hast eine Sauna. Und 'nen klasse Pool. Um nichts in der Welt würde ich darauf verzichten.«

»Vielleicht gehen wir trotzdem fort, irgendwann.«

»Klar.« Sie glaubte nicht eine Sekunde daran.

»Kann ich sie mir ansehen? Die Pelze?«

»Komm morgen vorbei. Vielleicht schaffst du's, bevor die Dorfbewohner mit Fackeln den Berg heraufmarschieren, um das Ungeheuer auf den Scheiterhaufen zu stellen.«

»Deine Großmutter war ein Ungeheuer. Aber du bist keins.«

Sie riss theatralisch die Augen auf. »Reptil? Drei Meter lang? Wie klingt das für dich? Aber, hey, das ist mein Leben: Mein Freund verwandelt sich in das schönste Tier der Welt, und was wird aus mir? Godzilla.«

Er zog sie an sich, und sie war dankbar dafür. Oft ahnte er, was ihr guttat, noch bevor sie selbst es wusste. Aber warum passierte ihr umgekehrt nie das Gleiche? Fiel es ihm deshalb so leicht zu sagen, dass er sie liebte – und ihr so schrecklich schwer? Wie lange hatte sie um Zoe getrauert? Nicht lange. Was empfand sie für ihre Mutter? Nicht genug. *Konnte* sie womöglich gar nicht so wie andere lieben? War in Wahrheit das ihr Problem?

Er küsste sie, und während ihre Zungenspitzen sich berührten, dachte sie: Natürlich liebe ich ihn, mehr als irgendetwas auf der Welt.

Als seine Hände unter ihr Hemd krochen und Rosas Finger seine Arme berührten, von dort aus die Brust – das alles in einem Gewirr aus Deckenzipfeln, verwickelten Shirts und Shorts, ein bisschen ungelenk und gerade deshalb doch ganz sie selbst –, da wurde vieles egal und anderes wichtiger, und sie dachte: Lass nicht zu, dass dich die Schlange beherrscht!

Sie spürte das Pantherfell in seinem Nacken und die Schuppen auf ihren Händen. Sie hörte, wie beides aneinanderrieb, und das Geräusch ließ sie erzittern bis ins Mark. Wie sanfte Stromschläge, ein zartes Vibrieren, das lange anhielt, viel länger als sonst, ehe schließlich doch noch die gefürchtete Kälte kam und die Verwandlung und das Ende von etwas, das nicht einmal richtig begonnen hatte.

Schlängelnd und schnurrend lagen sie zwischen den Zinnen beieinander, nicht in der Lage, Mensch zu bleiben. Aber für den Augenblick war es trotzdem in Ordnung, weil es ihre Natur war, ihre Gemeinsamkeit; und vielleicht sogar ihre Bestimmung, wenn sie es nur genug wollten.

Gewissheit

W as hast du denn vor?« Iole eilte hinter Rosa her über den Innenhof des Palazzo. Hektisch wischte sie sich Spinnweben aus
dem Gesicht, die sie sich an der Tür des Werkzeugraums ein-
gefangen hatte.

Rosa lief vorneweg zum Tortunnel unter dem Vorderhaus.
Ihre Schritte hallten unter der gewölbten Decke wider, kaum
gedämpft von den wattigen Schimmelflecken, die wie Gewit-
terwolken über ihr hingen. Eine Spitzhacke lag schwer in ihren
Händen, aber trotz des Gewichts wurde Rosa noch schneller.

»Rosa! Lass mich dabei sein, wenn du was kaputt machst!«
Ioles Stimme schien im Tunnel von allen Seiten zugleich zu
kommen, obwohl sie mehrere Meter hinter Rosa durch das
Halblicht hastete. Das Mädchen trug eine weite Leinenhose
und einen weißen Rollkragenpullover; sie wirkte erwachsener
darin als in den Sommerkleidern. Ihr kurzes schwarzes Haar
schimmerte fast bläulich, als sie aus dem Tortunnel ins Freie
rannte.

Ein Blick über die Schulter bestätigte, was Rosa befürchtet
hatte: Iole hatte Signora Falchi im Schlepptau. Was kein Wunder war. Iole hatte Rosa durch die Fenster des Unterrichtszim-
mers auf dem Hof beobachtet und war hinausgestürmt, unge-
achtet aller Einwände der empörten Lehrerin. Sie war Rosa in
die Werkzeugkammer gefolgt, wo die Gartengeräte und andere
Utensilien aufbewahrt wurden.

»Iole! Signorina Alcantara!« Die Lehrerin wirbelte mehrere
Meter hinter Iole aufgebracht mit den Armen. »Nun hören Sie
mir doch bitte *einmal* zu.«

Rosa lief weiter.

»Sag schon«, verlangte Iole, »was willst du mit dem Ding?«

Rosa gab keine Antwort. Sie hatte die Lippen fest aufeinandergepresst. Womöglich würde sie es sich anders überlegen, wenn sie laut aussprach, was sie vorhatte.

Sie lief um die Südostecke des Palazzo auf den ungepflegten Weg, der zur bergauf gewandten Seite des Anwesens führte. Vor vier Monaten, anlässlich der Bestattung von Zoe und Florinda, waren Unkraut und Bodendecker entfernt worden, die zuvor den Weg überwuchert hatten; einiges davon war im milden Winterklima Siziliens nachgewachsen, wenn auch nicht so wild wie zuvor. Die Schatten der Kastanien an der Grenze zum Pinienwald weiter oben auf dem Berg reichten um diese Uhrzeit nicht bis zur Ostfassade. Um elf Uhr morgens stand die Sonne schon zu hoch, sie glühte matt am diesigen Februarhimmel.

Im Laufen drehte Rosa die Hacke in den Händen, um sich nicht das Bein an der rostigen Eisenspitze aufzureißen. Das Werkzeug sah aus, als wäre es seit Jahren nicht benutzt worden.

»Signorina!«, rief die Lehrerin abermals, als auch sie um die Ecke des Gemäuers bog. Sie schien entschlossen, sich nicht abhängen zu lassen. »Was soll denn das?« Und ganz uncharakteristisch fügte sie einen halb verschluckten Fluch hinzu.

Rosa stürmte zum Eingang der Grabkapelle. Der kleine Anbau duckte sich verstohlen gegen die Fassade, als wäre den Bauherren des Palazzo zu spät eingefallen, dass sie nirgends einen Ort für Andacht und Gebet eingeplant hatten. Tatsächlich bezweifelte Rosa, dass im Palazzo überhaupt je gebetet worden war. In einer Nische über dem Portal hing eine gusseiserne Glocke, tiefschwarz, als wäre sie einst mit Pech übergossen worden.

Unmittelbar vor dem Eingang hielt Rosa inne. Sie hörte Ioles Schritte hinter sich, erwog kurz, ob sie ihr verbieten sollte, näher zu kommen, verlor aber die Geduld und stieß die beiden Torflügel nach innen. Alle Türen im Palazzo quietschten, doch keine so laut wie diese. Signora Falchi, mehr als zehn Meter entfernt, seufzte »Heilige Muttergottes!« und wurde langsamer.

Die Hände fest um den Griff der Spitzhacke geschlossen, betrat Rosa die Kapelle. Im Inneren roch es nach modrigem Mauerwerk und verwelkten Blumen, obwohl der Blütenschmuck der letzten Beisetzung längst entfernt worden war. Die Gerüche vergessener Trauerfeiern schienen sich tief in den Wänden und dem verblassten Heiligenfresko unter der Decke festgesetzt zu haben.

Die Stirnwand und die Seiten waren mit einem Schachbrettmuster aus Granitplatten überzogen, je drei übereinander. Rosa wusste nicht, wann der erste ihrer Vorfahren hier bestattet worden war, aber sie vermutete, dass der Stammbaum einige Jahrhunderte zurückreichte.

Costanzas Grab befand sich an der Stirnwand, hinter dem schmucklosen Altar, der sich im rückwärtigen Teil der Kapelle erhob. Rosa trat vor das Wandfach und ließ das schwere Ende der Spitzhacke los. Das Eisen krachte auf den Steinboden. Der Laut vibrierte durch den hohen Raum. Die Glocke an der Außenseite schien mit einem tiefen Klingen darauf zu antworten.

Rosas Fingerspitzen berührten die eingemeißelten Buchstaben in der Granitoberfläche. *Costanza Alcantara.* Schwarzer Staub hatte sich in den Lettern festgesetzt. Instinktiv wischte sie sich die Finger an ihrer Hose ab. Es gab kein Geburts- und kein Todesdatum, genau wie auf all den anderen Grabmalen. Nur Namen. Als spielte es keine Rolle, wann die einzelnen Familienmitglieder gelebt hatten. Wichtig war nur, dass sie die Ahnenreihe der Alcantaras fortgesetzt und das Überleben der Dynastie gesichert hatten.

Iole stolperte zur Tür herein, kurz darauf gefolgt von der Lehrerin. Beide blieben wortlos stehen. Rosa spürte ihre Blicke im Rücken.

Sie legte die Hand flach auf die Steinplatte, wie um zu fühlen, ob sich dahinter etwas bewegte. Ein wenig von dem Schmutz war unter ihre Fingernägel geraten; sie sah ihn trotz des schwarzen Lacks, den sie nach jeder Verwandlung von neuem auftragen musste. Eine Weile schon bemühte sie sich, nicht mehr an den Nägeln zu kauen. Der Dreck aus Costanzas Grabinschrift würde sie jetzt erst recht davon abhalten.

Sie zog ihre Finger zurück, packte die Spitzhacke wieder mit beiden Händen und drehte sich zum Innenraum um.

Iole beobachtete sie erwartungsvoll. Signora Falchis Blick hinter den Brillengläsern wirkte besorgt und zugleich auf makabre Weise fasziniert. »Signorina«, begann sie vorsichtig.

»Behalten Sie's für sich«, gab Rosa zurück.

»Aber –«

»Nicht jetzt.«

Mit drei, vier Schritten ging Rosa zum Grab ihres Vaters hinüber. Es befand sich wie das von Costanza in der mittleren Reihe. Das darunter war unbeschriftet, die Buchstaben an dem darüber ausgeblichen. Seltsamerweise hatte sich dort kein Staub festgesetzt. Als zöge Costanza allein allen Schmutz dieses Ortes an.

Rosa atmete tief durch und holte aus. Mit einem ohrenbetäubenden Krachen hieb sie die Spitzhacke in die Grabplatte ihres Vaters.

»Signorina!«

Schritte hinter ihr. Klappernde Absätze.

Rosa schlug ein zweites Mal zu. Ein fingerdicker Riss zog sich als schwarzer Blitz über die Oberfläche.

»Signorina Alcantara, ich bitte Sie –«

Sie wirbelte herum und stieß ein Fauchen aus, das die Lehrerin zurückzucken ließ. Rosa spürte, wie sich ihre Zunge hinter den Zähnen spaltete, aber sie achtete darauf, den Mund nicht zu öffnen, während sie die Frau mit einem finsteren Blick in die Flucht schlug. Signora Falchi eilte zurück zu Iole und stellte sich schützend vor das Mädchen, als fürchtete sie allen Ernstes, Rosa könnte mit der Spitzhacke auf sie losgehen.

Aber Rosa hieb nur ein drittes Mal gegen die Grabplatte. Ein graues Dreieck brach unterhalb der Inschrift aus dem Stein. Sie musste noch mehrmals zuschlagen, ehe die Platte vollends zerbrach. Die Reste polterten zu Boden, nur ein paar Splitter blieben im offenen Fach liegen.

Sie konnte das Fußende eines Sarges sehen, dem die vergangenen elf Jahre nichts hatten anhaben können. Ein goldfarbener Griff schimmerte im Dunkel.

Plötzlich war Iole neben ihr. »Komm, ich helf dir«, sagte sie leise.

Rosa nickte dankbar, lehnte die Hacke gegen die Wand und packte die eine Seite des breiten Metallgriffs; er war eiskalt. Iole ergriff die andere Hälfte, und während die Lehrerin stumm im Hintergrund stand, zogen sie den Sarg mit vereinten Kräften Stück für Stück nach vorn, bis das untere Ende einen halben Meter weit aus dem Wandfach ragte.

»Das reicht«, sagte Rosa.

Iole nickte und trat einen Schritt zurück.

Aus dem Augenwinkel sah Rosa, wie sich Signora Falchi neben der Tür am Boden niederließ. Im ersten Moment fürchtete sie, die Lehrerin könnte in Ohnmacht fallen, aber der Eindruck täuschte. Stattdessen runzelte die Frau die Stirn, lehnte sich im Sitzen gegen die Mauer und zog die Knie an. »Ich kann es ja eh nicht ändern«, sagte sie seufzend. »Wenn Sie gestatten, warte ich hier, bis es vorbei ist.«

Schwitzend hob Rosa die Spitzhacke. Dreimal hieb sie auf den Eichendeckel des Sarges, bis ein kopfgroßes Loch im Holz klaffte und die Hacke bis zum Anschlag darin stecken blieb. Mit einem Keuchen zog sie das Werkzeug heraus, ließ es fallen und beugte sich über das Loch.

»Wollen wir hoffen«, bemerkte Signora Falchi auf der anderen Seite der Kapelle, »dass dies wirklich das *Fußende* ist.«

Rosa spähte über den gesplitterten Rand der Öffnung. Ioles Hand tastete nach ihrer und hielt sie fest.

»Spielt keine Rolle«, sagte sie nach einem Moment, zog den Oberkörper zurück und straffte sich mit einem tiefen Durchatmen.

Iole sah sie an, dann blickte auch sie ins Innere des Sarges.

»Oh«, flüsterte sie.

Rosa drückte noch einmal ihre Finger, dann ließ sie los. Sie ging hinaus ins Freie, blieb stehen und sog die frische Luft ein. Es roch nach den Pinien oben im Hang, nach Gras und dem salzigen Wind, der vom fernen Meer über die Hügel heranwehte.

Hinter ihr in der Kapelle klapperten die Schritte der Lehrerin, als auch sie einen Blick in den Sarg warf.

Iole trat aus dem Portal. Ein Stück hinter Rosa blieb sie stehen.

»Wo ist er?«, fragte sie.

Rosa zuckte die Achseln und ging stumm zurück ins Haus.

Das weiße Telefon

Rosa stand am gusseisernen Balkon des Arbeitszimmers und blickte über den Innenhof und die Dächer hinauf zur Bergkuppe, als das Telefon klingelte.

Es war nicht der Apparat auf dem Schreibtisch. Dieses Klingeln glich keinem anderen, das sie bislang im Palazzo gehört hatte.

Es erklang dumpf, kaum hörbar, aus der Wandtäfelung an der Westseite des Raumes. Es war ein *echtes* Klingeln, sehr altmodisch, kein modernes Telefonsignal. Sie kannte dieses Geräusch nur aus alten Filmen und als Download fürs Handy. Aber etwas sagte ihr, dass kein Mobiltelefon in der Wand versteckt war.

Nach einer Minute, die sie mit zunehmend hektischem Tasten nach verborgenen Mechanismen verbrachte, erstarb der Ton. Sie fluchte leise, gab aber nicht auf. Schließlich versuchte sie das Offensichtliche, und tatsächlich: Die brusthohe Täfelung ließ sich mit den Handflächen beiseiteschieben und verschwand mit einem Knirschen hinter dem Nebenpaneel. Eine niedrige Geheimtür kam zum Vorschein.

Dahinter begann das Klingeln erneut.

Die Tür war nicht abgeschlossen. Rosa schlüpfte geduckt hindurch und fand sich in einem winzigen Raum wieder, keine zwei mal zwei Meter groß. Darin standen ein hoher Lehnstuhl und ein runder Beistelltisch mit einem schneeweißen, antiquierten Telefon. Es hatte eine runde Wählscheibe und einen enorm schweren Hörer. Das Gehäuse sah aus wie Elfenbein oder Perlmutt.

Sie hob ab. »Hallo?«

»Guten Tag.«

»Trevini?« Sie ließ sich auf den Stuhl fallen. »Was ist das für ein Telefon?«

»Eines, das so alt ist, dass die Leute der Richterin und all die anderen Lauscher vergessen haben, wie man es abhört. Offiziell gibt es das Kabelnetz gar nicht mehr, über das wir gerade miteinander sprechen. Einige, sagen wir, hochgestellte Persönlichkeiten haben bei der Modernisierung vor ein paar Jahrzehnten dafür gesorgt, dass Teile davon überall auf Sizilien erhalten geblieben sind. Die Behörden wissen nichts davon. Und falls doch, würden sie eine ziemliche Enttäuschung erleben, wenn sie ihren ganzen hochmodernen digitalen Kram daran anschlössen.«

»Warum haben Sie vorher nichts davon gesagt?«

»Um herauszufinden, wie viel Sie über die Geheimnisse des Palazzo wissen.« Was ihr zugleich verriet, dass es mit großer Sicherheit noch weitere gab, die er ihr verschwieg. Er demonstrierte seine Überlegenheit. Mistkerl.

»Was wollen Sie?«

»Ihnen helfen.«

»Schon klar.«

»Nein, hören Sie zu, Rosa. Sie sollten das ernst nehmen.«

Sie rückte sich auf dem unbequemen Stuhl zurecht. Staubspuren blieben an ihrer schwarzen Kleidung zurück.

»Ich möchte, dass Sie nicht gleich auflegen«, sagte er, »wenn Sie hören, weshalb ich anrufe.«

Beinahe hätte sie es dennoch getan. Sie ahnte, um was es ging. Um wen.

»Mit sehr großer Wahrscheinlichkeit«, sagte Trevini, »war es Alessandro Carnevare, der die Morde an seiner Verwandtschaft in New York in Auftrag gegeben hat.«

Eine aufgeschreckte Eidechse rannte über die Wand der Geheimkammer und verschwand in einem winzigen Loch in der Ecke.

232

»Ich weiß, was Sie jetzt denken. Kann der alte Idiot nicht endlich mal Ruhe geben? Wie oft will er denn noch versuchen, Alessandro zu diskreditieren?«

»Ich hätt's nicht ganz so höflich ausgedrückt.«

»Sie bezahlen mich auch dafür, dass ich Ihnen unschöne Wahrheiten ins Gesicht sage. Und das hier hat nichts mit meiner persönlichen Abneigung gegen den jungen Carnevare zu tun. Es ist eine Tatsache, dass der Mordbefehl aus Italien kam. Michele Carnevare persönlich ist vor zwei Tagen knapp einem Anschlag entgangen und es ist seinen Leuten gelungen, die Spur zurückzuverfolgen – und zwar zu jemandem, der lange Jahre eine der führenden Personen im transatlantischen Drogengeschäft war. Ein gewisser Stelvio Guerrini. Kein Name, den Sie sich merken müssen, im Grunde spielt er schon seit einer Weile keine große Rolle mehr. Jedenfalls hat er den Attentäter geschickt, im Auftrag eines Dritten. Und Guerrini war ein enger Geschäftspartner von Baron Massimo Carnevare – Alessandros Vater.«

»Das beweist überhaupt nichts.« Sie wunderte sich, wie gefasst sie blieb. Weil sie ihm nicht glaubte? Oder weil sie es geahnt hatte, die ganze Zeit über, sogar als Alessandro es abgestritten hatte? »Jede Familie auf Sizilien hätte diesem Guerrini den Auftrag geben können, Michele zu beseitigen.«

»Gewiss. Nur scheint niemand außer Alessandro einen Grund zu haben, den gesamten New Yorker Zweig der Carnevares auszulöschen. Ein einzelner Auftragsmord, das wäre möglich. Aber Anschläge auf die komplette Führungsriege der amerikanischen Carnevares? Das ist eine offene Kriegserklärung und es gibt derzeit niemanden, der das riskieren würde. Nicht in diesen Zeiten. Im Augenblick haben die meisten Familien andere Sorgen direkt vor ihrer Haustür. Eine Clanfehde, die quer über den Atlantik ausgetragen wird, verursacht mehr Aufruhr, als den meisten lieb sein kann.«

»Haben Sie irgendwelche Beweise dafür?«

»Sie und ich, Rosa, wir sind nicht die Polizei. Ich habe kein Interesse daran, Alessandro Carnevare eines Verbrechens zu überführen. Das wäre ein wenig albern, nicht wahr?«

Der Hörer zitterte leicht an ihrem Ohr. Sie umklammerte ihn fester.

»Aber so, wie es aussieht, hat er Sie belogen, falls er behauptet hat, er habe nichts mit diesen Morden zu tun. Verstehen Sie? Was gibt Ihnen die Sicherheit, dass er das Gleiche nicht auch schon früher getan hat? Oder seither?« Der Tonfall des Anwalts wurde schärfer. »Er geht über Leichen und wird immer Geheimnisse vor Ihnen haben. Sie dürfen ihm nicht vertrauen. Ganz gleich, was er sagt – *alles* kann eine Lüge sein.«

»Weil Sie ein paar Gerüchte gehört haben?«

»Im Zweifelsfall – ja. Diese Morde sind eine Tatsache. Die Herkunft des Befehls dazu ebenfalls. Alles deutet in dieselbe Richtung. Und es ist noch nicht vorbei. Erst traf es Micheles Bruder Carmine, dann mehrere seiner Cousins. Und seit dem misslungenen Anschlag auf Michele sind bereits zwei weitere Carnevares ermordet worden.« Sie hörte ihn mit Papier rascheln. »Jetzt trifft es offenbar die Jüngeren. Thomas Carnvare, der nicht einmal mehr Italienisch gesprochen hat, war gerade einmal zwanzig. Und Mattia Carnevare war –«

»Mattia?«

»Sie kennen ihn?«

»Wie ist er gestorben?«

»Die Leiche wurde verbrannt, viel mehr weiß man noch nicht. Man hat ihn auf einer Mülldeponie gefunden, in Crown Heights. Das ist ein Teil von –«

»Brooklyn«, flüsterte sie.

»Natürlich. Sie kennen sich aus.«

»Mattia ist nicht von irgendeinem Auftragskiller getötet worden«, sagte sie. »Das war Michele selbst.«

Trevini schwieg einen Moment. Vielleicht erwartete er eine Erklärung. Sie würde ihm keine geben. War Mattia noch in derselben Nacht ermordet worden? Hatte er vor den anderen am Bootshaus fliehen können und war später umgekommen?

»Was wissen Sie darüber?«, fragte der Avvocato.

»Nur, dass Mattia Carnevares Tod nichts mit Alessandro zu tun hat. Das war eine Strafaktion innerhalb der Familie.«

Trevini murmelte ungehalten etwas zu sich selbst. Dann fragte er: »Haben Sie Alessandro Carnevare von den Pelzen erzählt?«

»Nein.«

»Ich kann nur beten, dass das die Wahrheit ist. Dieser Junge ist besessen davon, Rache zu nehmen – erst für den Tod seiner Mutter, dann für das, was Michele Carnevare Ihnen angetan hat. Wer weiß, was geschieht, wenn ihm klar wird, dass die Häute seiner Verwandtschaft auf Kleiderbügeln in Ihrem Keller hängen.«

Rosa starrte auf die leere Wand. Sie wäre gern aufgesprungen und umhergelaufen, aber das verdammte Steinzeittelefon hatte ein viel zu kurzes Kabel.

»Halten Sie sich da raus«, sagte sie und erschrak über das Schwanken ihrer Stimme. »Alessandro ist allein meine Angelegenheit.«

»Da täuschen Sie sich. Hier geht es um mehr als um die Frage, mit wem Sie Händchen halten.«

Sie würde nicht zulassen, dass er zerstörte, was zwischen ihr und Alessandro war. Niemand konnte das.

»Es geht um die Familie«, sagte er. »Um das Erbe, das Sie akzeptiert haben. Um das Vermächtnis Ihres Vaters. *Das* sollte Ihnen wichtig sein.«

»Mein Vater liegt nicht in seinem Grab.«

»Wie bitte?«

»Ich habe seinen Sarg geöffnet. Darin liegen Ziegelsteine.«

Am anderen Ende der Leitung blieb es lange still.

»Keine guten Ratschläge?«, fragte sie nach einer Weile.

»Ich denke nach. Darüber, dass Sie sich um wichtigere Dinge kümmern sollten als –«

»Als die Tatsache, dass der Scheißsarg meines Vaters leer ist?«, brüllte sie. Und sie tobte einfach weiter, ob sie wollte oder nicht: »Sparen Sie sich Ihren Oberlehrerton, Trevini! Genau wie Ihre Warnungen und Prophezeiungen und all den Mist! Wir haben einen Deal. Wenn ich Ihren väterlichen Rat brauche, melde ich mich. Und hören Sie auf, hinter Alessandro herzuschnüffeln.«

Er blieb ruhig, was sie nur noch wütender machte. Pure Berechnung. Sie konnte es spüren, sogar durchs Telefon. »Ganz wie Sie wünschen, Rosa.«

»Und ich will, dass Sie Valerie laufenlassen.«

»Haben Sie sich das gut überlegt?«

»Wir brauchen sie nicht mehr.«

»Vergessen Sie nicht, was sie Ihnen angetan hat.«

»Das ist meine Sache, oder?«

Er schien den Mund noch näher an den Hörer zu bringen, denn jetzt flüsterte er, ohne leiser zu werden: »Sie können sich nicht mehr an diese Nacht erinnern, nicht wahr?«

»Sie kennen die Polizeiunterlagen. Also wissen Sie Bescheid.«

»Ich kenne weit mehr als nur die Unterlagen.«

»Wie meinen Sie das?«

Er räusperte sich. »Sie erinnern sich an das Video, das ich Ihnen geschickt habe?« Er machte eine Pause, als erwartete er tatsächlich eine Antwort darauf. »Nun, es gibt noch ein zweites. Als wir Ihre Freundin geschnappt haben, hatte sie noch ein weiteres Mobiltelefon dabei. Sie hat es offenbar Michele Carnevare gestohlen, bevor sie sich nach Europa abgesetzt hat. Und auch darauf befand sich eine Videodatei.«

Einen Moment lang bekam sie kaum Luft.

»Ich wollte es Ihnen ersparen«, sagte er. »Glauben Sie mir, das wollte ich wirklich.«

»Wollen Sie damit sagen ... er hat es gefilmt?«

»Es tut mir leid.«

Sie wusste nicht, was schlimmer war: dass ein Video von ihrer Vergewaltigung existierte – oder dass Trevini es angeschaut hatte. Kälte flutete mit irrwitziger Geschwindigkeit durch ihren Körper.

Unter größter Konzentration gelang es ihr zu sprechen. Es klang, als redete ein anderer für sie, wie eine Bauchrednerpuppe. »Schicken Sie es her«, sagte sie und brauchte dafür eine halbe Ewigkeit. »Ich will es sehen.«

»Warum wollen Sie sich dem aussetzen?«

»Um zu erfahren, was *Sie* gesehen haben.«

»Hier geht es nicht um unsere Meinungsverschiedenheiten, Rosa. Ich glaube nicht, dass es gut für Sie wäre, wenn Sie –«

»Schicken Sie das Handy her. Am besten gleich alle beide.«

»Wenn Sie darauf bestehen.« Er schien ihr Gelegenheit geben zu wollen, ihre Meinung noch einmal zu ändern. Als sie es nicht tat, sagte er: »Und wie soll ich nun mit dem Mädchen verfahren?«

»Sie kann gehen.« Rosas Stimmbänder drohten zu gefrieren, doch auf eine Weise, die sie selbst nicht verstand, hielt sie die Verwandlung im Zaum. »Ich will Val nie wieder sehen. Setzen Sie sie in ein Taxi zum Flughafen. Am besten gleich in eine Maschine, nach Rom oder New York oder wohin auch immer sie will.«

»Ich sorge dafür, dass sie verschwindet.«

»Niemand krümmt ihr ein Haar. Das ist *kein* Auftrag, sie umzubringen.«

»Das habe ich sehr wohl verstanden.« Seine Stimme klang jetzt mechanisch.

»Geben Sie ihr etwas Geld, so dass es für ein, zwei Wochen reicht. Stellen Sie's mir in Rechnung.«

»Ich hoffe wirklich, sie wird das zu schätzen wissen.«

»Hauptsache, sie ist fort.«

»Und Sie glauben, das wird Ihr Gewissen beruhigen?«

»Sie verstehen das nicht. Hier geht's nicht um mein Gewissen.«

»Nicht?«

»Wenn ich dieses Video sehe«, sagte sie leise, »dann könnte es sein, dass ich's mir noch anders überlege.«

»Sie wollen sie beschützen? Vor Ihnen selbst, Rosa?« Er lachte leise. »Verantwortung also. Sie wollen keine Entscheidung treffen müssen, die Ihnen später leidtut.«

»Vielleicht würde sie mir gar nicht leidtun. Vielleicht würde ich plötzlich merken, dass es mir *gefällt*, solche Entscheidungen zu treffen.« Die Macht über Leben und Tod. Die Macht ihrer Vorfahren.

»Bisher dachte ich, Sie laufen nur vor sich selbst davon«, sagte er sanft. »Aber in Wahrheit fliehen Sie vor Costanzas Schatten.«

Sie schwieg, bis er irgendwann den Hörer auflegte.

Lykaons Fluch

M attia ist tot«, sagte Alessandro am Abend, bevor Rosa auch nur ein Wort über ihr Gespräch mit Trevini verlieren konnte.

In ihrer Hand dampfte ein doppelter Espresso, nicht ihr erster heute, und ihr ganzer Körper fühlte sich an, als krabbelten Tiere unter der Haut.

Sie standen auf der Panoramaterrasse des Palazzo Alcantara und blickten über die Olivenhaine nach Westen. Die Blätter der hohen Palmen, die vor dem Steingeländer in den Himmel ragten, raschelten in der Dunkelheit. Leise blubberte die Pumpe des Swimmingpools, der Schein der Unterwasserlampen tauchte einen Teil der Westfassade in wabernde Helligkeit. Die milde Abendluft war erfüllt vom Gesang der Zikaden.

»Sie haben gestern seine Leiche gefunden«, sagte Alessandro. »Verbrannt, auf einer Müllhalde.«

»In Crown Heights.«

»Du weißt davon?«

»Trevini hat angerufen. Er hat's mir erzählt.«

Er nickte langsam. »Und natürlich hat er versucht, es mir in die Schuhe zu schieben.«

Rosa trank die Tasse in einem Zug leer und stellte sie auf der Brüstung ab. »Hat er Recht? Hast du damit zu tun?«

»Das hast du mich schon mal gefragt. Und ich hab dir eine Antwort gegeben.«

»War das die Wahrheit?«

»Glaubst du Trevini mehr als mir?«

»Ach, komm schon. Ich kann das doch nicht einfach im Raum stehenlassen … zwischen uns.«

Er seufzte leise und blickte wieder hinaus in die Ebene. Das Land war nahezu in der Nacht versunken. Viele Kilometer entfernt glühten die Lichtpunkte einer Ortschaft. Am Sternenhimmel blinkten die Signallampen eines einsamen Flugzeugs, das lautlos nach Norden schwebte.

»Als ich gesagt habe, dass ich nichts mit den Anschlägen zu tun habe, da hast du —«

»Da hab ich *Schade* gesagt. Ich weiß.«

»Hast du's auch so gemeint?«

Sie nickte, ohne zu zögern. »Glaubst du denn, ich hätte den Kerlen nie den Tod gewünscht? Ich hab oft genug gehofft, dass sie jämmerlich krepieren.«

»Mattia hat möglicherweise noch gelebt, als sie ihn angezündet haben.«

Sie nahm seine Hand und zog ihn sanft heran. »Er ist gar nicht dabei gewesen. Er war keiner von ihnen.«

»Warum bist du dir da so sicher?«

Konnte sie das denn sein? Was würde sie auf dem Video zu sehen bekommen? Wen würde sie wiedererkennen? Nur Michele und Tano? Im Augenblick war sie sich nicht mal im Klaren darüber, ob sie die Aufnahme je anschauen würde.

Alessandros Blick war ernst und düster. »Hast du Mattia gefragt? Oder hat er es von sich aus abgestritten?«

»Weder noch.«

»Dann weißt du nicht, ob er unschuldig war.«

»Er hat mir das Leben gerettet!«

»Und ich bin nicht verantwortlich für seinen Tod. Ganz egal, was Trevini behauptet.«

Hatte sie wirklich geglaubt, dass Alessandro sie belogen hatte? Sie rang die Schuldgefühle nieder. »Okay«, sagte sie nach einer Weile. »Wer war es dann?«

Seine Miene verriet, dass es ihm widerstrebte, die Wahrheit auszusprechen. Rosa sah den gequälten Ausdruck in seinen Augen. Sie streichelte über sein Haar und küsste ihn, weil ihr plötzlich danach war.

»Der Hungrige Mann«, sagte er.

»Der sitzt noch immer im Gefängnis, dachte ich.«

»Als hätte das irgendeinen *capo* jemals davon abgehalten, Todesurteile auszusprechen.«

»Aber warum sollte er das tun? Was hat er mit deiner amerikanischen Verwandtschaft zu tun?«

»Vor allem geht es ihm um mich.«

Sie starrte ihn an. Das Leid in seinem Blick, die Trauer, die in seiner Stimme mitschwang, berührten sie. Und allmählich begriff sie, worauf das alles hinauslief.

»Der Hungrige Mann wird das Gefängnis bald verlassen«, fuhr er fort. »Das sind keine Gerüchte mehr, es ist nur noch eine Frage der Zeit. Irgendjemand an höchster Stelle hat veranlasst, dass sein Gnadengesuch von neuem geprüft wird. Und jeder ahnt, wie das ausgehen wird.«

Der Hungrige Mann – alle nannten ihn so, niemand benutzte seinen wahren Namen – war der Vorgänger des *capo dei capi* Salvatore Pantaleone gewesen. Über Jahrzehnte hinweg hatte er die sizilianische Mafia mit größter Grausamkeit beherrscht, ehe man ihn vor fast dreißig Jahren verurteilt und eingesperrt hatte. Lange Zeit war es still gewesen um ihn, ehe vor einigen Jahren neue Gerüchte die Runde machten. Die Rückkehr des Hungrigen Mannes stehe kurz bevor, hieß es seither. Er habe mächtige Verbündete in den europäischen Machtzentralen, die dafür sorgten, dass nach und nach die wichtigsten Urteile gegen ihn aufgehoben und die übrigen Strafen verkürzt wurden. Pantaleone war tot, der Posten des *capo dei capi* vakant. Machtkämpfe tobten innerhalb der Cosa Nostra, wer der neue Boss der Bosse werden würde, aber niemand stellte sich offen zur Wahl. Alle schienen den Hungrigen Mann zu fürchten, keiner wollte das Risiko eingehen, ihm im Weg zu stehen, falls er wirklich nach Sizilien zurückkehrte und alte Herrschaftsansprüche geltend machte.

Er hatte sich selbst den Titel *Hungriger Mann* gegeben und sich als Wiedergeburt des Ahnherrn aller Arkadischen Dynastien proklamiert – als Reinkarnation des Königs Lykaon, jenes Tyrannen, der der Legende nach vom Göttervater Zeus in den allerersten Tiermenschen verwandelt worden war. Mit ihm waren alle Bewohner Arkadiens zum gleichen Schicksal verdammt worden. So waren die Panthera geboren worden, die Lamien, die Hundinga und all die anderen Gestaltwandler, die sich nach dem Untergang Arkadiens über die Welt verteilt hatten und das Erbe des versunkenen Reiches bis heute aufrechterhielten.

Der Hungrige Mann, so hieß es, wollte die alte Schreckensherrschaft der Arkadischen Dynastien wiederherstellen. Er versprach seinen Anhängern die Rückkehr zu den blutigen Exzessen der Antike, als die Gestaltwandler die Reiche rund um das Mittelmeer beherrschten und sich nach Herzenslust an Menschenfleisch satt fraßen.

Rosa nahm Alessandros Hand. »Was will er von dir?«

»Er hasst meine Familie. Die Carnevares waren lange seine engsten Vertrauten, bis er von jemandem verraten wurde und uns die Schuld daran gegeben hat.«

»Habt ihr ihn denn verraten?«

Er hob die Achseln. »Ich weiß es nicht. Und ich glaube auch nicht, dass das noch eine Rolle spielt. Er hat geschworen, sich an uns zu rächen, vor mehr als einem Vierteljahrhundert. Und jetzt ist es an der Zeit für ihn, neue Stärke zu demonstrieren. Er dezimiert nach und nach meine Familie – das, was davon noch übrig ist –, und er beginnt am äußeren Rand, bei den amerikanischen Carnevares. Mit jedem Mord tastet er sich näher heran, und irgendwann werde ich an der Reihe sein.«

Wie lange wusste er schon davon? Das, was zwischen ihnen war, war noch immer zu verletzlich, um zu viele Geheimnisse auszuhalten. Wann würde der Punkt erreicht sein, an dem die Belastung zu groß wurde?

»Du stehst ganz am Ende seiner Todesliste?«, fragte sie mit belegter Stimme.

Er nickte. »Jedenfalls nehme ich das an.«

»Wie viele hat er schon töten lassen? Nur Micheles Bruder und seine Cousins, oder auch schon andere?«

Vielleicht bedauerte er jetzt, ihr die Wahrheit gesagt zu haben. Aber sie rechnete ihm hoch an, dass er nicht erst versuchte, sie mit Ausflüchten zu beruhigen. Auch dafür hatte sie ihn so schrecklich gern.

»Einer meiner Großcousins in Catania ist vorgestern erschossen worden«, sagte er. »Und zwei in Palermo. Falls nichts anderes dahintersteckt, dann sind seine Killer auf Sizilien angekommen.« Er rieb sich die Nase, aber es war nicht die neunmalkluge Geste, mit der er sie manchmal auf die Palme brachte; diesmal schien es schlicht Nervosität zu sein. »Er will, dass ich panisch werde. Vielleicht blindwütig um mich schlage, wie es mein Vater oder Cesare getan hätten. Am liebsten wäre ihm wahrscheinlich, wenn ich die Schuld bei anderen Familien suchen und eine Clanfehde vom Zaun brechen würde. Für ihn wäre das sehr bequem. Er müsste nur noch zusehen, wie wir uns gegenseitig schwächen, damit er bald wieder die Macht über alle Clans an sich reißen kann.«

»Und was hast du vor?«

»Das Naheliegende wäre, alle Carnevares zusammenzurufen. Aber lieber lasse ich mich umbringen, als mich mit jemandem wie Michele zu verbünden. Nicht nach allem, was er dir angetan hat.«

Vielleicht hätte sie ihn bitten müssen, keine Rücksicht auf ihre Gefühle zu nehmen. Aber sie küsste ihn nur erneut, diesmal heftiger, und eine Weile lang sprachen sie beide kein Wort, selbst dann nicht, als sich ihre Lippen voneinander lösten und jeder nur den Blick des anderen festhielt.

»Ich bin noch nicht an der Reihe«, sagte er. »Wahrscheinlich genießt er die Vorstellung viel zu sehr, dass die Morde Angst und Schrecken unter den Carnevares verbreiten. Er wird sich Zeit lassen, ehe seine Leute sich mit mir abgeben. Aber das ist es gar nicht, was mir solche Sorgen bereitet.«

Sie hob eine Hand und streichelte seine Wange, seinen Hals. Sie wollte nur bei ihm sein, ganz nah. Wollte ihn beschützen, mehr als alles andere.

»Um dich hab ich Angst«, sagte er.

»Ich bin keine Carnevare.«

»Das mit uns beiden hat sich herumgesprochen. Die Gerüchteküche brodelt, und wir haben uns keine besondere Mühe gegeben, etwas dagegen zu unternehmen. Ich dachte immer, die Gefahr droht von den anderen Clans und von unseren eigenen Leuten. Aber jetzt …« Er hielt inne, küsste ihre Handfläche, ballte ihre Finger zur Faust und schloss seine eigene Hand darum. »Jetzt könnte es sein, dass der Hungrige Mann es auf dich abgesehen hat.«

»Auf mich?«

Er nickte. »Wenn er mich treffen will, wenn er den *capo* der Carnevares wirklich verletzen will, dann muss er dich mir wegnehmen. Dann wird er versuchen, dich zu töten, Rosa.«

»Blödsinn«, widersprach sie impulsiv, aber sie hatte das Wort nicht mal beendet, da war ihr schon klar, dass er Recht hatte. Es gab eine lange Tradition innerhalb der Mafia, einen Feind zu bestrafen, indem man jeden Menschen auslöschte, den er liebte. Somit war es nur naheliegend, dass auch sie auf der Abschussliste des Hungrigen Mannes stand.

»Und nun?«, flüsterte sie.

»Ich möchte, dass du nirgends mehr ohne Leibwächter hingehst«, sagte er. »Und damit meine ich nicht diese Bauerntrampel aus Piazza Armerina. Du brauchst einen Sicherheitsdienst. Spezialisten, die wissen, was sie –«

»Hey, hey, hey«, unterbrach sie ihn sanft und legte einen

Finger auf seine Lippen. Ein Lächeln stahl sich auf ihre Züge. »Ich will keine Gorillas Tag und Nacht um mich herum haben. Ganz egal, wo sie herkommen.«

»Aber –«

»Wo sind *deine* Bodyguards?«, fragte sie. »Ich seh hier nirgends welche. Du hast genauso wenig Lust wie ich, mit einem Tross aus Affen in schwarzen Anzügen durch die Gegend zu laufen.« Sie stellte sich auf die Zehen und küsste seine Nasenspitze. »Wir sind Arkadier. Wir schaffen das auch so.«

»Behauptet wer?«

»*Moi.*«

»Total unvernünftig.«

»Das alles hier ist unvernünftig. Das war's vom ersten Tag an. Hat uns das davon abgehalten?«

Seine Hand umfasste ihren Nacken. Zog sie erneut heran. Ihre Brüste berührten ganz zart seinen Oberkörper, und sie spürte, wie sich die Warzen versteiften – wie immer, bevor sie verschwanden und zu Schuppenhaut wurden. Ein Elend.

»Ich weiß, was wir jetzt tun«, sagte sie.

Endlich kehrte sein Strahlen zurück. »Ach ja?«

»Zur Ablenkung.«

»Oh. Okay.«

»Der Keller«, sagte sie. »Die Pelze.«

Das Serum

Wortlos folgte Alessandro ihr durch den Mittelgang zwischen den Leinenbündeln. Hin und wieder berührte er eine der Hüllen, strich im Gehen mit den Fingerspitzen daran entlang, öffnete aber keine. Bevor sie die Wand aus Plastikfässern erreichten, nahm Rosa seine Hand.

Beim Anblick der Behälter blieb er stehen. »Das sind viele«, flüsterte er. Die Worte kamen in der Kälte als weißer Dunst über seine Lippen. »Sind Panthera dabei?«

»Jedenfalls sind das nicht nur Nerze und Zobel.«

Sie führte ihn um den Fässerwall zum Schrank an der Rückseite des Kühlkellers. Alles war noch so, wie Iole und sie es zurückgelassen hatten. Die Metalltüren standen offen, davor lagen die beiden Pelzmäntel.

Rosa trat vor den Schrank. »Hast du mitgebracht, worum ich dich –« Sie verstummte, als sie sich zu Alessandro umdrehte.

Er war neben dem Mantel in die Hocke gegangen, den Iole getragen hatte. Erst jetzt bemerkte Rosa, dass durch das dunkle Braun die Andeutung eines Leopardenmusters schimmerte. Alessandro hatte einen Ärmel vom Boden gehoben und strich gedankenverloren mit der Hand darüber.

Sie fluchte leise. »Panther sind –«

»Schwarze Leoparden.« Er blickte nicht zu ihr auf.

Eilig ging sie neben ihm in die Knie. »Es tut mir so leid«, flüsterte sie, nahm sein Gesicht in beide Hände und zwang seinen Blick in ihre Richtung. »Wenn ich es irgendwie ungeschehen machen könnte ...«

»Ich weiß.«

»Unsere Familien bekämpfen sich seit einer Ewigkeit. Dabei sind mehr ums Leben gekommen als …« Sie verstummte für einen Moment. »Als die hier«, sagte sie dann.

»Ist schon in Ordnung.«

»Nichts ist in Ordnung.«

Sie deutete mit einer Kopfbewegung zum Schrank. »Das da sind sie. Zig Ampullen.«

Er stand auf und trat vor die Regale mit den aufgereihten Glasfläschchen. Die Flüssigkeit schimmerte golden. Im untersten Fach lagen steril verpackte Plastikspritzen und Bündel versiegelter Kanülen, daneben zwei Injektoren, wie Diabetiker sie für Insulin verwendeten.

»Hast du's dabei?«, fragte sie.

Mit einem Nicken griff er in seine Hosentasche, zog ein kleines Lederetui hervor und öffnete es. Darin steckten mehrere Ampullen, die denen im Schrank täuschend ähnlich sahen. »Das ist eine von denen aus dem Castello. Das Gleiche hat uns Cesare damals von seinen Leuten spritzen lassen. Und ich hatte ein paar davon mit im Internat, für den Notfall.« Das hatte er ihr schon vor Monaten erzählt und sie hatte sich wieder daran erinnert, nachdem Iole sie zu dem Schrank geführt hatte.

»Du hast damals gesagt, die Rezeptur sei von den ersten Arkadiern überliefert. Aus der Zeit vor dem Untergang.«

»Tano hat das jedenfalls immer behauptet.«

»Und er hat das Serum von Cesare bekommen?«

»Nein, umgekehrt. Tano hat es irgendwo aufgetrieben. Ich hab immer angenommen, es käme von irgendeinem Dealer. Cesare hat es in einem Tresor in seinem Büro aufbewahrt, aber Tano hatte einen eigenen Schlüssel. Ich hab ihn bei seinen Sachen gefunden.«

»Michele hat mir in der Nacht im Central Park eine Dosis injizieren lassen. Er hatte das Zeug von Tano, hat er gesagt.« Rosa nahm ihm eine der Ampullen aus den Fingern. »Darf ich?«

Sie stellte sie zu den anderen in den Eisenschrank. Äußerlich war kein Unterschied zu sehen. Eine gelbe Flüssigkeit in einer durchsichtigen Ampulle.

»Es gibt ein Labor, das für Florinda gearbeitet hat«, sagte sie. »Damals ging es um Impfungen für die Flüchtlinge, die sie von Lampedusa nach Europa geschleust hat. Dort müsste man feststellen können, ob es dasselbe Serum ist.«

»Wahrscheinlich.«

»Du glaubst das doch auch?«

Er nickte nachdenklich.

Sie nahm Alessandros Ampulle wieder aus dem Regal, trat neben die Fässer und blickte zurück zu den Reihen der verhüllten Pelze. »Damit sie ihnen das Fell abziehen konnten, mussten sie sicherstellen, dass sie sich nicht wieder –«

»In Menschen verwandelten«, beendete er leise den Satz. »Sie mussten dafür sorgen, dass sie auch nach ihrem Tod Tiere blieben.« Er sah bleich aus, aber vielleicht lag das an der Kälte. »Das Video, das uns Cesare gezeigt hat, von all den Arkadiern in Käfigen, die sich nicht mehr zurückverwandeln konnten ... Er hat gesagt, dass TABULA dafür verantwortlich sei.«

»Trevini behauptet, dass meine Großmutter die Pelze von einem Mann namens Apollonio geliefert bekam. Sagt dir der Name was?«

»Nie gehört.«

»Er meint, dass dieser Apollonio möglicherweise selbst zu TABULA gehört hat. Oder zumindest in engem Kontakt zu ihnen stand. Könnte sein, dass TABULA die Pelze derjenigen Arkadier, die sie für ihre Experimente entführt haben, über ihn an Costanza verkauft haben. Ich schätze mal, dass sie auch das Serum von Apollonio bekommen hat.«

»Aber wenn es von TABULA stammt ...«, begann Alessandro, stockte und fragte dann: »Glaubst du, dass Tano es auch von ihnen bekommen hat?«

»Zumindest Cesare hat TABULA gehasst«, sagte sie zweifelnd.

Alessandro lachte bitter. »Er hatte eine Heidenangst vor denen. Trotzdem traue ich Tano zu, dass er hinter dem Rücken seines Vaters eigene Geschäfte gemacht hat.«

Sie lehnte sich mit dem Rücken gegen die eiskalten Plastikfässer. »Tun wir mal so, als hätte Tano tatsächlich geheime Kontakte zu TABULA gehabt. Dann hätte er von ihnen das Serum bekommen und es an Cesare und vielleicht auch an Michele weitergegeben. Du hast gesagt, dass du gedacht hast, er hätte es von einem Dealer bekommen. Was aber, wenn stattdessen er selbst der Dealer war? Wenn Tano das Serum unter der Hand an Arkadier wie Michele verkauft hat, damit sie in der Lage sind, ihre Verwandlungen aufzuhalten – und die von anderen.«

»Möglich.«

»Hat er von dir Geld haben wollen? Für die Ampullen, die du mit nach Amerika genommen hast?«

Alessandro schüttelte den Kopf. »Ich musste ihm nur versprechen, dass ich Cesare nichts davon erzähle. Und meinen Eltern.«

»Und, hast du dich dran gehalten?«

»Sicher. Tano war der Erste, der mit mir über die Verwandlungen gesprochen hat. In dem Moment war ich ihm sogar dankbar.« Er wand sich merklich bei der Erinnerung daran. »Am liebsten würde ich sie mir alle irgendwie ... abwaschen. Verstehst du das? Tano, Cesare, meinen Vater ... All die Lügen und das, was sie getan haben. Ich wünschte, es gäbe einen Weg, das alles einfach wegzuradieren.«

»Geht mir auch so. Florinda hat mich belogen, sogar Zoe. Du und ich, wir wurden immer für irgendwas benutzt. Und es hört einfach nicht auf.«

Er nahm sie wieder in den Arm. »Wenn es zu viel wird ...

wenn es nicht mehr geht … dann verschwinden wir von hier. Dann ist mir egal, was aus dem hier wird. Nichts davon ist so wichtig wie du.«

Sein Kuss wärmte sie, selbst in der Kälte des Kühlkellers. Sie hielten sich gegenseitig fest, sie roch sein Haar, seine Haut, und sie wäre in diesem Augenblick überall mit ihm hingegangen, fort von hier, ans andere Ende der Welt. Kitschig, gewiss, aber genau das brauchte sie jetzt. Die allergrößte, allerklebrigste, allersüßeste Portion Kitsch seit Erfindung der Nachspeise. Von ihr aus hätte es Rosenblätter regnen und Iole mit einer Geige hinter den Fässern hervorspringen können. Zeit für Sodbrennen war morgen noch genug.

Sie bemerkte erst jetzt, dass sie in der Hand nach wie vor das Serum hielt, das er mitgebracht hatte. Langsam hob sie die Ampulle auf Höhe ihrer beider Gesichter und schaute während einer Atempause hinüber zu den Injektoren im Schrank. Seine Augen folgten ihrem Blick, dann zuckten seine Mundwinkel.

Sie spürte ihren aufgeregten Pulsschlag hinten im Hals. »Zu irgendwas muss es gut sein, oder?«

Seine Hand strich über ihren Hinterkopf, hielt sanft ihren Nacken. »Eine Viertelstunde lang?«

»Manchmal auch zwanzig Minuten.«

»Nicht gerade viel.«

»Besser als nichts.«

Alessandros Lächeln loderte hell wie eine Flamme.

Auf See

Einsam kreuzte die *Gaia* auf dem Mittelmeer. Der Abend dämmerte, die ersten Sterne erschienen am klaren Himmel. Es war noch immer warm, um die fünfzehn Grad, und das Wasser reflektierte die erleuchteten Bullaugen der Jacht.

»Was ist Liebe für dich?«, fragte Rosa.

Alessandro musste nicht einmal nachdenken. »Wenn ich nachts wach liege und mir klar wird, dass ich irgendwann sterben muss – und mir das trotzdem nichts ausmacht, weil jemand bei mir ist, wenn es so weit ist.« Er musterte sie von der Seite. »Und für dich?«

»Flitterwochen in der Bronx.«

»Romantisch.«

»Eben nicht. Leute fahren in die Flitterwochen nach Paris oder Wien oder Florenz, damit sie in den ersten Wochen keine Zeit haben, sich zu streiten. Da gibt es so vieles zu besichtigen, so vieles, um sich abzulenken. Sie betäuben die Gegenwart mit der Geschichte. Aber wenn man sich wirklich liebt, dann hält man auch ein paar Wochen Bronx aus. Oder Detroit. Oder Nowosibirsk. Dann geht es nicht um Denkmäler und Museen. Nur um den anderen und um einen selbst. Und das ist dann Liebe.«

Sie hatten es sich in der Sitzecke auf dem Oberdeck bequem gemacht und blickten in die Flammen der zwei Dutzend Windlichter, die auf dem Tisch und am Boden verteilt waren. In ihrem Schein waren die beiden blauen Flecken auf Rosas Oberarm deutlich zu sehen, Spuren der Injektionsnadel.

Sie waren sich vorgekommen wie Junkies, als sie sich vergangene Nacht gegenseitig das Serum gespritzt hatten. Aber sie waren Menschen geblieben, eine Weile lang, und als schließlich doch die Verwandlung einsetzen wollte, hatten sie eine zweite Dosis riskiert.

Alessandro hatte sich die Flüssigkeit schon früher injiziert, bei Sportwettkämpfen und anderen Gelegenheiten im Internat, und er schwor, dass er niemals Nebenwirkungen bemerkt hatte. Rosa war das Serum zweimal gewaltsam gespritzt worden, deshalb hatte es sie zunächst Überwindung gekostet. Aber dann bereute sie es keine Sekunde; tatsächlich war sie es gewesen, die darauf bestanden hatte, noch eine Dosis zu nehmen.

Zweimal zwanzig Minuten. Im Nachhinein kam es ihr viel länger vor, und doch viel zu kurz. Ihr Vorsatz, so rasch wie möglich die Kontrolle über ihre Verwandlungen zu erlangen, war dadurch noch bestärkt worden. Sie wollte nicht auf ein ominöses Serum angewiesen sein, harmlos oder nicht. Früher hatte sie sich standhaft geweigert, Diätcola und Energydrinks zu trinken, wegen all der Gifte, die angeblich darin steckten. Und jetzt spritzte sie sich irgendeinen Mist, der noch dazu – falls sie mit ihren Vermutungen richtiglagen – vom Todfeind der Arkadier entwickelt worden war. Und sie konnte es trotzdem kaum erwarten, den Injektor das nächste Mal zu laden.

Alessandro war barfuß, er trug nur verwaschene Jeans und ein helles T-Shirt. Sie mochte seine Füße. Auf dem Spann hatte seine Haut denselben Braunton wie auf der Brust und den Oberarmen. Im Kerzenschein der Windlichter schimmerte sein Körper wie Bronze.

Rosa ruhte mit dem Hinterkopf in seinem Schoß und ließ zu, dass er ihre wirren blonden Strähnen aus der Stirn schob. Er tat das oft und sehr zärtlich, aber sie musste sich nur bewegen und schon war ihr Haar wieder so zerzaust wie zuvor. Typisch, dachte sie resigniert, nicht mal meine Frisur hab ich im Griff.

Sie waren mit der Jacht hinausgefahren, um ungestört zu sein. Das Sofa, auf dem sie nun schon den ganzen Tag faulenzten, war aus edlem weißen Leder und so protzig wie alles auf dieser Jacht. Alessandros Vater hatte die *Gaia* mit allem ausgestattet, was teuer war, von afrikanischen Holztäfelungen in den Salons bis hin zu vergoldeten Wasserhähnen. Alessandro war das peinlich. Mehr als einmal hatte er davon gesprochen, die *Gaia* zu verkaufen. Dass er es nicht tat, hatte mit dem Namen der Jacht zu tun. Dem Namen seiner toten Mutter.

Rosa trug ein schwarzes Top und einen kurzen Rock. Sie fand ihre Knie zu rot und ihre Waden zu blass, aber ihn schien es nicht zu stören. Bei ihm hatte sie zum ersten Mal nicht das Gefühl, in einen Wettbewerb zu treten. Ihre Familien mochten miteinander konkurrieren; sie beide taten es nicht.

Er küsste sie auf die Stirn, die Nasenspitze, die Lippen. Sie legte die Hand um seinen Hinterkopf, zog ihn abermals zu sich herab und hielt ihn fest, bis sie beide keine Luft mehr bekamen und loskicherten.

»Tun die noch weh?« Er deutete auf die blauen Flecken rund um die Einstiche.

»Ach was.«

Er gab einen unwilligen Laut von sich, als sie sich von ihm löste und im Schneidersitz auf dem Sofa zurechtrückte. Sie beobachtete ihn, während er einmal mehr das jungenhafte Grinsen zeigte, das ihr so unvereinbar mit dem *capo* eines Mafiaclans zu sein schien. Eine frische Abendbrise wirbelte ihr Haar vors Gesicht und sie bemühte sich, es mit beiden Händen zu bändigen.

Ein Brummen ertönte. Auf dem Tisch vor der Couch lag ihr Handy. Der Vibrationsalarm ließ es auf der Glasplatte kreisen wie eine betrunkene Hummel.

Als sie auf das Display blickte, erkannte sie die Nummer. »Das Labor. Na, endlich.« Bevor sie vom Palazzo aus Richtung Küste aufgebrochen waren, hatte Rosa einen Fahrer mit einer Ampulle aus dem Kühlkeller und dem Rest von Alessandros Serum zum Labor nach Enna geschickt. Jetzt musste das Ergebnis da sein.

Sie nahm das Gespräch an. Alessandro presste erwartungsvoll die Lippen aufeinander.

Wenig später bedankte sie sich, bat, die Rechnung an ihr Sekretariat in Piazza Armerina zu schicken, und legte das Handy zurück auf den Tisch.

»Das gleiche Zeug«, sagte sie. »Wahrscheinlich sogar noch haltbar nach all den Jahren, die es dort unten gelagert wurde.«

»Dann hat Tano wirklich Kontakt zu diesem Apollonio gehabt. Oder zu einem anderen Verbindungsmann von TABULA.«

»Ich hab Trevini gebeten, so viel wie möglich über Apollonio herauszufinden.« Sie hatte Alessandro erzählt, dass ihr Vater damals die Nachforschungen des Anwalts unterbunden hatte, um selbst Apollonios Spur zu folgen. Den Gedanken an das leere Grab verdrängte sie im Augenblick, so gut es ging.

»Ich kann mich beim besten Willen nicht daran erinnern, dass dieser Name jemals bei uns gefallen wäre«, sagte er. »Tano und Cesare haben viele ihrer Geschäftspartner erwähnt, aber einen Apollonio … Jedenfalls nicht, wenn ich dabei war.«

»Die vom Labor haben noch was gesagt. Dieses Zeug ist eigentlich ein Antiserum, das aus Blut hergestellt wird. Sie haben versucht, die Bestandteile zu isolieren, aber sie meinten, dass mit dem ursprünglichen Blut etwas nicht stimmt.«

Er musterte sie, als wollte er abschätzen, *wie* schlecht die Nachricht war, die jetzt folgen würde.

»Sie können es weder einem Menschen noch einem Tier zuordnen«, erklärte sie. »Offenbar weist das Serum Merkmale von beiden auf, andere Eiweiße oder … was auch immer. Aber das Serum in der Ampulle basiert trotzdem auf dem Blut eines einzigen Spenders, es ist also keine Mischung von mehreren.«

»Klingt, als wäre das unmöglich«, sagte er.

»Das meinten die auch.«

»Solange wir Menschen sind, ist alles an uns menschlich, auch unser Blut. Und nach der Verwandlung –«

»Ist auch das Blut tierisch. Zu hundert Prozent.« Sie nickte langsam. »Das, woraus das Serum hergestellt worden ist, stammt aber von jemandem, der beides ist. Mensch und Tier *gleichzeitig*.«

Alessandro verschränkte die Hände hinterm Kopf und lehnte sich mit einem Ächzen zurück. »Hybriden.«

Rosa runzelte die Stirn. »Hybriden?«

»Mischwesen. Arkadier, die in der Verwandlung stehengeblieben sind. Halb Tier, halb Mensch.«

»Stehengeblieben.«

»Das sind nur Gerüchte. Mach dir keine Sorgen.«

Ihre Augen verengten sich. »Wenn das heißen soll, dass ich vielleicht eines Tages mit einem Schlangenkopf durch die Gegend laufe, dann mach ich mir sogar ziemliche Sorgen.«

»Hab ich befürchtet.«

»Und deshalb hast du es vorher nie erwähnt?«

»Tut mir leid.«

»Was hast du mir noch verheimlicht?«

»Ich hab gar nichts verheimlicht«, fuhr er auf.

»Wie oft passiert so was?«

»Keine Ahnung.«

»Einmal im Monat? Im Jahr? Im Leben?«

»Du wirst jetzt nicht hysterisch, oder?«

Sie sprang auf und fegte dabei fast ein Windlicht vom Tisch. »Als ob es nicht reicht, dass wir uns in Viehzeug verwandeln müssen! Jetzt besteht auch noch die Gefahr, eines Tages als Reptilienfrau auf dem Jahrmarkt zu landen.«

»Wahrscheinlich ist das Risiko, dass du eines Tages an einem ganz normalen Krebs stirbst, hundertmal höher als das, dass du ein Hybride wirst. Oder tausendmal. Was weiß ich.«

»Was ist nun mit dem Blut in dem Serum?«

Er seufzte leise. »Stimmt schon, das ist ein Argument.«

»Züchtet TABULA sie vielleicht?«

»Warum sollten sie so was tun?«

Sie ging zur Reling und lehnte sich dagegen. »Warum sollten sie Arkadier einfangen und ihnen die Felle abziehen? Warum sollte Costanza Mäntel daraus nähen? Verdammt, es ist völlig egal, weshalb das alles passiert. Aber *dass* es passiert, steht nun mal fest.«

»Du denkst, dass durch die TABULA-Experimente – von denen wir auch nur vom Hörensagen wissen, richtig? –, dass durch diese Experimente Hybriden entstanden sind? Oder noch immer entstehen?«

»Weiß ich nicht. Möglich. Bis vor zwei Minuten *wusste* ich ja nicht mal was von irgendwelchen Hybriden!« Sie atmete tief ein und beobachtete ihn zwischen all den zuckenden Windlichtern. Er sah ein wenig unwirklich aus. »In Wahrheit wissen wir überhaupt nichts, oder? Aber irgendwo müssen wir anfangen.«

»Anfangen?« Er stand auf und kam zu ihr herüber. »Ist das der Plan? TABULA das Handwerk legen? Das Böse vernichten? Im Lande Mordor, wo die Schatten drohen?«

Sie schüttelte den Kopf. »Heldsein geht mir am Arsch vorbei.«

Alessandro lächelte. »Weil genau genommen *wir* die Bösen sind, oder?«

»Was ist dann TABULA?«

»Vielleicht nur ein Schreckgespenst, das sich Männer wie Cesare ausgedacht haben, um zu rechtfertigen, was sie tun. Ein Feindbild. Der Krieg gegen den Terror. Nur eine Entschuldigung, um noch schäbiger zu sein als die anderen.«

Sie hielt seinen Blick fest, tastete nach seinen Händen. »Und das glaubst du wirklich?«

»Ich weiß nicht mehr, was ich glauben soll.«

»Ich will wissen, was Costanza getrieben hat. Und was aus meinem Vater geworden ist. Was das alles mit mir zu tun hat.«

Mit uns, sagten seine Augen.

»Mit uns«, flüsterte sie.

Die Besucherin

Sie können nicht hier einziehen, Signora Falchi. Das ist mein letztes Wort.«

Die Lehrerin stand mit zwei Reisekoffern am Fuß der Freitreppe des Palazzo Alcantara. Rosa war selbst gerade erst von der Küste heimgekehrt, als die Frau mit ihrem Toyota auf den Innenhof gerollt war. Jetzt standen ihre beiden Koffer auf dem staubigen Pflaster vor den Stufen, Signora Falchi dazwischen, und Rosa wünschte sich intensiv an einen anderen Ort.

Raffaela Falchi verschränkte die Arme vor der Brust. Ihre Brillengläser blitzten im Sonnenschein, was sie nur noch streitlustiger erscheinen ließ. »Sie wollten doch eine gute Lehrerin.«

»Ja.«

»Sie wollten die beste Lehrerin für dieses schwierige Kind.«

»Ja.«

»Und Sie wollten sie für sechs Stunden am Tag.«

»Ja!«

»Jetzt bekommen Sie sie für vierundzwanzig. Zum selben Preis.«

»Aber darum geht es doch gar nicht!«

»Ich bin in diesem Haus Zeugin von offenen Zahnpastatuben geworden. Von Grabschändung. Von Sprühsahne aus der Dose direkt in den Mund. Von Grabschändung. Von schmutzigen Schuhen auf Parkett. Hab ich schon die Grabschändung erwähnt?«

Rosa stöhnte. »Sie beschweren sich laufend. Sie haben den ganzen Tag schlechte Laune. Sie ärgern sich über Iole und finden, ich bin zu jung, um für sie zu sorgen. Warum wollen Sie hier wohnen?«

»Erstens: Sie sind zu jung, um für sie zu sorgen. Zweitens: Sie wollen die Verantwortung für Iole gar nicht, weil Sie nicht einmal mit der Verantwortung für sich selbst klarkommen. Und drittens: Ich hab mich von meinem Freund getrennt.«

»Sie hatten einen *Freund*?« Rosa hatte mit vielem gerechnet, aber nicht damit, dass jemand wie Raffaela Falchi eine Beziehung haben könnte. Mit Sex.

»Er ist Musiker.«

»Flötist?«

»Sänger. In einer Rockband.«

»*Ihr* Freund?«

»Exfreund.«

Rosa wurde klar, dass sie auf der Treppe stand, als wollte sie sie mit ihrem Leben gegen den unerwünschten Eindringling verteidigen. Breitbeinig, in der Mitte der Stufen. Sie mussten beide ein ziemlich lächerliches Bild abgeben.

»Warum sollte ich wollen, dass Sie bei uns wohnen?«, fragte sie mit einem Seufzer.

»Ich hab einen grünen Daumen. Zwei.«

»Wir haben keine Pflanzen.«

»Meine Cousine in Caltagirone hat einen Blumenladen. Die gibt mir Rabatt. Meine andere Cousine hat eine Parfümerie. Ich könnte Ihnen –«

»Okay. Schon gut.« Rosa konnte es selbst nicht recht fassen, aber sie ging die Stufen hinunter, nahm den einen Koffer und nickte zum Portal hinauf. »Aber wenn ich hier eine Ihrer Cousinen treffe – oder rieche –, dann fliegen Sie.«

Zum ersten Mal sah sie Raffaela Falchi grinsen, und für einen Moment, nur einen Sekundenbruchteil, meinte sie, hinter ihrem ewig tadelnden Blick etwas zu entdecken, das womöglich sogar einem Rocksänger gefallen könnte.

»Waren Sie mit ihm auf Tour?«, fragte sie, während sie gemeinsam das Gepäck die Treppe hinaufschleppten.

»Seitdem hab ich einen Tinnitus. Schalltrauma.«

In der Eingangshalle kam ihnen Iole entgegen, einmal mehr in einem ihrer weißen Kleider. Sie blieb wie angewurzelt stehen, als sie die Lehrerin neben Rosa entdeckte.

»Oh«, sagte sie, als ihr Blick auf die Koffer fiel.

»Du solltest mal was anderes anziehen«, sagte Signora Falchi skeptisch. »Immer, wenn du in diesem Aufzug auftauchst, hab ich das Gefühl, ich sähe die Welt durch einen Weichzeichner.«

Iole runzelte die Stirn. »Vielleicht ist Ihre Brille beschlagen.«

Die Lehrerin hob eine Augenbraue, als sie Rosa einen Seitenblick zuwarf. »Diese Kleider haben doch nicht Sie ihr gekauft, oder?«

Rosa hob abwehrend die Hände.

»Die hab ich online bestellt«, sagte Iole. »Auf der Internetseite läuft so schöne Musik. Das ist nicht auf jeder so. Aber auf der schon. Davon werden die Kleider noch hübscher, finde ich. Außerdem bekommt man ein Tütchen mit Sonnenblumensamen dazu, wenn man drei Stück bestellt. Und eine CD zum Meditieren. Aber es werden keine Blumen daraus. Ich hab sie eingepflanzt. Die Samen, nicht die CD. Und gegossen. Und mit ihnen gesprochen.«

»Ich kann dir zeigen, wie man das macht«, sagte Signora Falchi ein wenig sanfter. »Und dann bestellen wir dir zusammen neue Sachen.«

Rosa nickte, als Iole ihr einen zweifelnden Blick zuwarf. »Sie ist cool«, bemerkte sie mit einer Spur von Sarkasmus. »Ihr Freund ist Musiker.«

»Exfreund.«

Iole betrachtete die beiden Koffer. »Sie wohnen jetzt bei uns, was?«

Raffaela Falchi sah Rosa fragend an.

Rosa nickte erneut. »Vorerst. Ist auch besser für die Zimmer, wenn nicht so viele leer stehen. Wegen der ... Belüftung. Feuchte Wände und so.« Sie hatte Widerstand von Iole erwartet, aber die rieb sich nur nachdenklich den Nacken und zuckte schließlich die Achseln.

»Okay«, sagte sie.

Die Lehrerin strahlte.

»In welchem Zimmer soll sie wohnen?«, fragte Iole.

Rosa gestikulierte Richtung Decke. »Irgendwo da oben. Wir haben dreiundzwanzig Schlafzimmer. Sucht irgendeins aus.«

Iole ergriff einen der Koffer und wollte vorausgehen, blieb dann aber stehen. Sie deutete auf einen kleinen Tisch nahe dem Portal. Darauf lag ein gepolsterter weißer Umschlag. »Den hat gestern ein Bote gebracht. Er ist für dich, Rosa. Von Avvocato Trevini. Fühlt sich an wie zwei Handys.«

Rosas Kreislauf sackte zusammen. Sie ging hinüber, nahm das Päckchen und bemerkte, dass es geöffnet worden war. »*Fühlt sich an* wie Handys?«

Iole wurde rot. »Ich war so neugierig. Aber ich hab sie nicht rausgeholt. Ehrenwort.«

Rosa wog den Umschlag in beiden Händen, atmete einmal tief durch und legte ihn zurück auf den Tisch. Sie würde sich das Video ansehen – später. Wahrscheinlich.

Iole trug den Koffer die Treppe zur zweiten Etage hinauf. Signora Falchi folgte ihr. Auf halbem Weg nach oben fiel Iole noch etwas ein.

»Ach ja«, sagte sie über die Schulter.

Rosa musste sich zwingen, ihren Blick von dem Umschlag zu lösen. »Hm?«

»Zweiundzwanzig.« Iole wechselte den Koffer in die andere Hand. »Zimmer, meine ich. Es sind nur noch zweiundzwanzig leer.«

»Was ist mit dem dreiundzwanzigsten passiert?«

Irgendwo im Haus bellte Sarcasmo. Hatte er das schon die ganze Zeit über getan? Es klang weit entfernt, wie aus einem der anderen Flügel des Palazzo.

»Du hast Besuch«, erklärte Iole. »Sie sah so müde aus. Da hab ich ihr gesagt, sie kann sich in einem der Zimmer ausruhen.«

»Besuch?«, wiederholte Rosa leise.

»Sehr, sehr müde«, sagte Iole.

☙

Rosa und die geschlossene Zimmertür.

Nichts sonst schien zu existieren. Selbst Sarcasmos Bellen war verstummt. Der Hund hatte seinen Posten vor dem Zimmer geräumt und stand jetzt in sicherer Entfernung, schwanzwedelnd und stolz, dass er Rosa herbeigelockt hatte.

Sie stand in dem düsteren Korridor, auf gesprungenen Steinplatten, vor verblichenen Wandteppichen, in gelblichem Lampenschein. Stand da und starrte die Tür des Zimmers an, in dem die Besucherin auf sie wartete.

Sie horchte. Hörte nichts.

Dann hob sie langsam die Hand, um anzuklopfen. Senkte sie wieder. Sie holte Luft, um etwas zu sagen. Verdammt, das war ihr Haus. Sie musste niemanden um Erlaubnis fragen, wenn sie einen der Räume betreten wollte.

»Setzen Sie sie in ein Taxi zum Flughafen«, hatte sie Trevini gebeten. »Am besten gleich in eine Maschine.« Sie witterte einen neuen Manipulationsversuch des Avvocato. Falls das neue Video nicht reichte, um sie aus der Fassung zu bringen – die Begegnung mit *ihr* würde das schon erledigen.

Ihre Hand berührte die Türklinke. Das angelaufene Metall fühlte sich kalt an. Sarcasmo knurrte.

Als sich der Griff ohne ihr Zutun bewegte, wurde ihr klar, dass auch auf der anderen Seite jemand gestanden und gezögert hatte. Die ganze Zeit über.

»Hallo, Rosa«, sagte Valerie.

Sehr müde. Nun wusste sie, was Iole damit gemeint hatte. Nur dass die Erschöpfung in diesem Gesicht, in diesen Augen keine Müdigkeit war.

Valerie sah noch schlimmer aus als in Trevinis Kellerverlies. Und das, obgleich sie geduscht haben musste; ihr dunkles Haar war nass. Iole hatte ihr frische Kleidung gegeben. Valerie trug Rosas schwarzes T-Shirt mit dem Schriftzug *Bessere Lügner gibt es immer.* An Val erschien es Rosa bemerkenswert passend, obwohl es über ihren knochigen Schultern hing wie auf einem Kleiderbügel.

Ihre Augen lagen tief in den Höhlen, ihre Nase war lang und spitz geworden. Schattige Dreiecke unter ihren Wangenknochen wurden vom Deckenlicht betont. Als Rosa sie kennengelernt hatte, war Valerie gerade ihre Zahnspange losgeworden; jetzt hatte sich ihr Gebiss gelblich verfärbt, einer der Schneidezähne war zur Hälfte abgebrochen. Nur mit Mühe schien sie sich auf den Beinen halten zu können. Sie brauchte dringend einen Arzt.

»Ich weiß, wie ich aussehe«, sagte Val. »Spar's dir einfach.«

»Mal daran gedacht, mit dem Rauchen aufzuhören?«

»Wer will schon fett werden?« Ein Rest der Valerie von damals steckte also noch irgendwo da drin. Ihr Galgenhumor ersparte Rosa das schlechte Gewissen darüber, dass sie kein Mitgefühl empfand.

»Was hast du hier zu suchen?«

Val trat zur Seite, um sie ins Zimmer zu lassen. »Ich wollte mit dir reden.«

Rosa blieb auf dem Flur stehen. »Trevini hat meine Handynummer.«

»Dein Freund Trevini –«

»Er ist nicht mein Freund.«

»Er wartet nur darauf, dir ein Messer in den Rücken zu stoßen.«

»Richtig. Deshalb hat er dich hergeschickt.«

Valerie schüttelte den Kopf. »Nein. Seine Leute haben mir ein Ticket nach New York gekauft und mich am Flughafen abgesetzt. Ich bin abgehauen.«

»Und bestimmt haben sie sich große Mühe gegeben, dich wieder einzufangen.«

Val zuckte die dürren Schultern. »Keine Ahnung. Komm schon rein. Ich kann nicht … Ich meine, Stehen ist im Moment ein bisschen anstrengend für mich.«

»Versuch's mal mit Liegen. Auf dem Rücken. Während ein paar Kerle dich festhalten.«

Sarcasmo kam heran und drängte sich an Rosas Bein. Er knurrte Valerie an, die einen Schritt zurückwich. »Er hat drei Stunden lang vor der Tür gestanden und gekläfft«, sagte sie.

»Schlafentzug ist eine unserer Spezialitäten hier auf Sizilien. Wenn wir unsere Gefangenen nicht gerade mit Drogen vollpumpen.«

»Lass ihn draußen und komm rein. Bitte.«

Rosa fixierte sie mit kühlem Blick. »Du hättest nicht herkommen sollen. Dieses Ticket war deine Chance, nach New York zurückzugehen.« Sie sah an Valeries ausgemergeltem Körper hinab. »Wobei ich mich nicht drauf verlassen würde, dass Michele dich mit offenen Armen empfängt.«

»Ich bin hier, weil ich dich um Verzeihung bitten will.«

»Na, dann ist ja wieder alles in Ordnung.«

»Können wir uns dieses ganze Getue nicht sparen? Ich hab kein Recht, hier zu sein, das weiß ich. Und vielleicht hätte ich wirklich einfach verschwinden sollen. Aber ich wollte es dir wenigstens einmal ins Gesicht sagen: Es tut mir leid. Alles.

Nicht nur die Party und dass ich dich dorthin gebracht hab. Auch die Lügen davor. Dass ich nichts von Michele gesagt habe. Ich möchte dich um Entschuldigung bitten.«

Rosa beugte sich zu Sarcasmo hinab, strich ihm über den Kopf und schickte ihn mit einem sanften Klaps davon. Dann trat sie an Valerie vorbei ins Zimmer und schloss die Tür hinter sich. Langsam ging sie zum Fenster hinüber, zog den schweren roten Samtvorhang beiseite – und stellte überrascht fest, dass kein Glas dahinter war. Die hohe Öffnung war zugemauert. Sie erinnerte sich, dass sie es einmal von außen bemerkt hatte. Aber sie hatte keine Ahnung gehabt, dass es sich dabei um diesen Raum gehandelt hatte.

Dann verstand sie. Iole war so viel gerissener, als man es ihr zutraute.

Rosa ließ ihren Blick durch das Zimmer wandern. Es gab keinen anderen Ausgang, nur eine Tür zum fensterlosen Bad. Iole hatte Valerie nicht einfach einen Platz zum Ausruhen angeboten. Sie hatte sie eingesperrt.

»Warum ist das Fenster zugemauert?« Valerie war nahe der Tür stehen geblieben, so als fürchtete sie, Sarcasmo könnte von außen die Klinke herunterdrücken.

Rosa wusste keine Antwort darauf. Dann aber fielen ihr die beiden eingestickten Initialen am Baldachin des Himmelbettes auf. Und die Tatsache, dass dieser Raum fast doppelt so groß war wie die meisten übrigen Gästezimmer.

C. A. stand dort oben.

Costanza Alcantara? War dies das Schlafzimmer ihrer Großmutter gewesen? Das C konnte für alles Mögliche stehen. Und doch verspürte sie eine merkwürdige Gewissheit.

Hatte Florinda das Fenster zumauern lassen? Vor zwei Monaten hatte Rosa angeordnet, alle Räume des Palazzo gründlich zu reinigen. Restlos alle, weil sie dem Gemäuer die Mausoleumsatmosphäre austreiben wollte. War dieses Zimmer bis dahin verschlossen gewesen? Ein Gefängnis für alle Erinnerungen, die Florinda mit ihrer verhassten Mutter verbunden hatte?

Zu Valerie aber sagte sie: »Das hier ist so was wie unsere Todeszelle. Man denkt es nicht von Iole, aber sie weiß genau, worauf es ankommt.«

Vals Mundwinkel zuckten, aber eine Spur von Beunruhigung konnte auch sie nicht überspielen. »Wenn es das ist … wenn du mich umbringen lassen willst, dann tu's eben. Ich hab die Wahrheit gesagt. Ich bin nur hier, um mich zu entschuldigen.«

»Auch für die Vergewaltigung?«

»Ich hab doch nicht gewusst, dass das passieren würde. Und das ist die Wahrheit. Ich hatte keine Ahnung.«

»Michele hat dir aufgetragen, mich zu dieser Party zu schleppen, und du dachtest – was?«

»Nichts hab ich gedacht. Ich war verliebt. Ich war dumm. Scheiße, ich hätte alles für ihn getan. Er ist ein Carnevare. Du weißt, wie sie –«

»Untersteh dich, Alessandro mit Michele zu vergleichen!«

»Wenn du es sagst.«

Rosa überkam eine makabre Faszination, während sie Valeries Mienenspiel beobachtete. Zugleich verstörte sie, wie fremd sie ihr geworden war. Nur in ihrem Tonfall klang dann und wann die alte Val durch, die Suicide Queen, die alle anderen an der Nase herumgeführt hatte. Sonnenuntergänge unter der Brooklyn Bridge. Nächte im *Club Exit*. Dieses Wrack dort vor ihr hatte äußerlich so gut wie nichts mehr gemein mit dem Mädchen von damals.

»Bist du dabei gewesen?«, fragte Rosa. »Als es passiert ist?«

»Nein!« Valeries Schultern sackten noch tiefer. »Ich hab wirklich nichts davon gewusst. Nicht an dem Abend. Erst am nächsten Tag –«

»Wenn es dir so ein Bedürfnis war, dich zu entschuldigen,

dann hast du dir eine Menge Zeit gelassen. Fast anderthalb Jahre.«

»Ich hab mich geschämt. Nicht nur geschämt. Ich fand mich selbst zum Kotzen. Und ich ... ich wollte nicht, dass du erfährst, was ... dass ich Michele gehorcht habe, als ich dich dorthin gebracht habe. Ich konnte dir nicht unter die Augen treten. Als du im Krankenhaus warst, da wollte ich dich besuchen.« Sie schüttelte den Kopf und wich Rosas Blick aus. »Aber ich konnte einfach nicht. Es ging nicht.«

So als wäre ihr Auto nicht angesprungen. Oder ihre U-Bahn hätte Verspätung gehabt. *Es ging nicht.* Als trügen andere die Schuld daran.

»Ich ruf dir ein Taxi«, sagte Rosa. »Und dann wage ja nicht, noch mal hier aufzutauchen. Oder irgendwo sonst, wo wir uns über den Weg laufen könnten.«

Valerie rührte sich nicht von der Stelle. Sie verlagerte ihr Gewicht unsicher von einem Bein auf das andere, wieder und wieder, aber sie setzte sich nicht. »Es war nicht allein Michele«, sagte sie.

»Ich weiß. Tano Carnevare war dabei. Und noch ein paar andere.«

»Ja. Aber das meine ich nicht. Der Drahtzieher der ganzen Sache war nicht Michele. Und auch nicht Tano.«

Rosa wollte ihr nicht mehr zuhören. Es wäre das Beste gewesen, jetzt das Zimmer zu verlassen. Das Taxi zu rufen. Valerie zu vergessen und mit ihr alles, was damals geschehen war.

»Ich hab Gespräche belauscht«, fuhr Valerie fort. »Zwischen Michele und Tano. Und lange Zeit war ich mir nicht sicher, was genau ich da eigentlich gehört hatte. Aber ich hatte so viele Monate, um darüber nachzudenken ... Tano hat Michele zu alldem überredet. Nein, nicht überredet. Das klingt, als wollte ich Michele verteidigen. Tano hat Michele und seine Leute *angeheuert*, um ihm zu helfen.«

»Mich zu vergewaltigen?«

Valerie, früher nie um eine schlagfertige Erwiderung verlegen, druckste herum. Dann nickte sie zögernd. Ihr Kinn zitterte. Erschöpft ließ sie sich auf die Bettkante fallen.

»Tano hat Michele jahrelang mit Drogen beliefert ... irgendein Zeug, weiß nicht, welches. Ich hab's nie probiert, aber Michele war ganz versessen darauf.«

Wusste Valerie überhaupt, was die Carnevares waren? Was Rosa war? Hatte sie Michele je als Leoparden gesehen? Oder glaubte sie noch immer, das Schlimmste, mit dem sie sich eingelassen hatte, wäre die Mafia?

»Glasampullen?«, fragte Rosa. »Mit einer gelben Flüssigkeit?«

Valerie nickte. »Michele hatte immer zehn oder zwanzig davon auf Vorrat. Er hatte diesen abschließbaren Kühlschrank, wie ein Safe, und darin war das Zeug. Tano hat es von irgendwoher beschafft, was seltsam genug war, weil Michele eigene Kontakte nach Kolumbien und Südostasien hatte.« Sie machte jetzt einen wackligen Schritt in Richtung des Himmelbetts und ließ sich auf der Kante nieder. Einen Moment lang schloss sie die Augen und atmete durch. »Tano hat Michele noch mehr von den Ampullen versprochen, für seine ... Unterstützung in dieser Nacht. Danach haben sie darüber gestritten, ich hab's mit angehört. Michele wollte mehr haben, als vereinbart war. Oder weniger dafür bezahlen, so genau weiß ich das nicht. Und Tano war wütend. Er hat gesagt, sie hätten eine Abmachung gehabt und sein Auftraggeber würde nicht mehr von dem Zeug lockermachen.«

»Tanos Auftraggeber?«

Valeries Nicken wirkte unentschlossen. »Das Ganze war nicht Tanos Idee. Er hat zwei- oder dreimal von jemandem gesprochen, der ihm den Auftrag gegeben hat. Michele muss ihn gekannt haben, ich glaube, er ist ihm mindestens ein Mal selbst begegnet.«

Rosas Kehle war wie verklebt von Ekel und Widerwillen und einem Gefühl von Panik, das sie überwunden geglaubt hatte. »Und jetzt sagst du, Tano hat das nicht von sich aus getan? Sondern weil er den *Auftrag* dazu bekommen hat?«

»Ich glaube, dass es so war«, antwortete Valerie. »Als sie miteinander geredet haben, Tano und Michele, da war das ziemlich eindeutig. Michele ist von Tano gekauft worden und Tano wiederum von diesem anderen.«

Die Worte kamen heiser aus Rosas Mund. »Wenn sie von ihm gesprochen haben, dann haben sie doch sicher einen Namen genannt.«

Valerie nickte. »Ein Italiener. Glaube ich.«

»Wie hieß er?«

»Apollonio.« Val kniff für einen Augenblick die Lippen zusammen, dann sagte sie: »Das war der Name, den sie benutzt haben. Mister Apollonio.«

Rosa ging langsam auf das Bett zu. Valerie sah aus, als wollte sie vor ihr zurückweichen, aber sie schien all ihre Selbstbeherrschung zusammenzunehmen und blieb, wo sie war. Rosa ließ sich mit einer Drehung neben ihr nieder. So saßen sie da, Oberschenkel an Oberschenkel, und starrten geradeaus in den leeren Raum.

»Kennst du ihn?«, fragte Valerie nach einer Weile.

»Nein.«

»Aber du hast den Namen gerade nicht zum ersten Mal gehört.«

»Nein.«

Val zögerte. »Okay«, sagte sie leise.

Rosa sah sie noch immer nicht an. »Was hast du jetzt vor?«

»Keine Ahnung.« Ein Zittern lief durch Valeries Körper, Rosa spürte es an ihrem Bein. »Oder, doch, vielleicht … Es gibt noch jemanden in New York.«

»Mattia«, flüsterte Rosa.

Valeries Kopf ruckte herum. In ihren geweiteten Augen stand Überraschung. Und eine Frage. Aber sie brachte keinen Ton heraus.

»Ich bin ihm begegnet«, sagte Rosa. »Als ich in New York war. Michele wollte mich umbringen und Mattia hat mir geholfen. Er hat geahnt, dass du hier auftauchen würdest. Er wollte, dass ich dir etwas ausrichte: dass du jederzeit zu ihm kommen kannst, egal, was auch passiert ist.«

»Das hat er gesagt?«

»Ja.«

»Dann hasst er mich nicht? Wegen Michele? Und weil ich abgehauen bin?«

Rosa schüttelte den Kopf.

»Er … hat mir mal gesagt, dass er mich gernhat.« Valeries Stimme vibrierte leicht, und es dauerte einige Herzschläge, bis Rosa erkannte, dass es ihre Hoffnung war, die Valerie so aus der Fassung brachte. Hoffnung, die sie lange nicht mehr verspürt hatte.

»Er ist tot«, sagte Rosa. »Micheles Leute haben ihn ermordet.«

Stille.

Erst nach einer Weile kam ein Raunen über Valeries Lippen, leise wie ein Atemzug. »Das ist nicht wahr. Das sagst du nur, um mir wehzutun.«

»Sie haben ihn verbrannt. Da war er vielleicht schon tot. Vielleicht auch nicht.«

Ein hohes Schluchzen drang aus Valeries Kehle. Sonst nichts. Nur dieser eine furchtbare Laut.

Rosa stand auf und ging zur Tür hinüber. »Ich ruf dir einen Arzt. Bis morgen kannst du bleiben. Dann verschwindest du von hier.«

Val blickte ihr nicht nach. Sie saß ganz still wie auf einer Fotografie, fast schwarz-weiß und zweidimensional.

Rosa verließ den Raum und schloss die Tür hinter sich. Sarcasmo rannte auf sie zu, setzte sich vor das Zimmer und wollte gelobt werden. Sie kraulte ihn am Hals, dann ging sie fort.

Hinter ihr bellte der Hund von neuem die Tür an.

Das Video

Die Bibliothek verhieß Sicherheit. Die Regale an den Wänden reichten fünf Meter hoch bis zur Decke. Tausende vergilbte Bücher füllten die Bretter, oft in zwei Reihen hintereinander, und auch der letzte freie Platz darüber war mit quer gestapelten Bänden ausgestopft. Wenn man sie hervorzog, würde man an vielen Stellen auf Schimmel stoßen; wie alle Räume des Palazzo war auch dieser ein Opfer des feuchten Mauerwerks.

Aber Rosa interessierte sich nicht für die Bücher, nur für die Stimmung, die sie verbreiteten. Der Raum vermittelte ihr das Gefühl, sich hier verkriechen zu können, unbeobachtet, ungestört.

Das Papier sperrte alle Geräusche aus. Nichts existierte außer den eigenen Gedanken.

Sie saß mit angezogenen Knien in einem knarzenden Ledersessel. Die Vorhänge vor den hohen Fenstern waren zugezogen, die feuerrote Abenddämmerung glomm in fadendünnen Ritzen. Eine altmodische Stehlampe mit Fransenschirm spendete senffarbenes Licht.

Sie kauerte da, in jeder Hand eines der Handys, die Trevini ihr zugeschickt hatte.

Sie schaltete das rechte ein. Irgendwer hatte den Zahlencode mit wasserfestem Filzstift auf den Rand geschrieben, in säuberlicher Mädchenschrift. Jemand, der wusste, wie man diese Dinger knackte. Wahrscheinlich die Contessa di Santis.

Im Display erschien ein Atompilz über einer Wüste. Valeries Handy, ohne Zweifel. Also würde Rosa mit dem Video von der Party beginnen, das sie zum größten Teil schon kannte. Sie atmete auf.

Nur eine einzige Videodatei war gespeichert. Trevini und die Contessa hatten alles präzise vorbereitet.

Und so sah sie sich noch einmal den verwackelten Film von der Feier an; sich selbst, wie sie ihr Glas auf einem Tisch abstellte und davonging; all die lachenden und grüßenden Menschen, unter ihnen Alessandro. Doch diesmal fror das Bild nicht auf ihm ein. Die Kamera schwenkte herum, zoomte unkontrolliert durch die Menge, begleitet von Valeries verrauschtem Kichern. Plötzlich kam abermals Rosa ins Bild, das Glas wieder in der Hand. Sie sagte lachend etwas zu Valerie hinter der Kamera, dann trank sie das Glas halb aus. Setzte es ab. Trank noch einmal. Wiegte sich im Rhythmus einer Musik, die dumpf aus dem überforderten Lautsprecher drang.

Der Film brach ab.

Rosas Hand zitterte. Sie hatte es bisher nicht wahrgenommen, weil das Bild so verwackelt war. Einmal mehr überlegte sie, es dabei zu belassen, beide Handys wegzuwerfen und nie wieder in ihrem Leben einen Gedanken an das zweite Video zu verschwenden.

Aber dann legte sie das erste Gerät beiseite und nahm das andere in beide Hände, als müsste sie es festhalten, damit es nicht aus ihren Fingern sprang. Auch sein Code war mit blauem Stift auf das Gehäuse geschrieben.

Rosa hatte ein anzügliches Hintergrundbild erwartet, etwas, das zum Clubbesitzer Michele passte, zu wilden Nächten und Exzessen. Stattdessen erschien ein Bild von Kater Tom, mit Jerry in der einen Hand, einem Messer in der anderen.

Auch auf diesem Handy gab es nur eine Datei. Das automatische Standbild im Ordner *Videos* war dunkel und verschwommen. Nichts zu erkennen.

Rosa legte den Daumen auf die OK-Taste.

Ihre Hand zitterte jetzt nicht mehr. Vielmehr schien sie wie gelähmt. Unfähig, diese letzte, winzige Bewegung zu vollziehen.

Sie hatte darüber nachgedacht, was sie zu sehen bekommen würde. Längst hatte sie eigene Bilder im Kopf, von sich selbst und von Tano. Sein kurzes dunkles Haar. Die lächelnden Augen hinter der schmalen Brille.

Sie dachte daran, wie sie ihm auf Sizilien zum ersten Mal begegnet war, auf der Beerdigung des Barons Carnevare. Wenig später, zwischen Reihen stiller Gräber, hatte Alessandro ihr das winzige Buch mit den Fabeln des Äsop geschenkt. Danach hatte sie Tano noch zweimal getroffen. Erst auf der Isola Luna, dem kleinen Vulkaneiland vor Siziliens Nordküste. Und schließlich, zum letzten Mal, als er und seine Motorradgang Rosa in der Ruine eines antiken Amphitheaters eingekesselt hatten, als er sie hatte zerfleischen wollen, in der Gestalt eines gewaltigen Tigers. Sie war Zeugin seiner Verwandlung geworden, dann seines Todes. Wie in Zeitlupe sah sie noch einmal vor sich, wie die Pistolenkugel sein Gesicht zerschmetterte.

Rosa schloss die Lider, spürte die Taste unter ihrem Daumen. Musste all ihre Kraft aufbringen, um den Finger langsam, ganz langsam zu senken.

Es knisterte im Lautsprecher des Handys. Das Display wurde dunkel, dann wieder hell. Rötlich.

Sie blickte in ihr eigenes Gesicht.

In ihre aufgerissenen, hellwachen Augen.

ഒൠ

»Ich brauche dich«, flüsterte sie ins Telefon. »Ich will bei dir sein.«

Sie hasste ihre tränenerstickte Stimme. Hasste sich sogar dafür, dass sie ihn angerufen hatte.

»Ich setze mich jetzt ins Auto«, sagte sie leise, »und komme zu dir.«

»Auf keinen Fall.« Alessandros Stimme bekam diesen Unterton, mit dem er Widerspruch im Keim ersticken konnte. Der *capo*-Ton, den er von seinem Vater geerbt hatte. »In dem Zustand fährst du nirgendwohin. Ich bin gleich bei dir. Anderthalb Stunden, vielleicht schaff ich's noch schneller. Ich bin schon unterwegs.« Tatsächlich hörte sie seine Schritte in den steinernen Fluren des Castello Carnevare, hastig, aufgebracht. Seine Eile verriet ihn. Die Entschiedenheit in seiner Stimme war nur vorgeschoben.

»Es tut mir leid«, sagte sie. »Ich … ich will jetzt nicht allein sein.«

Ihre Lippen berührten den Telefonhörer. Es war ein altmodisches Gerät, mit gebogenem Hörer an einem Spiralkabel.

»Ich fahre jetzt los«, hörte sie Alessandro bald darauf sagen, und prompt heulte der Motor seines Ferrari auf.

»Lieb von dir.«

»Ich hätte da sein sollen, als du dir das angeschaut hast.«

Ihm mussten Fragen auf den Lippen brennen, aber er hielt sie zurück. Sie stellte sich seinen verbissenen Gesichtsausdruck vor. Das hier würde auch für ihn schwer werden, das wusste sie. Aber sie wollte, dass er es mit eigenen Augen sah, und dann sollte er ihr sagen, dass sie nicht irre geworden war.

»Bist du sicher, dass es echt ist?«, fragte er nach kurzer Pause. Seine Stimme hallte ein wenig. Er hatte die Freisprechanlage im Wagen eingeschaltet.

»Was soll es denn sonst sein? Die Scheiß-*Toy-Story*?«

»Ich meine, weil es von Trevini kommt.«

»Das hier hätte er nicht fälschen können. Nicht mal er.«

»Er hat dir das nur geschickt, um dich zu verletzen.« Alessandro machte keinen Hehl daraus, dass er vor Wut auf den Avvocato kochte.

»Kann sein. Aber wenn ich es nicht gesehen hätte …«

»Ginge es dir jetzt besser.«

»Ich kann dir das nicht am Telefon erklären.«

Der Motor brummte monoton im Hintergrund. In Gedanken sah sie den Ferrari über einsame Straßen jagen, zwischen kargen, dunklen Hügeln. »Ich weiß nicht, ob ich das wirklich anschauen sollte. Das ist zu –«

»Intim?«, fuhr sie auf. »Das da auf dem Video ist so intim wie ein Bolzenschuss im Schlachthaus.«

Und wieder entgegnete er nichts, wohl weil er ahnte, dass er in diesem Moment nur das Falsche sagen konnte. Ihr tat es leid, aber sie kam nicht gegen ihr Temperament an. Wenn sie nicht wütend war, würde sie heulen.

Sie schämte sich nicht vor ihm für ihre Nacktheit. Auch nicht für ihre Verletzlichkeit oder das Ausgeliefertsein, das sie in ihren eigenen Augen gesehen hatte. Bislang hatte sie angenommen, dass sie während der Vergewaltigung die ganze Zeit über bewusstlos gewesen war. Aber das stimmte nicht. Sie hatte es nur vergessen. Das Zeug in ihrem Cocktail hatte ihre Erinnerung ausgelöscht. Dabei war sie wach gewesen. Sie hatte alles miterlebt, jede verdammte Sekunde.

»Ich fahr jetzt gleich auf die Autobahn«, sagte Alessandro. »In einer knappen Stunde bin ich bei dir.«

Sie kauerte noch immer regungslos im Sessel, zusammengekrümmt, die Knie an die Brust gezogen. Ihre Tränen tropften vom Kinn auf ihr schwarzes Top. »Red einfach weiter, ja?«, bat sie ihn leise. »Red irgendwas, damit ich deine Stimme höre.«

»Trevini wird das noch leidtun. Ihm *und* Michele.«

Sie schüttelte den Kopf, überlegte kurz, dann sagte sie: »Trevini bin ich sogar dankbar.«

»Er wollte dir nur wehtun.«

»Er hat dafür gesorgt, dass ich die Wahrheit erfahre.«

»Aber –«

»Erzähl mir, was du heute gemacht hast«, unterbrach sie ihn. »Erzähl mir deinen ganzen Tag. Von langweiligen Konferenzen, vom Mittagessen. Von dem, was deine Berater sagen. Ganz egal.«

Er gab nach und seine Stimme wurde eins mit dem leisen, monotonen Rumoren des Motors. Sie hörte ihm zu, ließ sich einlullen von seinen Worten, und so überstand sie die nächste Stunde.

☙❧

Alessandros Gesicht war wie versteinert. Seine Haut sah stumpf, fast wächsern aus. In seinen Augen spiegelte sich das Flackern des Videos, während Rosa in der Bibliothek auf und ab ging und an den Fingernägeln kaute.

Die ganze Zeit über sprach er kein Wort. Er hatte den Ton abstellen wollen, aber Rosa hatte ihn mit einem Kopfschütteln davon abgehalten. Sie musste hören, wann der Moment kam, auf den sie wartete.

Verzerrte Stimmen aus dem Hintergrund verschmolzen mit dem Rauschen des schwachen Handymikrofons. Die Bilder hatten sich in Rosas Netzhaut eingebrannt, sie konnte sich nicht dagegen wehren. In dem Raum, in dem sich alles abgespielt hatte, loderte ein Kaminfeuer. Wahrscheinlich war es das Wohnzimmer von Tanos Wohnung in der Charles Street gewesen, eine oder zwei Etagen über dem Apartment, in dem die Party stattgefunden hatte. Mehrere Personen waren anwesend, aber sie waren nur Schemen im schlecht beleuchteten Hintergrund. Michele hatte mit dem Handy gefilmt, seine Stimme war am deutlichsten zu hören. Er hatte die Kamera auf ein breites Sofa gerichtet, eine Art Diwan mit dunklem Bezug. Überall lagen Kissen herum, die meisten hatte Tano beiseitegefegt.

Um sich abzulenken, blieb Rosa vor einem der Bücherregale stehen, schloss die Augen und tastete über die brüchigen Buchrücken. Sie zog einen Band hervor, öffnete ihn in der Mitte und hob ihn unter ihre Nase. Das Buch hätte besser riechen müssen, nach Leim und Papier, nach Druckerschwärze.

Doch sie roch nur die Feuchtigkeit des Gemäuers, die zwischen die Seiten gekrochen war.

Plötzlich erkannte sie in den Geräuschen auf dem Video ihre eigene Stimme. Alessandro sah zu ihr hin und regulierte den Ton auf null.

»Das muss niemand mit anhören«, sagte er heiser. »Ich nicht, und du schon gar nicht.«

»Doch«, protestierte sie, schob das Buch ins Regal und eilte zu ihm hinüber. »Gleich ist es so weit.«

»Was?«

»Das sollst du ja selbst sehen.«

Widerwillig schaute er abermals auf das Display. Weil sie so vehement darauf bestand, schob er den Tonregler ein wenig höher, aber seine Miene verriet, wie sehr ihm das zuwider war.

Seine Augen glänzten stärker als zuvor, das bemerkte sie erst jetzt. Sie wandte sich ab, um ihre eigenen Tränen zu verbergen.

Tano war jetzt deutlicher zu hören. Einen Moment lang schien nichts anderes zu existieren, allein die Laute dieses Toten –

Sein Tigergesicht explodierte. Lilias Pistolenkugel sprengte es wie einen Kohlkopf.

–, der auf dem Video noch quicklebendig war.

Eine Türklingel läutete. Gleich darauf ein zweites Mal. Das Handy wurde hektisch irgendwo abgelegt, filmte weiter aus einer starren Perspektive.

Stimmen im Hintergrund, dann die von Michele: »*Guten Abend, Mister Apollonio.*«

Rosa sah Alessandro an, der noch immer widerstrebend wirkte und voller Abscheu. Hektisch wischte er sich mit dem Handrücken über die Augen, sah wieder hin.

»*Die Herren Carnevare*«, sagte eine harte Stimme. »*Ein echtes Familientreffen. Sind Sie fertig?*«

Tano fluchte.

Der Tonfall des Fremden wurde schärfer. »*Wir bezahlen Sie nicht für Ihr Vergnügen.*«

Alessandro sah zu Rosa auf, wollte etwas sagen, aber ihm fehlten die Worte.

»Du musst hinsehen!« Ihre Stimme überschlug sich fast. »Auf sein Gesicht!«

Er war kurz davor, das Handy von sich zu schleudern, senkte dann den Blick.

»Apollonio ist nicht zu sehen«, brachte er mühsam hervor. »Michele hat das Handy hingelegt. Man sieht nur ein Stück von dem Sofa.«

»Gleich kommt Apollonio ins Bild.«

Jetzt war Tano wieder zu hören. Als einer der Umstehenden eine dumme Bemerkung machte, geriet der Besucher außer sich: »*Raus hier! Alle raus, bis auf Sie beide!*« Damit musste er Tano und Michele meinen.

Kurz darauf schlug eine Tür zu.

Rosa trat hinter den Sessel und beugte sich über Alessandros Schulter. Zum ersten Mal, seit er das Video ansah, schaute auch sie auf das Display.

»Drück auf Pause«, sagte sie. »Warte … jetzt!«

Alessandro hielt den Film an. Ein rotgelber Schmierfleck: eine Gestalt, ein Gesicht, völlig verwischt. Das konnte jeder sein.

Rosa umrundete hektisch den Sessel und setzte sich neben Alessandro auf die Armlehne. »Gib mal her.«

Sie nahm das Handy aus seiner Hand und drückte drei, vier Mal in rascher Folge auf Pause und Play. Zuletzt war das Bild zwar noch immer verschwommen, aber es reichte aus, um Apollonios Züge zu erkennen.

Sie reichte das Handy zurück an Alessandro, sprang auf, blieb vor ihm stehen, schlug die Arme um ihren Oberkörper und wippte nervös auf den Fußballen.

Er hielt das Display näher an die Augen, dann weiter weg. Sie sah ihm an, dass er nach wie vor keine Ahnung hatte, wer der Mann auf dem Video war.

»Du kennst ihn nicht«, murmelte sie enttäuscht.

»Vielleicht ist es nur zu unscharf.«

Auf einem Tisch lag das Fotoalbum, das sie vor seiner Ankunft herausgesucht und aufgeschlagen hatte. Atemlos holte sie es herbei und legte es auf seinen Schoß. Presste hart den Zeigefinger auf ein eingeklebtes Foto.

»Ist das derselbe Mann?«

Die Sorgenfalten auf Alessandros Stirn vertieften sich. Die Schatten um seine Augen wurden dunkler. »Sieht so aus.«

»Apollonio«, sagte sie. Nun kehrten die Erschütterung zurück und der Unglaube.

Alessandro fragte zögernd: »Rosa, wer zum Teufel ist das?«

Ihr Mund war trocken, ihre Zunge klebte am Gaumen. Sie brachte die Worte trotzdem hervor, leise, brüchig, mit der Stimme einer Fremden.

»Dieser Mann«, sagte sie, »ist mein Vater.«

Experiment

Minuten später sprachen sie noch immer kein Wort.

Rosa saß auf Alessandros Schoß im Sessel, er barg ihren Kopf an seiner Schulter. In der Stille der Bibliothek war sein Herzklopfen der einzige Laut. Seine Halsschlagader pochte an ihrer Wange, der Rhythmus schien durch ihren Körper zu wandern und sie von Kopf bis Fuß zu erfüllen. Als hielte er sie mit seinem Herzen am Leben, während sich ihr eigenes wie abgestorben anfühlte.

Irgendwann hob sie den Kopf und schaute ihm in die Augen.

»Du siehst es doch auch, oder?«

»Ja«, sagte er leise, »natürlich.«

»Ich meine, wirklich?«

»Er sieht genau aus wie der Mann auf dem Foto.«

Sie löste sich von ihm und stand auf, entfernte sich zwei, drei Schritte und wandte sich abrupt wieder um. »Er sieht nicht nur so aus, Alessandro! Das da auf dem Video *ist* mein Vater.«

Auch er erhob sich, war im nächsten Moment bei ihr und wollte sie an sich ziehen. Aber Rosa hob abwehrend beide Hände und schüttelte den Kopf, ohne ihn anzusehen. »Der Mann, der Tano den Auftrag gegeben hat, mich zu vergewaltigen, das …« Sie brach ab, ließ die Hände sinken und stand für einen Moment vollkommen hilflos da. »So eine Scheiße«, flüsterte sie.

Er machte einen neuen Versuch, sie in die Arme zu nehmen, und diesmal ließ sie es zu. Sie standen einfach nur da und er gab ihr alle Zeit, die sie brauchte.

Plötzlich löste sie sich von ihm, rieb sich die Augen und straffte sich. »So«, sagte sie.

»So?«

»Es reicht. Zusammenbruch beendet. Die heulende, selbstmitleidige Rosa verabschiedet sich. Die alte Rosa ist zurück, abgeklärt, stubenrein, neurotisiert und garantiert tränenfrei.«

Er hob eine Braue. »Neurotisiert?«

»Wenn es das Wort noch nicht gibt, dann ist es jetzt meins.«

»Keiner sonst will es haben.«

»Ich schon. Ich mag meine Neurosen. Ich mag, dass sie ein eigenes Adjektiv haben.«

Er seufzte. »Was hast du vor?«

»Schritt eins: Rückblick. Was bisher geschah.«

Alessandro schwieg besorgt. Er schien auf einen Schock zu warten, auf einen hysterischen Anfall. Aber sie behielt sich im Griff. Sie fand, sie war die fleischgewordene Selbstbeherrschung.

»Mein Vater bekommt nach dem Tod meiner Großmutter einen Anruf«, begann sie. »Ein Mann namens Apollonio ist bei Trevini aufgetaucht und verlangt Geld – für Pelzmäntel aus Arkadien, die noch nicht bezahlt worden sind ... Klingt ziemlich irre. Wie irgendwas aus der Fernsehzeitschrift.«

»Okay.«

»Wegen des Anrufs lässt der Vater seine Familie im Stich und fliegt nach Europa, um diesen Apollonio persönlich ausfindig zu machen. Kurz darauf bekommen seine Frau und die beiden süßen Töchter die Nachricht, dass er an einem Herzschlag gestorben sei. Keine der drei fliegt zum Begräbnis. Großer Fehler. Denn später stellt sich heraus, dass sein Grab leer ist.« Sie rümpfte die Nase. »Glaubwürdig?«

»Mit Einschränkungen.«

»Weil es bis hierher so alltäglich klingt, bringen wir nun eine Verwicklung hinein. Fernsehzuschauer sind ja einiges gewohnt.«

Ihr zuliebe schien er sich auf das Spiel einzulassen. »Manche haben *Lost* gesehen.«

»Eine der Töchter wird vergewaltigt. Sie wird natürlich schwanger.« Ihr Zynismus machte es leichter, darüber zu sprechen, fast als wäre es einer anderen zugestoßen, nicht ihr selbst. »Anderthalb Jahre später taucht ein Video der Vergewaltigung auf und darauf zu sehen ist ein Mann, den alle Apollonio nennen. Gruselig genug, aber es kommt noch besser: Apollonio ist ihr Vater! Ende der ersten Staffel. Die Drehbuchautoren haben jetzt ein Jahr Zeit, um sich zu überlegen, wie sie aus diesem Unsinn wieder rauskommen.«

Er musterte sie prüfend, so als wollte er sichergehen, dass sie nicht gerade rasant auf einen Nervenzusammenbruch zusteuerte. »Welches Motiv hat Apollonio?«

»Was weiß der Zuschauer bisher über ihn?«, fragte Rosa. »Nicht viel. Dass er wahrscheinlich zu einer unheimlichen, supergeheimen und selbstverständlich weltumspannenden Geheimorganisation namens TABULA gehört.«

»Die ein Faible für Pelzmäntel hat.«

»Mit denen Apollonio sein Taschengeld aufbessert, indem er sie an eine bösartige Mafiachefin verkauft. Das könnte er im Auftrag von TABULA tun, vielleicht arbeitet er aber auch auf eigene Rechnung.«

»Eher für TABULA, würde ich sagen.«

Sie nickte. »Apollonio verkauft die Pelze also auf Befehl von TABULA an die alte Mafiahexe. Vielleicht um Streit unter den Arkadischen Dynastien zu säen, wenn die Sache irgendwann herauskommt. Er ist ein treuer Anhänger der Organisation und würde nie etwas tun, das deren Zielen zuwiderläuft. Leider wird er kurz darauf vom Sohn der Alten ausfindig gemacht und umgebracht.«

Alessandro hob eine Augenbraue. »Woher wissen wir das?«

»Wissen wir nicht. Aber offenbar ist der Sohn dreizehn Jahre später in Apollonios Rolle geschlüpft. Er *ist* jetzt Apollonio. Derselbe Typ, aber mit neuem Gesicht.«

»Einspruch.«

»Wieso?«

»Der Sohn kann nicht einfach eine neue Rolle spielen. Das ist nicht logisch. Davide bleibt Davide – nur dass er eben jetzt *so tut*, als wäre er Apollonio. Undercover. Vielleicht ist er so eine Art Geheimagent, der TABULA von innen heraus zerschlagen will.«

»Aber nur um seine Tarnung zu wahren, würde er nicht tatenlos zusehen, wie seine eigene Tochter von einem Panthera vergewaltigt wird. Das könnte er nicht, wenn es ihm nicht *wirklich* egal wäre.«

Alessandro kaute auf seiner Lippe.

»Davide ist also jetzt Apollonio«, sagte sie. »Er ist zu einem treuen Soldaten von TABULA geworden.«

»Gehirnwäsche?«

»Ich glaube eher, sie haben ihn von ihren Zielen überzeugt. Genauso wie den ersten Apollonio. Davide glaubt jetzt, dass sie im Recht sind, so sehr, dass ihm sogar seine Tochter gleichgültig ist.«

»Aber es steht fest, dass es *zwei* Apollonios gab, oder? Den mit den Pelzen und den auf dem Video.«

»Guter Einwurf. Wenn Apollonio und Davide von Anfang an dieselbe Person gewesen wären, dann hätte er Costanza – seiner eigenen Mutter – nicht die Pelze verkauft, oder? Außerdem hätte Trevini ihn später wahrscheinlich erkannt.«

Alessandro blieb skeptisch. »Was voraussetzt, dass Trevini dir wirklich alles und vor allem die Wahrheit erzählt hat.«

»Das finde ich noch raus – in Schritt zwei. Aber im Augenblick sind wir noch bei Apollonios Motiven – den Motiven von TABULA. Sie haben dafür gesorgt, dass ein Panthera eine Lamia vergewaltigt. Warum?«

»Damit«, sagte Alessandro zögernd, »sie von ihm schwanger wird? Du glaubst, das Ganze war so was wie ein Experiment?«

»Das Problem ist, dass wir nicht wissen, was TABULA eigentlich will. Warum machen sie Versuche mit Arkadiern? Was bezwecken sie damit?«

Er nahm den Faden auf: »Kennen sie die Statuen von Panthera und Lamia am Meeresgrund? Waren sie es, die sie dort weggeholt haben?«

»Die Frage, ob Thanassis und die *Stabat Mater* zu TABULA gehören, klären wir in der nächsten Drehbuchkonferenz.«

»Aber eines daran ist trotzdem wichtig«, sagte er. »Wir haben die Statuen die ganze Zeit über immer auf uns bezogen, oder? Jedenfalls hab ich das getan. So als wären sie eine Art Prophezeiung, die wir beide erfüllen.«

»Irgendwie schon, ja.«

»Damit hatte aber TABULA nichts zu tun, sie hatten gar keinen Einfluss darauf, dass wir beide uns ineinander verliebt haben. Das kann ihnen also nicht besonders gut gefallen haben. Richtig?«

Rosa nickte.

Jetzt kam Alessandro in Fahrt. »Wissenschaftler machen ihre Experimente doch am liebsten in einem kontrollierten Umfeld. Im Labor, wo sie alles beeinflussen können.«

»Du meinst –«

»Sie kannten die Statuen. Wahrscheinlich wissen sie sogar, wofür sie stehen. Und deshalb wollten sie eine Lamia mit einem Panthera –« Er kämpfte mit sich, aber brachte den Satz nicht zu Ende. »Zu ihren Bedingungen«, fügte er lediglich hinzu.

»Und wo sie herkommen, gibt es keine künstliche Befruchtung?«

Verunsichert hob er die Schultern.

»Die Frage ist«, sagte sie tonlos, »wollten sie ein Kind oder reicht ihnen abgetriebenes Gewebe? Ein Fötus?«

Alessandros Kieferknochen mahlten, aber er sagte nichts.

Sie setzte sich auf die Kante des Tisches, auf dem das Fotoalbum gelegen hatte. Ihr Kopf fühlte sich an, als wäre sie unerwartet gegen eine Glastür gelaufen.

»Ich drehe durch, wenn ich das bis zum Ende durchspiele. Mein Vater ist zu Apollonio geworden, und Apollonio hat Tano und Michele bezahlt. Das sind die Fakten. Mehr nicht.«

»Sieht so aus.« Er holte tief Luft. »Dann war es auch dein Vater, der Tano mit dem Serum versorgt hat.«

Rosa schob ihren Ärmel hoch und blickte auf die blauen Flecken rund um die beiden Einstiche. »Wahrscheinlich haben sie uns mit ihrem beschissenen Mutantenblut infiziert.«

»Aber das alles hat nichts mit uns zu tun. Mit dem, was letzte Nacht war.«

»Nein.«

»Wirklich nicht?«

Sie schüttelte den Kopf. »Wird Zeit, dass ich die Verwandlungen unter Kontrolle bekomme. Ich kann dieses Zeug nicht noch mal nehmen. Das ist fast, als würde mein Vater –«

»Dafür sorgen, dass auch *wir* miteinander schlafen?«

Düster sah sie ihn an. »Mit Tano hab ich nicht geschlafen, Alessandro. Ich kann das unterscheiden.«

»Ja … entschuldige. Ich … weiß nicht, warum ich das gesagt hab.«

Sie gab ihm einen Kuss, erst zögernd, dann sehr bestimmt.

»Sie lassen uns nicht in Ruhe«, flüsterte sie. »Selbst wenn sie nichts tun, *uns* nichts mehr tun, dann sind sie trotzdem da und verdrehen unsere Gedanken und Gefühle und –«

»Ich weiß genau, was ich fühle.«

Sie nickte langsam. Was sie auf dem Video gesehen hatte, änderte alles – und es änderte nichts. Und falls Trevini damit bezweckt hatte, sie in die Knie zu zwingen, hatte er sich getäuscht.

»Danke«, sagte sie leise.

»Wofür?«

»Dass du mich verstehst. Auch wenn du mich nicht verstehst.« Sie gestikulierte unbeholfen. »Nicht verstehen solltest. Dann tust du's trotzdem, irgendwie.«

Er lächelte. »Rosas Version der drei Worte?«

»O ja.«

Hundinga

Die Nacht verbrachten sie auf der Couch in der Bibliothek. Sie schliefen in ihren Kleidern, Rosas Kopf an Alessandros Brust.

Als aber der Morgen dämmerte, war das nicht mehr halb so behaglich wie noch wenige Stunden zuvor. Rosa bewegte sich und hatte das Gefühl, jemand hätte Stahlnägel durch ihre Gelenke getrieben. Ihr Rücken war stocksteif.

»Guten Morgen«, sagte er und küsste sie auf die Stirn.

»Morgen«, ächzte sie. »Wie gut er ist, wird sich zeigen, wenn ich aufgestanden bin und nicht zusammenbreche.«

Alessandro regte sich, änderte dabei seine Position und stieß gleichfalls ein Stöhnen aus. »Wer baut solche Sofas?«

Sie setzte sich auf. »Wenigstens war es teuer.«

»Dafür nimmt man so einiges in Kauf.«

Rosa lächelte, aber selbst ihre Gesichtsmuskeln taten weh. Sie schnitt eine Grimasse, um sie zu entspannen, sah dabei ihr Spiegelbild in einem Glasrahmen an der Wand und fluchte. »Es hätte schlimmer kommen können«, sagte sie schließlich. »Ich hätte als Hybride aufwachen können.«

»Was nicht ist …«

Abrupt sprang sie auf. »Warum hab ich mich nicht verwandelt?« Ihre Schmerzen waren auf einen Schlag wie fortgewischt. »Wegen der Sache mit meinem Vater, meine ich. Ich dachte, bei heftigen Gefühlsausbrüchen passiert das von selbst?«

»Vielleicht hast du es besser unter Kontrolle, als du weißt.«

»Aber ich will nichts können, von dem ich nichts weiß! Davon hab ich die Nase voll. Ich möchte nur einmal das Gefühl haben, *alles* über mich zu wissen, und nicht laufend im Spiegel jemandem begegnen, den ich gar nicht kenne.«

»*Ich* kenne niemanden so gut wie dich.«

»Unheimlich.«

»Nein, toll.« Er lächelte gequält, als er seinen Oberkörper aufrichtete. »Wenn man dich kennt, muss man niemanden sonst kennen. Genug Facetten für zwanzig.«

»Schizophren, meinst du.«

»Du weißt genau, wie ich das meine.«

»Besser solche Komplimente als über meine Augen.«

»Die sind nur Durchschnitt.«

»Blödmann.«

Er erhob sich, jetzt bereits beweglicher, weil er selbst als Mensch den Panther nicht verleugnen konnte. Rosa hingegen suchte in sich vergeblich nach der Geschmeidigkeit der Schlange.

»Wenn du es schaffst, deine Gefühle unter Kontrolle zu bringen«, sagte er, »dann kontrollierst du auch die Verwandlungen.«

»Ich hab aber meine Gefühle nicht unter Kontrolle.«

»Letzte Nacht schon. Du hast einfach beschlossen, wieder die alte Rosa zu sein – und es hat funktioniert. Wahrscheinlich hast du dadurch verhindert, dass du zur Schlange wirst.«

Sie legte die Stirn in Falten. »Und so was erzählen dir nachts die Tiere im Zoo?«

»So ungefähr.«

Rosa schüttelte den Kopf. »Ich weiß nicht mal, ob ich das alles verstehen *will*.«

»Ums Verstehen geht's gar nicht. Alles, was wir tun können, ist die Wahrheit zu *fühlen*. Diese ganze Sache, Arkadier sein, die Verwandlungen, all das hat nichts mit Logik zu tun. Die früheren Arkadier haben sich nur von ihren Instinkten und Trieben leiten lassen. Deshalb sind viele so versessen darauf, dass der Hungrige Mann zurückkehrt – genau das ist es, was er ihnen verspricht. Keine Gesetze mehr, keine Vernunft, nur animalischer Instinkt und die Erfüllung aller Begierden.«

»Dann sind wir nicht anders als sie.«

»Das hat auch keiner behauptet. Wir können uns nicht gegen unsere Natur auflehnen. Aber ihr freien Lauf zu lassen, ohne jede Regel, ohne Rücksicht, das kann auch nicht die Lösung sein.«

»Klingt für mich nicht anders als das, was die Mafia tut ... was unsere Leute da draußen tun, wenn sie mit Menschen und Waffen handeln.«

Er hob die Schultern. »Vielleicht. Aber wir können nicht einfach einen Schalter umlegen und zu anderen werden. Ich bin, was ich bin, Rosa. Und du bist das auch.«

»Ich bin nicht wie Costanza.«

»Und ich nicht wie mein Vater.«

»Zu viel Moral am frühen Morgen.« Sie atmete in ihre hohle Hand. »Zähneputzen. Duschen. Und dann –«

»Frühstücken?«

Sie schüttelte den Kopf. »Schritt zwei.«

ᘒᘖ

Auf den Hügeln heulten wilde Hunde.

In der Ferne dröhnten die Rotoren eines Hubschraubers.

Die Sonne schaute erst eine Handbreit über die Bergkuppe. Vor dem rotgelben Feuerball sahen die Silhouetten der Bäume aus wie verkohlte Streichhölzer. Der Duft von Piniennadeln wehte den Hang herab zum Palazzo, aber darunter mischte sich der Geruch schmutziger Tierzwinger.

»Die sind nicht von Sarcasmos Bellen angelockt worden, oder?«, fragte Rosa und blickte den Berg hinauf. Sie stand mit Alessandro auf dem Vorplatz, unweit des Tortunnels zum Innenhof. Sie waren ins Freie geeilt, als das Geheul in den Wäldern zu laut geworden war, um es länger zu ignorieren.

Alessandro schüttelte verbissen den Kopf. »Hundinga«,

sagte er. »Hundemenschen. Sklaven des Hungrigen Mannes. Der Helikopter muss sie in den Wäldern abgesetzt haben.«

»Sklaven?«, wiederholte sie ungläubig.

»Für ihn hat sich nichts geändert. Die Antike hat nie aufgehört. Es gibt Herren und Diener – und Sklaven. Darin zumindest deckt sich sein Weltbild mit dem vieler *capi*. Oder glaubst du, all die Afrikaner, die deine Familie von Lampedusa nach Europa schleust, wären irgendwas anderes als Sklaven?«

»Ich hab versucht, den Handel mit ihnen zu stoppen.«

»Und Trevini hat sich natürlich nicht darauf eingelassen, richtig? Ist ja auch ein Millionengeschäft.«

Rosa schob den Gedanken beiseite. »Glaubst du wirklich, das da oben in den Wäldern sind Arkadier? Auf Sizilien wimmelt es nur so von verwilderten Hunderudeln.«

Er nickte wieder. »Hundinga sind immer seine treuesten Diener gewesen. Und sie waren seine ersten. Der echte Lykaon ist von Zeus in einen Wolf verwandelt worden, vergiss das nicht. Wölfe und Hunde sind die Lieblinge des Hungrigen Mannes. Während der Hexenverfolgungen wurden die Wolfsmenschen so gut wie ausgerottet, aber Hunde wird es immer geben. Das gilt auch für die Arkadier unter ihnen.« Er hielt kurz inne. »Zwei meiner Geschäftsführer sind gestern von wilden Hunden angefallen worden. Der eine wurde getötet, im Garten seiner Villa in Mondello. Und von dem anderen ist auch nicht mehr viel übrig.«

»Davon hast du nichts erzählt.«

»Ich hab dich gewarnt, wie gefährlich der Hungrige Mann ist, und du hast es nicht hören wollen.« Diesmal ließ er ihren Protest nicht zu. »Unten am Tor warten drei meiner Leute. Wenn du keine eigenen Leibwächter engagieren willst, dann nimm eben meine. Sie sind verlässlich und wissen, was sie zu tun haben.«

Sie rümpfte die Nase. »Wahrscheinlich erschießen sie als Erstes Sarcasmo.«

»Gianni liebt Hunde. Echte Hunde. Nicht Hundinga.«

»Gianni?«

»Einer von ihnen. Du bist ihm schon begegnet. Er leitet den Wachschutz auf Castello Carnevare. Er mag Mozart und liest Proust.«

»Drei Meter groß? Zwei breit? Ein Gesicht wie aus Baumrinde?«

Alessandro grinste. »Du sollst ihn nicht heiraten. Es reicht, wenn du dich von ihm beschützen lässt.«

»Wenn ich einen Trupp Carnevares in den Palazzo lasse, wird sich das innerhalb eines Tages bis nach Rom und Mailand rumsprechen. Du weißt genau, was die denken werden.«

Er ignorierte ihren Einwand. »Wenn du mit Trevini telefonieren und ihn zur Rede stellen willst, dann tu das. Aber geh nicht von hier fort. Lass am besten das Gitter schließen.« Er deutete zu den breiten Eisenzähnen, die über der Einfahrt des Tortunnels aus der Decke ragten.

»Funktioniert nicht mehr«, sagte sie. »Eingerostet.«

»Lässt du Gianni und die anderen nun rein?«

Die Hunde in den Wäldern heulten ohne Unterlass.

»Hab ich eine Wahl?«, fragte sie.

»Tu's Iole zuliebe, wenn du selbst zu stolz dazu bist.« Sein Blick verdüsterte sich. »Ich muss versuchen, mit dem Hungrigen Mann zu sprechen. Solange er mir im Nacken sitzt, werden wir beide keine Ruhe haben, um mehr –«

»Über TABULA herauszufinden. Ich weiß.«

»Wird nicht einfach werden, im Gefängnis an ihn ranzukommen, aber vielleicht kann ich ein paar von den alten Kontakten meines Vaters spielenlassen.«

»Du willst allen Ernstes zu ihm?«

»Ich muss ihm begreiflich machen, dass nicht wir Carnevares für seine Verhaftung verantwortlich waren. Wir waren nicht diejenigen, die ihn damals verraten haben.«

»Was du plötzlich so genau *woher* weißt?«

Er druckste herum, ungewöhnlich für ihn, und einmal mehr hatte sie das Gefühl, dass er ihr etwas verschwieg. »Ich glaube, ich weiß jetzt, wer es war. Jemand hat mir Beweismaterial angeboten.«

»Jemand. Und der will natürlich Geld dafür.«

»Nein. Nur ein Versprechen. Genau genommen zwei. Eines war, dass ich mit niemandem darüber rede. Mit absolut niemandem.«

»Wegen mir musst du dein blödes Versprechen jedenfalls nicht brechen.«

Lächelnd gab er ihr einen Kuss auf die Stirn. »Du erfährst es als Erste, wenn das hier vorbei ist.« Mit einem Nicken deutete er auf die Wälder. »Und bis dahin haltet alle Türen verschlossen. Gianni und die anderen wissen, was sie zu tun haben.«

Es hatte keinen Zweck, mit ihm zu streiten. Selbst wenn dort oben in den Hügeln nur ein paar arme Streuner heulten, würde er keine Ruhe geben. Es ärgerte sie, dass er ihr weder von dem Angriff auf seine Geschäftsführer noch von dem geheimen Informanten erzählt hatte. Aber sie beruhigte sich mit dem Gedanken, dass er schon bald noch sehr viel wütender auf *sie* sein würde. Ausgleichende Gerechtigkeit. »Das verstehst du doch«, würde sie dann sagen. »Immerhin hast du es doch als Erster erfahren.«

Rosa zog ihr Handy hervor, rief ihre Wachmänner unten an der Auffahrt an und fragte sie, ob dort ein Wagen stehe. Mit drei Orang-Utans in Anzügen. »Sie können raufkommen«, sagte sie.

Alessandro blickte besorgt zur Hügelkuppe. »Falls das wirklich Hundinga sind, dann werden sie sich Zeit lassen. Dieses Spektakel veranstalten sie, um dir Angst einzujagen. Mag sein, dass sie sich vorerst damit zufriedengeben. Gefährlich wird es erst, wenn du sie nicht mehr hörst. Dann sind sie wahrscheinlich auf dem Weg zum Palazzo.«

Er nahm ihre Hand und ging mit ihr durch den Tunnel zurück auf den Innenhof. Sein Ferrari parkte am Fuß der Doppeltreppe zum Hauptportal. »Lass Sarcasmo nicht aus dem Haus. Ihn würden sie sich zuerst vornehmen.«

»Der ist sowieso damit beschäftigt, Valerie in ihrer feuchten Kerkerzelle zu bewachen.«

»Du hättest ihr nicht erlauben sollen hierzubleiben.«

»Ich wollte sie heute rauswerfen, aber solange diese Viecher durch die Wälder streifen, ist das vielleicht keine gute Idee.« Tatsächlich hatte sie am Morgen den Arzt aus Piazza Armerina herbestellt, damit er Valerie durchcheckte; er würde in den nächsten Stunden nach ihr sehen. Dann, und erst dann würde Rosa sie mit ruhigem Gewissen vor die Tür setzen.

»Du machst dir allen Ernstes Sorgen um sie.« Er schüttelte sanft den Kopf, musste aber gleichzeitig lächeln.

Sie lehnte sich gegen den Ferrari, nahm Alessandros Hände in ihre und zog ihn zu sich. »Versprich mir, dass du vorsichtig bist.«

»Wenn ich nicht zu ihm gehe, wird das nie ein Ende nehmen. Ich kann nicht einfach mit ansehen, wie er dir wehtut.«

»Wenn er dich umbringt, wird mir das *ziemlich* wehtun.«

»Ich muss ihn nur überzeugen, jemanden anzurufen und ein paar Minuten zuzuhören.«

»Und er wird glauben, was derjenige zu sagen hat?«

»Das ist die einzige Chance.« Er küsste sie zum Abschied und glitt hinter das Steuer des Wagens. »Wenn du mit Trevini telefonierst, dann sag ihm nichts vom Hungrigen Mann.«

Argwöhnisch neigte sie den Kopf. »Was genau hat Trevini damit zu tun?«

Kurz sah er aus, als wollte er etwas erwidern, dann berührte er noch einmal durchs offene Seitenfenster ihre Hand und ließ den Motor an. Augenblicke später röhrte der Ferrari vom Hof. Rosa blickte ihm nach, bis er am anderen Ende des Tortunnels verschwunden war. Eine Weile lang hörte sie ihn noch in der Ferne, draußen auf dem langen Weg hangabwärts zwischen den Olivenhainen und Zitronenbäumen, dann wandte sie sich um und eilt die Stufen zum Portal hinauf.

Iole trat aus dem Schatten der offenen Tür. »Sarcasmo fürchtet sich.«

Rosa konnte den Hund nirgends entdecken.

»Ich glaube«, sagte Iole, »er hat Angst vor dem Heulen in den Wäldern.«

Noch bevor Rosa antworten konnte, rollte ein schwarzer Mercedes auf den Innenhof. Drei Männer in dunklen Anzügen und mit verspiegelten Sonnenbrillen stiegen aus. Rosa verdrehte die Augen.

Gianni, der größte und breiteste der drei, kam die Treppe herauf. Mozart und Proust, so, so. »Signorina Alcantara«, grüßte er sie mit einem Nicken. »Signorina Dallamano.«

Iole war sichtlich geschmeichelt, dass er ihren Namen kannte. »Sie sind ein Killer, oder?«

»Nein, Signorina«, log er.

»Waren Sie dabei, als die Carnevares meine Familie ermordet haben?«

»Nein, Signorina.«

Iole dachte kurz nach und zuckte schließlich die Achseln. »Dann ist's gut.«

Rosa besprach mit Gianni und den beiden anderen alles Nötige und erlaubte ihnen, im Inneren des Palazzo Stellung zu beziehen. Notgedrungen vertraute sie den dreien. Sie glaubte nicht, dass sie Arkadier waren, nur hoch bezahlte Profis, die perfekt ausgebildet waren im Umgang mit Waffen und allem anderen, das Schmerzen bereitete. Nicht die Sorte Männer, die man gern im Haus hatte – aber besser, als Iole, Signora Falchi und selbst Valerie allein hier zurückzulassen, während Rosa anderswo tat, was sie sich vorgenommen hatte.

»Noch was«, sagte sie zu Gianni, ehe die drei im Palazzo verschwanden. »Gleich müsste ein Arzt aus Piazza Armerina vorbeikommen. Er soll sich einen Gast ansehen, oben in einem der Schlafzimmer. Ich hab ihn herbestellt, also schießen Sie ihm nicht gleich ins Knie, okay?«

Gianni nickte, dann betraten er und die beiden anderen das Haus. Im Fortgehen setzten sie Headsets auf.

Iole hatte rote Wangen bekommen. »Die sind nett.«

»Die sind vom Mars.«

»Sie sind hier, um uns zu beschützen. Und sie sehen aus, als wären sie gut in so was.«

»Ja«, sagte Rosa. »Das sind sie bestimmt.«

Iole musterte sie. »Du willst wegfahren, stimmt's? Und du hast Alessandro nichts davon gesagt.«

»Woher weißt du das nun wieder?«

Aber Iole ging einfach davon. »Ich schau mal nach Sarcasmo. Sei vorsichtig.«

Rosa blickte ihr hinterher. »Du auch. Und, Iole?«

Das Mädchen wandte sich um.

»Wenn irgendeine Gefahr droht, egal welche, dann versteck dich. Im Arbeitszimmer gibt es eine Geheimkammer hinter –«

»Hinter der Täfelung. Der Raum mit dem weißen Telefon. Ich weiß.« Iole winkte ihr zu, begann ein Lied zu summen und verschwand.

Mit einem Kopfschütteln und der leisen Melodie im Ohr machte Rosa sich auf den Weg zum Glashaus.

Im feuchtwarmen Tropendickicht hielt sie Zwiesprache mit den Schlangen.

Die Contessa

Ihr war nicht wohl, als sie die Auffahrt hinabfuhr, zwei Kilometer durch Plantagen und lichten Wald. Sie hatte einen schwarzen BMW-Geländewagen ausgewählt, nicht den Maserati ihres Vaters, darum gab sie auf der holperigen Schotterpiste mehr Gas als sonst. Staub wölkte hinter ihr auf und behinderte die Sicht im Rückspiegel. Immer wieder hielt sie zwischen den Bäumen Ausschau nach wilden Hunden, aber sie konnte keine entdecken; erst recht keine Menschen. Das Heulen war von weiter oben gekommen. Sie mochten hinter dem Palazzo auf dem Berg und den angrenzenden Hügeln sein.

Sie hatte die Wachen unten an der Straße verstärken lassen, vier Männer behielten dort die Umgebung im Auge. Ein Dutzend weitere patrouillierte in den Hängen. Genauso viele hatte schon ihre Tante dort eingesetzt; Rosa verließ sich darauf, dass Florinda gewusst hatte, was zur Sicherung des Anwesens nötig war.

Bald raste sie über die Landstraße nach Norden, passierte Piazza Armerina und Valguarnera und bog bei Enna auf die A19 in Richtung Ostküste. Mehrmals glaubte sie Verfolger hinter sich zu sehen, aber immer, wenn sie gerade überzeugt war, dass sie beschattet wurde, verschwanden die verdächtigen Fahrzeuge an einer der Abfahrten oder auf einem Rastplatz.

Zwei Stunden später, gegen Mittag, fuhr sie endlich die gewundene Straße nach Taormina hinauf. Der Himmel über der Stadt auf den Klippen war wolkenverhangen. An Straßensperren verweigerten Uniformierte den Mietwagen der Touristen die Zufahrt zum historischen Stadtkern, aber Rosa besaß eine Sondererlaubnis, die Trevini schon vor Jahren für die Alcantaras hatte ausstellen lassen.

Sie parkte den BMW direkt vor dem Portal des Grandhotels *Jonio*. Beim Aussteigen zog sie ihre Tasche vom Beifahrersitz. Darin befand sich nur ein einziger Gegenstand.

Sie trug einen schwarzen Stoffmantel, eine enge Hose und Lederstiefel. Ihr blondes Haar fiel offen über ihre Schultern und flatterte in den scharfen Winden, die an den Klippen der Steilküste heraufwehten. Trotz des milden Wetters waren die Böen aus den Weiten des Ionischen Meers empfindlich kühl.

Zwei von Trevinis Bodyguards in maßgeschneiderten Anzügen saßen in plüschigen Sesseln im Foyer des Hotels. Einer sprach in ein Armbandmikrofon, als er Rosa eintreten sah. Wie schon bei ihrem letzten Besuch waren keine weiteren Gäste zu sehen. Vielleicht hatte Trevini das gesamte Hotel für sich allein gemietet.

Sie wandte sich an den Mann am Empfang, der nur von weitem wie ein gewöhnlicher Concierge aussah: Sein teures Jackett war unter der linken Achsel ausgebeult, gerade weit genug, dass es nur demjenigen auffiel, der bewusst nach einem Schulterholster Ausschau hielt. Rosa war sicher, dass unter der Theke weitere Waffen verborgen waren.

Die beiden Männer in den Sesseln ließen sie nicht aus den Augen. Einer erhob sich und schlenderte zwischen Rosa und den Ausgang.

Mit ruhiger Stimme verlangte sie den Avvocato zu sehen und beobachtete, wie der Concierge einen Hörer abhob und leise hineinsprach. Sie ahnte, wer am anderen Ende der Leitung war, und es überraschte sie nicht, als der Mann ihr mitteilte, dass Trevini sich derzeit in einer wichtigen Besprechung befinde. Contessa di Santis musste es Vergnügen bereiten, sie warten zu lassen.

Sie beugte sich so gut es ging über die Theke und hoffte, der Mann auf der anderen Seite bemerkte nicht, dass sie sich dabei auf die Zehenspitzen stellen musste.

»Dieser Laden«, sagte sie, »wird mit meinem Geld finanziert. Ich gebe Ihnen eine Minute, um dafür zu sorgen, dass mich der Avvocato umgehend empfängt.«

»Ich weiß, wer Sie sind, Signorina, und es tut mir außerordentlich leid, dass Sie —«

Sie hörte ihm nicht mehr zu, wandte sich um und machte sich auf den Weg zu einer Doppeltür aus Milchglas. Dahinter lag der Salon mit dem Ausgang zur Terrasse.

»Signorina Alcantara«, rief ihr der Mann hinterher, »ich möchte Sie wirklich bitten, zu warten, bis der Avvocato Sie abholen lässt.«

Die Bodyguards setzten sich in Bewegung.

Mit beiden Händen stieß sie die Salontür auf. Auf der anderen Seite wurde sie erwartet.

»Contessa di Santis«, sagte sie mit eisigem Lächeln und blieb im Türrahmen stehen.

»Signorina Alcantara.« Die Assistentin des Avvocato warf einen Blick an Rosa vorbei zu den Leibwächtern und gab ihnen einen Wink. Sofort zogen sich die beiden zurück. Die Contessa blieb unmittelbar vor Rosa stehen und senkte die Stimme. »Wir sollten uns unterhalten.«

»Ich werde mit niemandem außer Trevini selbst —«

»Bitte«, entgegnete Di Santis ungerührt, »folgen Sie mir.«

Mit einem Blick aus dem Augenwinkel stellte Rosa sicher, dass der Verschluss ihrer Tasche geöffnet war. Sie hatte nichts übrig für Handtaschen, hatte bis vor kurzem nicht mal eine besessen, aber jetzt war sie froh, dass sie das Ding dabeihatte.

Cristina di Santis ging voraus, nicht auf die Terrasse hinaus, sondern durch eine Seitentür in den ehemaligen Ballsaal des Grandhotels. Auch ihn durchquerte sie mit zügigen Schritten. Ihre hochhackigen Schuhe klackerten auf dem Parkettboden. Sie trug ein kurzes enges Kleid, dunkelrot wie ihr Lippenstift, und ihre Frisur war so perfekt arrangiert wie bei Rosas erster Begegnung mit ihr. Ein Siegelring, vermutlich der ihres Clans, war ihr einziges Schmuckstück. Ein dezenter Hauch von Parfüm wehte hinter ihr her.

»Ist das der Weg zu Trevini?«, fragte Rosa misstrauisch, als die Contessa sie in ein enges Treppenhaus führte.

Di Santis nickte, ohne sie anzusehen. Rosa dachte an Valeries Verlies im Keller des Hotels und blieb stehen. Sie packte die Contessa am Oberarm und zog sie zu sich herum. »Was soll das?«

»Noch einen Augenblick Geduld.«

»Was geht hier vor?«

»Gleich werden Sie alles verstehen.«

»Ich bin nicht hergekommen, um –«

»Ich weiß, weshalb Sie hergekommen sind, Signorina Alcantara, und ich gebe mir alle Mühe, Ihnen behilflich zu sein. Ich bin auf Ihrer Seite.« Und damit streifte sie Rosas Hand von ihrem Arm und führte sie durch eine weitere Tür in einen weiß gefliesten Gang.

Wenig später betraten sie die Schwimmhalle des Hotels, einen beeindruckenden Kuppelraum mit riesiger Fensterfront zum Meer hin. Türkis- und terracottafarbene Kacheln dominierten den Raum.

Breite Treppen führten von vier Seiten in das weiträumige Schwimmbecken. In der Mitte war es etwa drei Meter tief. Das Wasser musste schon vor langer Zeit abgelassen worden sein, es roch nicht einmal mehr nach Feuchtigkeit.

Am Boden des ausgetrockneten Beckens lag Trevinis umgestürzter Rollstuhl. Der Avvocato selbst kauerte mehrere Meter entfernt am Boden, am Fuß einer Treppe. Er musste auf dem Bauch dorthin gekrochen sein. Entkräftet saß er nun da, halb auf die Stufe gestützt, die nutzlosen Beine verdreht. Sein feiner Anzug war zerknittert, das schüttere graue Haar von Schweiß getränkt.

Rosas Augen verengten sich, als sie wieder die Contessa ansah. »Erklären Sie mir das.«

Di Santis verzog keine Miene. »Das ist nur in Ihrem Interesse.«

Rosas Hand glitt in die Tasche. Ihre Finger umschlossen den Griff des Tackers.

»Sie sind doch gekommen, um ihm Fragen zu stellen«, sagte Di Santis. »Das hier könnte die letzte Gelegenheit sein.«

Am Grund des Schwimmbeckens hob der alte Mann mühsam den Kopf. »Rosa … Das ist Wahnsinn …«

»Was soll das?«, fauchte sie in Richtung der Contessa. »Wer sind Sie? Und was haben Sie vor?«

Die junge Anwältin atmete tief durch. »Ich hatte gehofft, es bliebe mehr Zeit. Ich wünschte, ich hätte noch viel mehr von ihm lernen können.«

»Er hat Ihnen vertraut.«

»Was mühsamer war, als ich angenommen hatte. Er ist ein sturer alter Mann, aber nach einer Weile ist er zugänglicher geworden. Irgendwann konnte er es gar nicht mehr erwarten, mir Tag für Tag sein Herz auszuschütten.«

Trevini regte sich unten im Becken. »Sie weiß alles, Rosa. Über Ihre Familie, über Costanza … Töten Sie sie, bevor Sie dieses Wissen an die Feinde der Alcantaras verkauft.«

»Sieht aus«, entgegnete Rosa kühl, »als hätten Sie das schon allein hinbekommen, Trevini.«

»Noch mal«, sagte die Contessa zu Rosa, »ich bin nicht Ihr Feind.«

Der Griff des Tackers erwärmte sich langsam in Rosas Hand. »Die Männer draußen im Foyer –«

»Werden gut dafür bezahlt, dass sie mich mehr mögen als ihren ehemaligen Arbeitgeber.«

Trevini heulte auf. »Sie hat den Verstand verloren!«

Rosa sah die Contessa an. »Ich glaube nicht.«

»Sehen Sie es als eine Art Bewerbung«, sagte Di Santis auf jene beherrschte Art, die Rosa gleichermaßen hasste wie bewunderte. »Wenn das hier vorbei ist, werden Sie einen neuen Rechtsbeistand brauchen, Signorina Alcantara. Jemanden, der in der Lage ist, die Geschäfte des Avvocato in Ihrem Sinne weiterzuführen.«

»Darum geht es Ihnen?«, fragte Rosa verblüfft. »Um seine Nachfolge?«

Di Santis schüttelte erheitert den Kopf. »Zuallererst geht es um Wiedergutmachung. Rache wäre ein unschönes Wort dafür.«

»Rache wofür?«

»Meine Familie war einmal ein angesehener Clan innerhalb der Cosa Nostra. Ländereien, Fabriken, Geschäfte aller Art – die Di Santis besaßen genug davon und noch mehr. Mein Großvater war einer der mächtigsten *capi* im Westen der Insel. Bis er den Fehler gemacht hat, sich mit den Corleonesen anzulegen.«

Rosa wusste Bescheid darüber. Die Bosse aus der Kleinstadt Corleone hatten in den Achtzigerjahren des vergangenen Jahrhunderts einen blutigen Krieg gegen all jene geführt, die ihren Herrschaftsanspruch über die sizilianische Mafia angefochten hatten. Massaker und Bombenattentate rotteten ganze Familien aus. Einige Jahre lang konnte niemand den Corleonesen etwas entgegensetzen, und es war allgemein bekannt, dass auch die Di Santis auf ihrer Abschussliste standen. Nur die Contessa und eine Handvoll ihrer Verwandten waren mit dem Leben davongekommen. Seither, so hieß es, hatten sich die Überlebenden des Clans aus den Geschäften der Mafia zurückgezogen.

»Lange hat niemand mit Sicherheit gewusst, wer meine Familie ans Messer geliefert hat.« Cristina di Santis trat an die Kante der obersten Stufe. Zum ersten Mal veränderte sich ihr glatter, streberhafter Gesichtsausdruck. Aus dem Blick, mit dem sie den hilflosen Trevini bedachte, sprach tiefe Verachtung.

»Der Avvocato hat jahrzehntelang für Ihren Clan gearbeitet, Signorina Alcantara, und zwar durchaus gewissenhaft. Aber das hat ihn nicht davon abgehalten, eine Reihe eigener Geschäfte zu tätigen, bei denen ihm unglücklicherweise mein Vater und dessen Brüder im Weg waren. Er lancierte das Gerücht, dass meine Familie im Geheimen gegen die Corleonesen intrigierte, er fälschte Dokumente, bestach zwei Staatsanwälte – und schon kam die Sache in Fahrt. Er musste sich nur zurücklehnen und abwarten, bis die Mörder aus Corleone während einer Hochzeitsgesellschaft in Trapani einen Großteil meiner Verwandtschaft auslöschten. Männer, Frauen, fast ein Dutzend Kinder. Ich war noch klein damals, und man hatte mich mit dem Kindermädchen zu Hause gelassen, nur deshalb habe ich überlebt. Meine Mutter wurde erschossen, in ihrem Körper hat man später elf Kugeln gefunden. Mein älterer Bruder ist verbrannt, als man ihn und einige andere in der Küche des Restaurants zusammentrieb, sie alle mit Benzin übergoss und anzündete. Nur ein paar sind davongekommen, darunter mein Vater, aber er war danach nicht mehr derselbe. Statt Vergeltung zu fordern, zog er sich zurück. Jahrelang musste ich mir sein Gewinsel anhören, all die Rechtfertigungen für seine Feigheit. Als ich endlich alt genug war, ging ich nach Norditalien. Aber die ganze Zeit über, an der Universität und danach, wusste ich, dass ich zurückkehren und herausfinden würde, wer die Verantwortung für die Auslöschung der Di Santis trägt. Am Ende war es nicht einmal schwer, auf Trevinis Namen zu kommen. Aber es hat eine Menge Kraft gekostet, bis er mir alles anvertraut hat. Drei Jahre lang hab ich ihm die Stiefel geleckt und meine Familie verleugnet, ehe er endlich mit Teilen der Wahrheit herausgerückt ist. Ich habe mich an ihn verkauft. Jetzt ist es an der Zeit, dass er endlich die Rechnung bezahlt.«

»Warum jetzt?«, fragte Rosa. »Wieso ausgerechnet heute?«

»Weil sonst Sie es getan hätten, Signorina Alcantara. Weil

Sie nach allem, was Sie auf dem Video gesehen haben, ebenfalls eine Menge Fragen an den Avvocato haben, vermute ich. Und weil es noch jemanden gibt, der sehr bald Genugtuung fordern wird.«

»Noch jemanden?« Rosa hatte es kaum ausgesprochen, als sie begriff. »*Sie* sind das gewesen! Sie haben Alessandro den Beweis dafür versprochen, dass die Carnevares unschuldig waren an der Verhaftung des Hungrigen Mannes!«

»Die Ereignisse haben sich leider ein wenig überschlagen«, erwiderte die Contessa. »Ich hätte mir gern mehr Zeit genommen, um bedachter vorzugehen. Aber Trevini bestand darauf, Ihnen das Video zu schicken. Da wusste ich, dass alles sehr schnell gehen musste.«

Trevini stieß ein heiseres Lachen aus. »Du hast mit Alessandro Carnevare gesprochen? Cristina, du bist wahnsinnig! Hier wird kein Stein auf dem anderen bleiben, wenn erst –«

Rosa starrte den alten Mann mit zusammengekniffenen Augen an. »Sie haben den Hungrigen Mann damals verraten? Und den Carnevares die Schuld zugeschoben?«

Er schnaubte leise, gab aber keine Antwort.

Di Santis nickte langsam. »Es gibt nicht viele Akten und Dokumente in diesem Haus – sein Gedächtnis ist tatsächlich so phänomenal, wie er behauptet. Aber es existiert ein dreißg Jahre altes Schreiben der Staatsanwaltschaft, in dem ihm Straffreiheit zugesichert wird für seine Zusammenarbeit bei der Verhaftung des *capo dei capi*. Damals hat er begonnen, für Ihre Großmutter zu arbeiten.«

Rosa stieß ein Ächzen aus. »Costanza hatte auch damit zu tun?«

Trevini sah wieder zu ihr auf, er schien noch einmal alle Kräfte zu sammeln. »Warum wohl waren die Alcantaras die engsten Vertrauten des neuen *capo dei capi*? Weshalb hat Salvatore Pantaleone so große Stücke auf Ihre Familie gehalten,

Rosa? Ich habe damals den Deal mit Pantaleone eingefädelt. Er, Costanza und ich haben dafür gesorgt, dass der Hungrige Mann verschwindet – und Pantaleone sein Nachfolger wird. Ohne dieses Abkommen wäre der Besitz der Alcantaras längst von einem der größeren und entschlosseneren Clans geschluckt worden! Was Sie heute sind, Rosa, das haben Sie allein mir zu verdanken. Und jetzt sollten Sie sich dafür erkenntlich zeigen und diese Farce hier beenden!«

Die Wut machte Rosa heiser. »Der Hungrige Mann lässt die Carnevares jagen, weil er sie für die Schuldigen hält!«

»Haben Sie denn gar nichts gelernt?«, brüllte Trevini aufgebracht. »Wollen Sie mir allen Ernstes erzählen, dass Sie um die New Yorker Carnevares trauern? Dieselben Männer, die Mitschuld an Ihrem Schicksal tragen? Oder ist es nicht vielmehr so, dass Sie der Tod dieser Menschen insgeheim mit Genugtuung erfüllt? Horchen Sie genau in sich hinein. Was fühlen Sie bei dem Gedanken, dass Michele Opfer eines Mordanschlags werden könnte? Verflucht, Rosa, spielen Sie doch nicht die Gerechte!«

»Der Hungrige Mann hat Killer auf Alessandro angesetzt! Und seine Leute sind jetzt auch hinter mir her.«

»Ich habe Ihnen gesagt, dass Sie sich von dem Carnevare-Bastard fernhalten sollen. Hätten Sie auf mich gehört, wäre alles in bester Ordnung.« Trevini schien langsam zu seinem alten Selbstvertrauen zurückzufinden. »Alles war geplant, alles bis ins Letzte durchdacht. Aber wer konnte damit rechnen, dass Sie sich ausgerechnet einem Carnevare an den Hals werfen würden? Für die Konsequenzen können Sie schwerlich mich verantwortlich machen.«

Die Contessa sagte ruhig: »Er hat verloren, und er weiß das. Er würde alles sagen, um –«

Rosa ließ sie nicht ausreden, sondern sprang mit wenigen Sätzen die gefliesten Stufen hinab zum Grund des ausgetrockneten Schwimmbeckens. Trevini hob schützend eine Hand vors Gesicht, als sie neben ihm in die Hocke sank.

»Sie sind erbärmlich, Avvocato Trevini. Wenn der Hungrige Mann Erfolg hat, dann haben Sie bald nicht nur die Di Santis auf dem Gewissen, sondern auch die Carnevares und die Alcantaras. Was wollen Sie damit erreichen, außer dass Sie nicht alleine untergehen?«

Trevini nahm langsam die Hand herunter. Seine Finger bebten. Aus der Nähe sah sie, dass er Schmerzen haben musste. Hatte die Contessa ihn im Rollstuhl sitzend hier heruntergestoßen? Sein linkes Bein war stärker verdreht, als es von oben den Anschein gehabt hatte. Wahrscheinlich gebrochen.

»Alles, was ich während der vergangenen dreißig Jahre getan habe«, brachte er keuchend hervor, »ist zum Besten der Alcantaras gewesen. Erst habe ich in Costanzas Namen gehandelt, dann in Florindas, jetzt in Ihrem.«

»Florinda hat von alldem gewusst?«

»Ihre Tante war völlig ahnungslos. Aber Sie, Rosa, hätten das Zeug gehabt, etwas von Costanzas altem Glanz wiederaufleben zu lassen. Mit meiner Hilfe hätten Sie –«

Rosa legte einen Finger auf seine Lippen und er verstummte. Dann blickte sie über die Schulter zum Beckenrand. »Gilt Ihre Bewerbung noch, Contessa?«

»Selbstverständlich.«

»Ich vermute, dass Sie das hier aufzeichnen.«

Di Santis lächelte. »Jedes Wort.«

Rosa seufzte. »Deshalb haben Sie mich hergebracht. Das Dokument, das Sie Alessandro versprochen haben, reichte Ihnen nicht. Sie brauchten Trevinis Geständnis. Richtig?«

Die junge Anwältin setzte wieder ihre Unschuldsmiene auf. »Ich habe nicht eine Minute daran gezweifelt, dass Ihre Anwesenheit ihn zum Sprechen bringen würde, Signorina Alcantara.«

»Dann haben Sie alles, was Sie brauchen?«

»Allerdings.«

»Sie hatten nie vor, ihn zu töten, oder? Für das, was er Ihrer Familie angetan hat.«

»Ich denke nicht, dass das noch nötig sein wird«, sagte die Contessa mit einem feinen Lächeln.

Rosa wandte sich wieder Trevini zu, dessen Gesichtsfarbe noch bleicher geworden war. »Gut.« Und ohne sich umzudrehen, rief sie: »Als Ihre neue Arbeitgeberin möchte ich Sie bitten, uns einen Moment allein zu lassen. Der Avvocato und ich haben etwas unter vier Augen zu besprechen.«

»Wie Sie wünschen.« Di Santis wandte sich zum Gehen.

»Contessa?«

»Signorina Alcantara?«

»Ich verlasse mich darauf, dass Ihre Mikrofone und Kameras jetzt abgeschaltet werden.« Sie legte eine Hand unter das Kinn des leichenblassen Mannes. »Das hier braucht niemand mit anzusehen.«

Der Dreimalgrößte

Rosa hörte zu, wie sich die Stöckelschuhe der Anwältin entfernten. Gleich darauf fiel die Tür der Schwimmhalle ins Schloss.

Trevinis Unterlippe bebte. »Sie haben so viel mehr von Ihrer Großmutter an sich, als ich angenommen hatte«, flüsterte er. »Sie sehen mich an, aber aus Ihren Augen blickt Costanza.«

»Ich habe Sie so satt, Trevini. Ihr ewiges Gerede, Ihre Versuche, Einfluss zu nehmen –«

»Wie wollen Sie ohne mich bestehen? Mit Hilfe der Contessa? Indem sie mich verraten hat, hat sie die Alcantaras verraten. Und sie wird es wieder tun.«

»Sie haben das Massaker an den Di Santis zu verantworten, den Tod der Carnevares in New York und hier auf Sizilien … Und da wollen *Sie* mich vor Verrat warnen?«

»Ich habe nur getan, wofür Ihre Familie mich bezahlt hat. Ich habe Strategien ersonnen. Taktiken. Ich war loyal. Nichts davon können Sie mir vorwerfen!«

»Die Hundinga des Hungrigen Mannes schleichen durch die Hügel rund um den Palazzo. Er will mich töten, um Alessandro zu bestrafen. Für etwas, das nicht einmal seine Vorfahren, sondern *Sie* getan haben.«

»Es ist nicht schade um einen oder hundert Carnevares. Costanza hätte nicht –«

»Meine Großmutter war ein Monster, in mehr als einer Hinsicht.« Sie lächelte kalt. »Aber zumindest eines habe ich von ihr geerbt.« Sie öffnete den Mund einen Spaltbreit und leckte sich mit gespaltener Zunge über die Lippen.

Auch ihre Sicht veränderte sich. In einem schattigen Winkel über der Tür erlosch eine winzige rote Wärmequelle, die sie mit Menschenblick nicht hätte wahrnehmen können. Di Santis hatte Wort gehalten und die Kamera ausgeschaltet.

»Haben Sie je zugesehen, wenn eine Lamia sich verwandelt, Trevini?« Langsam beugte sie sich näher zu seinem Gesicht hinab, um sicherzugehen, dass er sah, was mit ihren Augen geschah, mit ihren Pupillen. »Haben Sie Costanza jemals so gesehen? War es gerade das, was Sie an ihr so fasziniert hat?«

Er behielt die Nerven, das musste sie ihm zugestehen. Dennoch spürte sie Triumph in sich aufsteigen. Sie hatte es im Griff. Zum ersten Mal behielt sie sich vollständig unter Kontrolle. Sie verstand nicht genau, wie sie es tat, nur dass es mit einem Gefühl von Überlegenheit einherging, das ihr bislang fremd gewesen war.

»Ich will Antworten von Ihnen.« Es klang fast wie ein Zischen, kaum noch wie sie selbst. »Wenn ich das Gefühl habe, dass Sie aufrichtig sind, dieses eine Mal, dann lasse ich Sie am Leben.«

Wie leicht es ihr fiel, so etwas zu sagen. Ein wenig erschreckte sie, dass sie jedes Wort davon ernst meinte, dass dies kein Bluff war. Es lag in ihrer Hand, ihm das Leben zu schenken. Oder es zu nehmen.

Trevini schien sich im Blick ihrer Schlangenaugen zu verlieren. Etwas in seiner Miene verriet ihr, dass in diesen Sekunden sein Wille brach. Seine demütigende Arroganz war mit einem Mal verschwunden. Sie konnte Verletzlichkeit in seinem Atem riechen. Konnte seine Angst wittern wie Ausdünstungen aus seinen Poren.

Ihre Lippen, jetzt ganz schmal, befanden sich nur eine Handbreit von seinem Gesicht entfernt. Er schwitzte, seine Augen wurden wässrig. Dennoch blinzelte er nicht. Starrte sie an wie eine in die Enge getriebene Ratte.

»Haben Sie gewusst, dass Apollonio mein Vater ist?«, fragte sie.

Sein Unterkiefer zitterte leicht, aber er sagte nichts.

Rosas Stimme wurde schneidender. »Wussten Sie es?«

»Ich ... verstehe es selbst nicht«, stieß er hervor. »Und das ist die Wahrheit. Ich habe ihn auf dem Video gesehen, aber ich begreife die Zusammenhänge nicht.«

»Ich kann es spüren, wenn Sie mich belügen.«

»Ich habe Ihnen erzählt, dass Apollonio nach Costanzas Tod Kontakt zu mir aufgenommen hat«, sagte er stockend. »Aber ich bin ihm nie persönlich begegnet. Ich weiß nicht, warum Davide auf dem Video als ›Apollonio‹ angesprochen wird. Verstehen Sie, Rosa? Ich weiß es einfach nicht.«

»Und trotzdem haben Sie mich nicht gewarnt. Weil Sie wollten, dass ich in Tränen aufgelöst zu Ihnen komme und Sie anflehe, mir zu helfen.«

»Di Santis hat vorausgesehen, dass es anders kommen könnte.«

Rosas Zunge tastete an ihrem Kinn hinab. Die Doppelspitze berührte raue Reptilienhaut. Sie musste sich konzentrieren, um die Verwandlung in diesem Stadium aufzuhalten, aber sie war nicht mehr sicher, ob sie das wirklich wollte.

»Wer steckt hinter TABULA?«

»Tun Sie das nicht«, sagte er.

Sie runzelte fragend die Stirn. Hautschuppen rieselten auf ihre Nasenflügel.

»Versuchen Sie nicht, es mit TABULA aufzunehmen«, sagte er. »Ihre Großmutter hat das einzig Richtige getan, als sie sich mit ihnen verbündet hat.«

»Wer *ist* TABULA?«

Er stieß schnaubend den Atem aus. »Niemand weiß das ... *Ich* weiß es nicht.«

»Aber Sie haben eine Vermutung, nicht wahr? Costanza muss es gewusst haben. Die Frage ist nur: Hat sie es nicht doch von Ihnen erfahren?«

»Ich kenne Bruchstücke, kleine Teile des Ganzen. Keine Gesichter, keine Namen. Anfangs habe ich versucht, mehr herauszufinden, aber dann ist mir klar geworden, dass jede Antwort mein Ende sein kann. TABULA kennt ihre Feinde. Und TABULA lässt keine Gnade walten.«

»Erzählen Sie mir, was Sie herausgefunden haben.«

Er stöhnte gequält auf und versuchte, sich von ihrem Blick zu befreien.

»Das alles geht viele Jahrhunderte zurück«, sagte er hilflos. »*Tabula Smaragdina Hermetis* – das sagt Ihnen gewiss nichts, oder?«

»Ist das Latein?«

»Ja. Und viel mehr als das: Worte aus der Sprache der Alchimie.«

Sie zischte leise und Trevinis Augen weiteten sich unmerklich. »Versuchen Sie nicht, mich reinzulegen«, sagte sie.

»Sie wollen Zusammenhänge. Also hören Sie zu. Hier geht es nicht um irgendwelche Kapuzengestalten, die über Ofenfeuern sprudelnde Tränke zusammenbrauen. Alchimie ist gleichermaßen Philosophie wie Wissenschaft. Heute mehr Wissenschaft als irgendetwas anderes. Und die *Tabula Smaragdina Hermetis* ist ihr Anbeginn, ihre Wurzel, die verschlüsselte Wahrheit des Dreimalgrößten. Die legendäre Smaragdtafel des Hermes Trismegistos.«

Vielleicht sollte sie ihn wirklich Di Santis überlassen und sich um wichtigere Dinge kümmern.

»Die Alchimie ist die Mutter der Wissenschaft«, sagte er und schien die Stufen des Beckens mit einem Auditorium zu verwechseln. »Wenn TABULA heute Experimente mit Arkadiern anstellt, dann bezieht sie sich dabei auf den Vater der Alchimie – auf eben jenen Hermes Trismegistos. Niemand weiß, wer er wirklich war. Ich habe viel über ihn gelesen, und sein Name taucht unverhofft in den sonderbarsten Quellen auf.

Manche sagen, er saß als König auf dem Thron von Theben, andere behaupten, dass er ein Gott der Hirten im antiken Griechenland war. Oder ein direkter Sohn Adams. Dann wieder gibt es die Ansicht, dass er überhaupt niemals existiert hat und der Name lediglich ein Pseudonym ist, unter dem eine ganze Gruppe Gelehrter ihre Schriften verfasst hat. Es heißt, Hermes Trismegistos habe mehr als fünfunddreißigtausend Bücher geschrieben.«

»TABULA«, flüsterte sie scharf. »Das ist das Einzige, was mich interessiert.«

»Sogar die Ungeduld haben Sie von Ihrer Großmutter geerbt.« Trevini brachte ein dünnes Lächeln zu Stande, aber der Schrecken in seinen Augen wollte nicht weichen. »Angeblich wurde die Smaragdtafel des Hermes um dreihundert vor Christus in einer Höhle entdeckt. Schriftlich erwähnt worden ist sie erst viel später, die erste lateinische Übersetzung stammt aus dem Mittelalter. In welcher Sprache sie ursprünglich verfasst worden ist, weiß keiner – Griechisch oder Arabisch vielleicht.«

»Was steht drauf?«

»Die einen sagen, es sind Orakeltexte, die anderen bezeichnen sie als eine Anleitung. Fünfzehn Verse sind es insgesamt, über den Anbeginn des Universums bis zum Schlüssel für das ewige Leben. *Das Untere ist gleich dem Oberen und das Obere gleich dem Unteren.* Oder: *Du wirst das Licht der ganzen Welt besitzen, und alle Finsternis wird von dir weichen.* Und schließlich: *Darum werde ich Hermes Trismegistos genannt, denn ich besitze die drei Teile der Weisheit der ganzen Welt.*«

Trevini redete jetzt wie im Delirium, obwohl er auf Rosa nach wie vor einen wachen, wenn auch aufgewühlten Eindruck machte. Doch was auch immer seine Worte bedeuten mochten, sie verrieten ihr, dass sich der Avvocato viel intensiver mit den Geheimnissen um TABULA beschäftigt hatte, als er bislang zugegeben hatte. Er kannte die Sprüche der verdammten Tafel *auswendig.*

»Und Sie glauben, die Organisation leitet ihren Namen von dieser Smaragdtafel ab?«, fragte sie.

»*Tabula Smaragdina Hermetis*«, sagte er zum dritten Mal.

»Aber wer steckt dahinter? Wer sind diese Leute?«

»Forscher aus aller Welt. Biochemiker, Gentechniker, Anthropologen – wer weiß? Sie müssen über uneingeschränkte Geldmittel verfügen, und sie glauben, dass für sie keine Gesetze gelten.«

»Sie wissen, wonach das klingt, oder?«

Er stieß verächtlich die Luft aus. »Die Mafia ist etwas ganz anderes. Sie hat ihre Ziele nie verheimlicht: Ihr ging und geht es immer nur um Macht und Geld. Aber TABULA? Warum missbrauchen sie Arkadier für geheime Versuche? Weshalb wissen die überhaupt von den Dynastien?« Trevini schüttelte langsam den Kopf. »Wer ihre Spuren weiter verfolgt, der stößt unweigerlich auf eine Mauer. Ob Bibliotheken oder das Internet – weit kommt man nie.«

»Keine Verbindung zu den Arkadischen Dynastien?«

»Ein paar vage Hinweise, sonst nichts.«

Es gelang ihr, die innere Kälte im Zaum zu halten, solange ihre Gefühle übertönt wurden von dem, was er da sagte. Sie hätte es als Unsinn abgelehnt, dummes Zeug, das nichts mit ihr oder Alessandro zu tun hatte. Aber lagen nicht noch weitere Antworten in der Antike verborgen? Was war mit den uralten Statuen am Meeresgrund? Mit dem Mythos von Arkadiens Untergang? Reichte die Existenz dieser Gruppe womöglich ebenso weit zurück wie die Geschichte Arkadiens? Manches von dem, was Alessandro ihr über die Herkunft der Dynastien erzählt hatte, war nicht weniger irrwitzig als das, was Trevini ihr gerade auftischte. Der arkadische König Lykaon, der vom zornigen Göttervater Zeus in einen Tiermenschen verwandelt wurde? Dieser Hermes Trismegistos schien aus der gleichen Mythenkiste zu stammen.

»Diese Hinweise – wie sehen die aus?«, wollte sie wissen.

»Manchen Quellen zufolge war Hermes, wie gesagt, der griechische Hirtengott. Sein legendärer Zauberstab, der *caduceus*, ist ein Olivenast, um den sich zwei Schlangen winden. Der Mythos berichtet, dass dieser *caduceus* ausgerechnet im Land Arkadien entstanden ist. Schlagen Sie es nach. Fragen Sie Google. Was Sie finden werden, wird das bestätigen.«

»Und?«

»Die Geschichte lautet in etwa so: Der Gott Hermes bekam einen Stab geschenkt und wanderte damit in die einsamen Berge Arkadiens. Dort stieß er auf zwei Schlangen, die seit langer Zeit erbittert miteinander kämpften. Um ihren Streit zu schlichten, schleuderte er den Stab zwischen sie und brachte sie dazu, sich zu versöhnen. Seither ist die doppelte Schlange in der Alchimie das Symbol für Frieden und neue Hoffnung, für neues Leben. In der Hermeslegende aber stehen die beiden Schlangen für die Befriedung Arkadiens.«

»Was, selbst wenn es wahr wäre, Zigtausend Jahre her wäre und heute keinen Menschen mehr interessiert.« Rosa kämpfte darum, nicht wieder zum Menschen zu werden. Falls es eine Art Hypnosekraft ihres Schlangenblicks war, der Trevini zum Sprechen brachte, dann musste sie ihn so lange wie möglich aufrechterhalten.

»Da ist noch etwas.« Trevinis Kinn bebte. »Der Stab, der durch die beiden Schlangen zum *caduceus* wurde, ist Hermes zuvor von einem anderen Gott überreicht worden. Und zwar vom Gott des Lichts – von Apollo. Apollonio.«

»Also kennt noch jemand die Legende.«

»Auf Grund dieses Mythos hatten Schlangen für die antiken Arkadier immer eine besondere Bedeutung, schon lange vor dem Fluch des Zeus über Lykaon und seine Untertanen.

Aber hielt das auch nach der Verwandlung und dem Tod des Königs an? Costanza jedenfalls war überzeugt davon, dass den Schlangen weit mehr Respekt gebührte, als die anderen Arkadischen Dynastien ihnen heute entgegenbringen. Angeblich griffen die Lamien bereits zu Lykaons Lebzeiten nach der Macht. Es heißt, dass sie ihn vom Thron Arkadiens gestürzt haben, um selbst über das Land und die Dynastien zu herrschen.«

»Was erklären würde, warum die Alcantaras so verhasst sind bei den anderen Familien«, bemerkte sie. Und dann dämmerte ihr, worauf der Avvocato hinauswollte: »Hat Costanza es darauf angelegt? Wollte sie, dass sich die Geschichte von damals wiederholt?« Sie schnappte nach Luft, weil ihr erst jetzt klar wurde, *wie* verrückt ihre Großmutter gewesen war. »Hat sie die Verhaftung des Hungrigen Mannes inszeniert, um ihn zu stürzen und die alte Macht der Lamien wiederherzustellen?«

»Jetzt begreifen Sie es endlich.«

»Das ist doch krank!«

»In jeder Messe erklärt ein Priester den Wein zum Blute Christi. Hunderttausende Moslems pilgern Jahr für Jahr nach Mekka. Und was ist mit den Überlieferungen über die Taten Buddhas? Herrgott, nicht einmal die Wissenschaft ist gefeit dagegen, wenn sie von einem Autor namens Homer spricht, obwohl sie doch mit einiger Sicherheit weiß, dass ein Mann dieses Namens niemals gelebt und geschrieben hat. Manche behaupten, selbst Shakespeare sei nur eine Erfindung! Menschen klammern sich an Mythen, an die echten und die falschen. Warum sollte es den Arkadiern anders ergehen? Alle reden davon, dass die Rückkehr des Hungrigen Mannes bevorsteht, so als sei er nicht nur ein Anführer der Cosa Nostra gewesen, sondern tatsächlich die mythische Kreatur, zu der er sich selbst ernannt hat.«

Trevini versuchte unter Schmerzen erneut, sich zu bewegen. Mit verzerrtem Gesicht fuhr er fort zu sprechen. Vielleicht ahnte er, dass dieses Wissen mit ihm sterben würde, wenn er es nicht weitergab.

»Costanza hat an die Wahrheit hinter den Mythen geglaubt, und sie war überzeugt vom Herrschaftsanspruch der Lamien. Wenn sie dafür einen Pakt mit einem Mann wie Pantaleone eingehen musste, dann hat sie auch das in Kauf genommen. Nichts konnte sie davon abbringen, dass sie oder eine ihrer Nachfahrinnen erneut alle Macht über die Dynastien in sich vereinen würde. So wie damals im alten Arkadien.«

Rosa hockte noch immer neben ihm auf den kalten Fliesen. Allmählich taten ihr die Knie weh. Sie erhob sich langsam und versuchte, dabei den Blickkontakt nicht abreißen zu lassen.

»Was ist mit dem Serum?«, fragte sie. »Stammt es von TABULA, genau wie die Pelze?«

»Das ist anzunehmen.«

»Ich habe es untersuchen lassen. Es ist aus Blut gewonnen worden, das tierische und menschliche Merkmale besitzt. Wir Arkadier sind aber entweder das eine oder das andere, nie beides zugleich.«

»Hybridenblut«, flüsterte er.

Offenbar wusste jeder mehr darüber als sie. Aber was hatte sie erwartet? Sie hatte die Welt der Arkadier vor gerade einmal vier Monaten betreten. Es gab eine Menge nachzuholen.

»Wer sind diese Hybriden?«, fragte sie.

»Mischwesen. Bastarde aus Mensch und Tier. Arkadier, die ihre letzte Verwandlung nicht vollendet haben, in die eine oder andere Richtung.«

»Kennen Sie welche?«

»Ich?« Trevini lachte bitter auf. »Ich bin kein Arkadier. Was ich weiß, weiß ich von Costanza. Und ein wenig habe ich mir zusammengereimt. Ich habe Ihnen alles gesagt, Rosa. Wir sind am Ende angelangt.«

»Warum haben Sie Valerie zu mir geschickt? Diese ganze Geschichte von der Flucht am Flughafen –«

»Ist die Wahrheit. Meine Männer« – er verbesserte sich –, »jetzt die Männer der Contessa, scheint mir … Sie sollten das Mädchen in eine Maschine nach New York setzen. Aber sie ist ihnen entwischt. Ein geschicktes kleines Biest, Ihre Freundin. Manipulativ noch dazu. Wer weiß, vielleicht könnten wir alle noch von ihr lernen.«

»Sie war kaum in der Lage, sich allein auf den Beinen zu halten«, widersprach sie. »Ihre Befragungen sind nicht eben spurlos an ihr vorübergegangen, Avvocato. Wie soll sie da in der Lage gewesen sein, vor Kerlen wie denen da draußen einfach wegzulaufen?«

Trevinis Blick verriet aufrichtiges Erstaunen. »Sie war gesund, als sie von hier aufgebrochen ist. Ein wenig geschwächt vielleicht. Aber vollkommen gesund.«

Rosas Augen verengten sich, und jetzt waren es nicht länger die einer Schlange. Ihre Rückverwandlung hatte sich gegen ihren Willen vollzogen, ohne dass sie mehr als ein Kribbeln und Jucken verspürt hatte. »Die Valerie, die gestern im Palazzo aufgetaucht ist, war völlig am Ende.«

In Trevinis Lächeln lag nun, da der Bann ihres Blickes aufgehoben war, wieder jenes boshafte Funkeln, das sie rasend machte. »Dann ist ihr entweder unterwegs etwas zugestoßen. Oder aber sie hat Ihnen eine Schmierenkomödie vorgespielt.«

»Wieso hätte sie –« Die Worte erstarben auf ihrer Zunge, denn sie kannte die Antwort bereits. »Iole hätte sie niemals hereingelassen, wäre Valerie nicht in so schlimmem Zustand gewesen. Und wer weiß, was ich ihr angetan hätte. Aber so …«

»Ein verschlagenes kleines Miststück. Ganz bestimmt haben Sie sie nicht einfach im Palazzo zurückgelassen, oder? Womöglich sogar ohne Bewachung?«

Rosa rieb sich über das Gesicht. Aus ihrer Jackentasche fingerte sie ihr Handy. Es war abgeschaltet und sie musste erst den Code eingeben. Dann wählte sie die Nummer des Palazzo.

Trevini neigte den Kopf. »Es hebt wohl niemand ab?«

»Halten Sie den Mund.«

»Es wird doch nichts passiert sein?«

Ungeduldig steckte sie das Handy wieder ein und wandte sich den Stufen zu.

»Sie töten mich nicht?«, fragte er in ihrem Rücken, und es klang ehrlich verblüfft. Nicht länger ängstlich. Nur verwundert.

»Nein.«

»Aber Sie können gar nicht anders, Rosa. Spüren Sie das denn nicht? Lamien sind keine gnädigen Kreaturen. Lamien vergeben nicht. Costanza hat das gewusst.«

Sie lief die Treppe hinauf, ließ ihn hilflos dort unten liegen. »Ich sorge dafür, dass auch Di Santis Ihnen kein Haar krümmt. Sie sind die Mühe nicht wert, Avvocato.«

»Di Santis?« Er lachte leise. »Die ist nichts als eine Handlangerin. Ihre oder meine, welche Rolle spielt das noch? Horchen Sie in Ihr Innerstes. Es ist Ihr Blut, Rosa. Warum wehren Sie sich dagegen? Sie sind, was Sie sind. Und darum werden Sie mein Todesurteil unterschreiben, wenn nicht jetzt, dann später.«

Sie stieg über den Rand des Beckens. »Wir werden sehen.«

Trevinis Stimme folgte ihr, und jetzt lag etwas darin, das über Bitterkeit hinausging. »Ihre Großmutter hat die Pelze von Arkadiern gesammelt. Ihr Vater – nun, wir beide haben mit angesehen, wozu er fähig ist. Und was sagt das wohl über Sie aus, Rosa? *Zu was macht Sie das?*«

Sie schlug die Tür hinter sich zu, aber seine Worte hallten in ihr nach. Darum war sie froh, als draußen im weiß gekachelten Gang das Handy klingelte. Mit zitternden Fingern zog sie es hervor. »Iole?«

»Ich bin's.«

»Alessandro! Gott sei Dank.«

»Wo steckst du denn? Ich hab's tausendmal versucht!« Er klang gehetzt. »Schlechte Nachrichten. Michele ist nicht mehr in New York. Er ist gestern nach Italien geflogen.«

Sie blieb stehen, das Handy ans Ohr gepresst.

»Michele ist hier, Rosa – auf Sizilien.«

Totenstille

Anderthalb Stunden später jagte Rosa im BMW durch die Dämmerung. Sie bog eben von der Autobahn auf die Landstraße nach Süden, als das Handy auf dem Beifahrersitz klingelte.

»Ich bin jetzt unten an der Auffahrt«, sagte Alessandro. Im Hintergrund erstarb das Geräusch seines Motors.

»Dann warte dort auf mich.«

»Die Wächter am Tor sind nirgends zu sehen.«

»Shit.«

»Ich schau mir das aus der Nähe an.«

»Nein!«, widersprach sie heftig. »Zu gefährlich.«

»Was ist mit Iole? Sie ist allein dort oben.«

»Und deine Männer? Sie sind –«

Alessandro unterbrach sie. »Wenn Michele es geschafft hat, die Wachleute am Tor auszuschalten, dann ist ihm das möglicherweise auch mit Gianni und den beiden anderen im Palazzo gelungen.«

Sie drehte die Heizung des Wagens auf. »Glaubst du, dass Michele allein ist? Abgesehen von Valerie.«

»Sie macht ihn viel stärker als jeder Trupp schießwütiger Killer: Er hat jetzt jemanden im Inneren, mit dem die anderen im Palazzo nicht gerechnet haben. Und ich auch nicht.«

Sie hätte sich ohrfeigen können, dass sie Valerie nicht eingeschlossen hatte. Was, wenn auch die Angst vor Hunden nur eine Täuschung gewesen war?

»Ich bin so ein Idiot«, flüsterte sie, ehe ihr bewusst wurde, was er gerade gesagt hatte. Aber bevor sie nachhaken konnte, gestand er schon:

»Da ist noch was.«

»O verdammt, Alessandro …«

»Ich hab dich *nicht* belogen, als ich gesagt habe, ich hätte nichts mit den Mordanschlägen auf Mattia, Carmine und die anderen zu tun. Ich schwöre dir, das ist die Wahrheit.« Er zögerte kaum merklich. »Aber das Attentat auf Michele, dieser Killer, den Guerrini nach New York geschickt hat –«

»Trevini hatte also Recht.«

»Der Anschlag ist absichtlich danebengegangen. Ich wollte, dass Michele die Spur zu mir zurückverfolgt. Und dass er sich mir stellt, statt feige meine Freundin durch den Central Park zu jagen.«

»Du hast das alles geplant? Dass er hier auftaucht?«

»Nicht im Palazzo. Aber auf Sizilien. Deshalb wollte ich, dass Gianni und die anderen auf dich aufpassen. Ich konnte ja nicht ahnen, dass Valerie mit Michele zusammenarbeitet. Dass sie nach allem noch immer auf seiner Seite steht, sogar nach Mattias Tod … Das hätte ich einkalkulieren müssen. Ich hab's versaut.«

Am liebsten hätte sie ihn durchgeschüttelt – und war doch entgegen aller Vernunft gerührt. »Du hättest mir das sagen müssen.«

»Ich wollte, dass du nichts mehr damit zu tun hast. Dass du endlich mit dieser Sache abschließen kannst. Und ich *werde* Michele töten, so oder so. Ich hätte es nur lieber zu meinen Bedingungen getan. Der Scheißkerl ist mir zuvorgekommen, indem er Valerie bei euch eingeschleust hat.«

»So clever ist er nicht«, widersprach sie. »Ich glaube, sie ist wirklich vor ihm davongelaufen – sonst hätte sie ihm nicht das Handy gestohlen. Aber nachdem sie Trevinis Leuten am Flughafen entkommen ist, nehme ich an, wusste sie nicht mehr weiter. Sie muss Michele wieder angerufen haben. Und ihm war natürlich sofort klar, wie er sie ausnutzen kann.«

Alessandro seufzte. »Tut mir leid, Rosa.«

Trotz allem war ihre Sehnsucht nach ihm, nach seiner Berührung, so intensiv wie ein körperlicher Schmerz. »Val hat uns beide an der Nase herumgeführt.«

»Ich werde das jetzt zu Ende bringen. Noch heute Nacht.«

»Ich bin in einer halben Stunde bei dir. Lass uns zusammen dort raufgehen.«

Aber seine Wagentür fiel bereits ins Schloss. Sie hörte seine knirschenden Schritte auf dem Kies.

»Alessandro!«

»Hier am Tor steht noch ein Wagen«, sagte er. »Ein grüner Panda. Auf dem Armaturenbrett liegt so ein Pappschild, das Ärzte dabeihaben, damit sie im Halteverbot parken dürfen.«

»Das ist das Auto von dem Arzt, den ich für Valerie gerufen habe.«

Etwas klapperte.

»Kennst du ihn?«, fragte Alessandro.

»Nicht gut. Er kommt aus Piazza Armerina. Er ist so was wie … ein Freund der Familie, könnte man sagen.«

»Er liegt erschossen im Kofferraum. Michele muss ihn angehalten haben, irgendwo auf der Strecke. Warte mal …«

»Was ist los?«

»Ich seh mich gerade um. Hier sind mindestens zwei Blutspuren, die hinter dem Gittertor ins Gebüsch führen. Das Tor selbst ist ungefähr anderthalb Meter weit geöffnet … Der Schaltkasten ist zerstört. Noch mehr Einschüsse.«

Vor ihren Fenstern raste in der Dämmerung die ausgetrocknete Hügellandschaft vorüber, erst nach ein paar Kilometern würde sie wieder baumreicher werden. Gelegentlich kamen ihr Scheinwerfer entgegen, auch im Rückspiegel wurde sie von einem geblendet. Ihre Augen reagierten noch empfindlicher darauf als sonst.

»Okay«, sagte Alessandro. »Ich schätze, ich weiß jetzt, was passiert ist.«

»Sind die Männer tot?«

»Ja. Er hat ihre Leichen hinter die Büsche gezogen. Als ihnen klar geworden ist, dass der Mann im Wagen kein Arzt war, müssen sie versucht haben, das Tor wieder zu schließen. Irgendwer hat den Schaltkasten zerstört.«

»Das hält doch keinen auf! Es gibt nicht mal einen Zaun rechts und links vom Tor.«

»Aber eine Böschung. Und Bäume. Michele muss die zwei Kilometer bis zum Palazzo wohl oder übel zu Fuß gelaufen sein. Mir bleibt jetzt auch nichts anderes übrig.«

»Warte, bis ich bei dir bin. Dann gehen wir zusammen.«

»Das hier ist meine Schuld. Und ich werde nicht zulassen, dass Michele dir noch mal etwas antut.«

»Zu zweit sind unsere Chancen viel besser.«

»Rosa, hör mir jetzt genau zu. Komm nicht hierher. Bleib einfach da, wo du jetzt bist, und warte, bis ich mich wieder bei dir melde.«

»Na klar«, stieß sie hervor, »ganz bestimmt.«

»Michele will sich an mir rächen. Deshalb will er erst dich töten.«

»Soll er doch mit dem Hungrigen Mann einen Club aufmachen: *Killt Rosa, um Alessandro eins auszuwischen.*« Sie strengte sich an, um das Beben in ihrer Stimme zu unterdrücken. »Irgendwo in der Gegend müssen noch zwölf meiner Leute sein. Was ist mit denen?«

»Ich sehe keinen.«

»Michele allein kann sie doch kaum alle –«

»Die Hundinga heulen nicht mehr.«

»Vielleicht sind sie fort.«

»Vielleicht.«

Sie krampfte die Hände ums Lenkrad. »Sind sie nicht, oder?«

»Nein«, sagte er. »Sie treiben sich bestimmt irgendwo hier herum. Und wenn sie auf dem Weg zum Palazzo sind oder schon dort angekommen, dann werden sie deine Leute –« Er stieß einen unterdrückten Fluch aus.

»Was?«, rief sie ins Handy, zu aufgewühlt, um einen ganzen Satz zu Stande zu bringen. Ihre Angst um ihn wurde von Minute zu Minute größer.

Etwas krachte im Hintergrund.

»Sind das *Schüsse?*« Sie schmeckte Eisen auf der Zungenspitze.

»Weiter oben im Hang«, sagte er. »Am Palazzo, glaube ich.«

»Ich ruf die Richterin an. Quattrini kann Verstärkung schicken und –«

»Die Polizei? Wie lange brauchen die wohl, bis die hier draußen sind? Eine Stunde? Zwei? Vergiss es. Und wenn das hier vorbei ist, wirst du froh sein, dass keine Polizisten hier waren, um den ganzen Palazzo auf den Kopf zu stellen.«

»Ist mir egal, ob –«

»Nein, ist es nicht. Darf es nicht. Wir sind *capi.* Leute wie wir haben gar keine andere Wahl, als die Dinge selbst in die Hand zu nehmen.«

»Falls Iole etwas zustößt –«

»Wird das auch keine Polizei ändern können, wenn sie in einer halben Ewigkeit hier auftaucht.«

»Und Männer aus Piazza Armerina? Mit ein paar Anrufen könnte ich zwanzig oder dreißig herkommen lassen.«

»Dauert alles viel zu lange. Außerdem bin ich schon auf dem Weg nach oben.«

Hilflosigkeit und Angst schnürten ihr die Luft ab. »Sturer Idiot«, flüsterte sie, aber er verstand, was sie meinte.

»Ich dich auch.«

»Pass ja auf dich auf.«

»Hältst du irgendwo an und wartest?«, fragte er, allmählich atemlos vom Aufstieg durch die Olivenhaine.

»Sicher.«

»Und wirklich?«

»Nie im Leben«, sagte sie.

»Dann muss ich dafür sorgen, dass das hier vorbei ist, ehe du auftauchst.«

»Zwanzig Minuten. Maximum. Mach keinen Blödsinn.«

»Zwanzig Minuten gegen den Rest unseres Lebens. Klingt nach einem guten Tausch.«

»Den Rest unseres Lebens«, wiederholte sie leise und starrte in die anbrechende Nacht. Die Umrisse der Landschaft verschwammen vor ihren Augen.

»Versprochen?«

Sie drückte ihn weg und warf das Handy auf den Beifahrersitz.

»Versprochen«, schwor sie der Finsternis.

Aufstieg

Alessandros Ferrari parkte verlassen am Straßenrand, gleich neben dem Gittertor zur Auffahrt. Ein paar Meter weiter stand der Panda des Arztes. Der Kofferraumdeckel war geschlossen.

Rosa hielt an, so dass die aufgeblendeten Scheinwerfer des BMW ins Unterholz seitlich des Tors leuchteten. Es war ein Stück weit geöffnet, genau wie Alessandro gesagt hatte.

Sie glitt ins Freie, während im Inneren des Wagens das Alarmsignal für die eingeschalteten Scheinwerfer fiepte. Hastig drückte sie die Tür zu und näherte sich dem Ferrari. Sie spürte einen Stich in der Brust bei dem Gedanken, dass Alessandro gerade eben noch hier gewesen war. Jetzt war er fort, irgendwo dort oben in der Dunkelheit.

Sie öffnete die Fahrertür und berührte mit den Fingerspitzen das Leder der Rückenlehne. Es war wie ein Zwang. Sie wollte Alessandro spüren, und dies hier war das Beste, was sie kriegen konnte.

Mit einem Ruck warf sie die Tür zu, viel zu laut, und überlegte, ob sie es dem Toten schuldig war, einen Blick in den Kofferraum des Panda zu werfen. Der Mann war gestorben, weil sie ihn angerufen hatte.

Besser, sie gewöhnte sich an so was.

Das Licht ihrer Scheinwerfer musste weithin zu sehen sein, darum eilte sie zurück zum BMW und schaltete sie aus. Die Stille, die auf das Alarmsignal folgte, schien ihr jetzt doppelt bedrückend.

Als sie durch den Spalt im Gittertor trat, entdeckte sie die Blutspuren, von denen Alessandro gesprochen hatte. Mit einem Kloß im Hals schob sie die Zweige beiseite und blickte ins Unterholz. Da lagen die Männer in einer kleinen Senke. Vier Silhouetten, verdreht und verschlungen. Noch mehr Leichen.

Rosa riss sich zusammen und stieg steifbeinig aus dem Geäst zurück auf die Auffahrt. Mittlerweile war es fast völlig dunkel. Der Vollmond versilberte die Baumwipfel auf den Hügeln. Sie schrak zusammen, als wie aus dem Nichts ein Wagen die Landstraße entlangraste, einen Herzschlag lang das Tor und die abgestellten Autos in Helligkeit tauchte und wieder verschwand. Erstmals wünschte sie sich, dass es eines der Observationsfahrzeuge der Richterin wäre. Aber ausgerechnet heute war keiner ihrer Beschatter zu sehen.

Sie schätzte, dass Alessandro in der Zwischenzeit bereits am Palazzo angekommen war, querfeldein durch die Olivenhaine war der Weg kürzer als über die zwei Kilometer lange Auffahrt. Irgendwo mussten hier noch Waffen herumliegen, doch sie sah keine und konnte sich nicht überwinden, die Leichen nach Pistolen zu durchsuchen.

Noch einmal horchte sie, ob sie irgendwo das Heulen der Hundinga hörte, aber da war nichts außer Insektenschnarren und einem einsamen Eulenruf. Mit aufeinandergepressten Lippen setzte sie sich in Bewegung, huschte die kleine Böschung auf der anderen Seite der Auffahrt hinauf und tauchte geduckt zwischen die knorrigen Olivenbäume, die hier bis fast an die Straße reichten. Schon nach wenigen Schritten stieß sie auf den Pfad, über den während der Erntezeit die Pflücker ihre Körbe trugen. Zuletzt war sie hier entlanggegangen, als sie sich aus dem Palazzo geschlichen hatte, um mit den Carnevares zur Isola Luna zu fahren. Fundling hatte sie unten an der Straße erwartet und zur Küste gebracht.

Seit ihrem letzten Besuch an Fundlings Krankenbett hatte sie kaum an ihn gedacht. Er verunsicherte sie. Nach wie vor war der sonderbare Junge für sie ein Vakuum, beinahe selbst eines jener mysteriösen Löcher in der Menge, von denen er einmal gesprochen hatte. Ziemlich wirres Zeug.

In der Ferne peitschte ein Schuss, sein Hall rollte den Hang herab. Ganz in der Nähe stoben zwei Vögel auf und flatterten davon.

Mittlerweile hatte Rosa ein gutes Drittel des Aufstiegs hinter sich gebracht. Die Lichter des Palazzo waren von hier aus noch nicht zu sehen. Schwere Wolken schoben sich in diesem Moment vor den Mond. Das Rascheln der Zweige im Abendwind wurde gespenstisch, als die Bäume kaum mehr zu sehen waren.

Auf dem Pfad vor ihr lag etwas.

Ein weiterer Toter. Doch das formlose Bündel entpuppte sich im Näherkommen als erstes von mehreren Kleidungsstücken, abgestreift und fortgeworfen. Sie erkannte den Pullover wieder. Aus einer Tasche der zerknüllten Jeans schaute ein Handy hervor. Alessandro schlich jetzt irgendwo dort oben als Panther durch die Dunkelheit. Vielleicht war er schon am Haus. Hatte der Schuss ihm gegolten?

Sie hätte versuchen können, sich ebenfalls zu verwandeln. Einige Sekunden lang war sie überzeugt, dass das der beste Weg war, um unentdeckt zu bleiben. Aber sie hatte keine Erfahrung darin, längere Distanzen als Schlange zurückzulegen, und sie wusste nicht, wie sehr sie das aufhalten würde. Also lief sie weiter, schwitzte am ganzen Körper und redete sich ein, dass es allein der Wind auf ihrer feuchten Haut war, der sie derart frösteln ließ.

Glühende Punkte erschienen vor ihr in der Dunkelheit. Nur wenige Fenster des Palazzo waren erleuchtet.

Wieder ein Schuss. Dann in rascher Folge zwei weitere.

Ein Hund jaulte auf. Einer der Hundinga. Oder Sarcasmo.

An der Grenze zwischen Oliven- und Zitronenhain stieß sie erneut auf ein Bündel am Boden. Der Mann war nackt. Sein

Tod lag noch nicht lange zurück, die klaffenden Fleischwunden glänzten nass. Seine Kehle war zerfetzt, sein Schädel abgewinkelt. Er war mit ungeheurer Wildheit getötet worden.

Sie hörte Pfotengetrappel und Hecheln – es kam von Osten, wo sich jenseits der Zitronenbäume und einiger Palmen das hohe Fundament der Panoramaterrasse erhob. Sie kletterte über einen alten Lattenzaun und presste sich eng an einen Stamm.

Keine zehn Meter entfernt lagen noch zwei Leichen. Beide waren bekleidet. Sie gehörten zu den Wächtern des Anwesens. Offenbar waren sie getötet worden, als sie etwas entdeckt hatten: mehrere Taschen und Rucksäcke, die am Fuß einer Palme lagen. Gleich hinter deren Stamm wuchs vier Meter hoch das Terrassenfundament empor.

Rosa hielt den Atem an. Bewegte sich nicht mehr.

Die Silhouette eines riesigen Dobermanns, größer als ein Wolf, näherte sich von Süden her den Toten und ihrem Fund. Rosa nahm das Biest nur auf Grund seiner Bewegungen wahr, in der Finsternis war es so schwarz wie die Umgebung.

Ein Knirschen und Reißen erklang, als es sich im Laufen verwandelte. Von einem Schritt zum anderen erhob sich die Kreatur auf die Hinterbeine, streckte und dehnte sich, während sich die Knochen verschoben und verlängerten, Gelenkköpfe sprangen mit scheußlichen Lauten aus ihren Pfannen und Glieder zeigten in die falsche Richtung. Struppiges Haar verwuchs zu Fleisch. Muskeln blähten sich auf und wanderten unter der Haut entlang.

Im schwachen Gegenlicht des Mondes verformte sich sein Gesicht, die Schnauze wurde zurückgebildet und die Stirn gestreckt. Der Mann hob die Arme – aus Pfoten wurden Hände – und rieb sich die Augen.

Wenige Sekunden später trat er nackt an eine der Taschen und zog etwas hervor. Das Display eines Handys leuchtete auf und beschien das Gesicht des Mannes von unten. Rosa schätzte ihn auf vierzig, vielleicht ein wenig älter. Er hatte harte, narbige Gesichtszüge und einen raspelkurzen Haarschnitt.

Flüsternd sprach er in das Handy. Rosa konnte ihn kaum verstehen, sie war zu weit entfernt. Er hatte einen harten Akzent, vielleicht ost- oder nordeuropäisch, und schien seinem Auftraggeber Bericht über die Lage zu erstatten.

»... zwei meiner Leute getötet«, hörte sie den Hunding sagen. »... länger warten ... Der Plan interessiert mich nicht ... gleich reingehen ...«

Sie wagte nicht, näher heranzuschleichen. Selbst Atmen war ein Risiko, aber sie konnte die Luft nicht noch länger anhalten.

Der Mann ließ das Handy sinken und blickte sich um.

Sie stand in völliger Dunkelheit, und dennoch sah er genau in ihre Richtung. Er sprach einen letzten, zornigen Satz in das Handy – »... ist meine Entscheidung ...« –, dann schaltete er es aus und warf es in die offene Tasche.

Langsam kam er auf Rosa zu, eine hünenhafte Silhouette vor der mondgrauen Mauer. Ein bedrohliches Knurren drang aus seiner Kehle.

Wenn sie auch nur den Kopf bewegte, würde er sie entdecken. Sie konnte nicht anders, als ihn unverwandt anzustarren, ob sie wollte oder nicht.

Ihr Herz schlug rasend schnell, mit jedem Pochen pumpte es den Eishauch der Schlange durch ihre Glieder. Wenn sie sich jetzt verwandelte, würde er sie auf jeden Fall bemerken. Und sie war keineswegs sicher, ob sie als Schlange flink genug wäre, um seinen Fängen zu entgehen.

Er sank nach vorn auf alle viere. Explodierte zurück in seine Hundegestalt, so rasch, dass es wie ein altmodischer Spezialeffekt wirkte. Hier der Mann, *Cut!*, da der Hund. Nicht mal eine Überblendung.

Das Biest war noch drei Meter von ihr entfernt. Sein Dobermannfell roch nach Menschenschweiß.

Wieder erklang das Heulen der anderen, oben am Haus. Sie belagerten den Palazzo. Schüsse jaulten, unmittelbar über ihnen auf der Terrasse.

Der Hunding verharrte.

Ein zweiter brüllte schmerzerfüllt in der Finsternis. Ein Körper klatschte auf eine Wasseroberfläche. Die Kugel musste einen von ihnen in den Pool geschleudert haben.

Die Kälte in Rosa erreichte ihre Haarspitzen. Alles kribbelte, juckte, brannte. Sie versuchte, die Verwandlung aufzuhalten, dagegen anzukämpfen. Aber sie schwebte in Lebensgefahr – und ihr Körper reagierte darauf, ob sie wollte oder nicht.

Mehr Schüsse. Länger anhaltendes Jaulen. Noch ein Treffer.

Der Dobermann stieß ein zorniges Knurren aus, schnappte drohend ins Leere, dann fuhr er herum und stürmte am Mauerfundament der Terrasse entlang zur nächsten Treppe, um seinen Rudelbrüdern beizustehen.

Rosa schloss die Augen. Unter ihren Lidern wurden die Pupillen zu engen Schlitzen. Ihre gespaltene Zunge ertastete Fangzähne. Sie öffnete die Augen wieder, aber es blieb dunkel. Erst im nächsten Moment begriff sie den Grund. Mit einem Zischen glitt sie unter dem Haufen ihrer schwarzen Kleider hervor, über trockenes Erdreich hinaus ins Mondlicht.

Der Leopard

Sie schlängelte sich die Stufen zur Terrasse hinauf, eng in den Winkel zwischen Treppe und Mauer gepresst. Ihre Reptilienhaut schillerte in Bronze und Gold.

Die weite Panoramaterrasse des Palazzo, umfasst von einem wuchtigen Steingeländer, erstreckte sich grau im schwachen Mondschein. Die nächste Wolkenfront rückte bereits heran, bald würde wieder alles in tiefem Schatten liegen. Jemand musste die Bewegungsmelder für die Außenstrahler oben in den Palmwipfeln lahmgelegt haben.

Die Fenster im Erdgeschoss waren vergittert, nirgends brannte Licht. Der Wohnbereich lag im ersten Stock. Hier auf der Westseite des Palazzo befanden sich einige Schlafzimmer. In einem davon stand Signora Falchi am offenen Fenster und hielt eine Waffe in Richtung Terrasse.

Ein Toter lag auf dem Steinboden, ein zweiter trieb in einer Blutwolke im Swimmingpool. Das bläuliche Licht aus dem Becken flirrte in diffusen Reflexen über die Fassade. In seinem Schein glänzte das Gesicht der Lehrerin, als wäre es mit Glas überzogen.

Am Rand ihres Blickfelds bemerkte Rosa eine Bewegung, nur ein Huschen, und sofort flammte im Fenster Mündungsfeuer auf. Die Kugel peitschte über die Terrasse, ohne jemanden zu treffen. Der Hunding, für den sie bestimmt gewesen war, sprengte knurrend auf die Treppe zu, genau wo Rosa sich befand. Es war nicht derselbe wie vorhin, sondern eine gewaltige Bulldogge. Rosa spürte mit ihrem empfindlichen Schlangensinn, wie der Boden unter seinen Schritten vibrierte. Zugleich stieg Aggression in ihr auf. Als Mensch wäre sie geflohen, vielleicht erstarrt vor Grauen über das heranpreschende Ungeheuer; als Schlange aber brannte sie darauf, die Herausforderung anzunehmen.

Der Hunding wusste, dass er eine Lamia vor sich hatte, kein gewöhnliches Reptil. Zwei Meter vor ihr blieb er stehen, ging in Angriffsstellung und fletschte das mörderische Gebiss. Rosa richtete ihren Schlangenkörper auf und fauchte. Er war drauf und dran, sich auf sie zu stürzen, aber sie war schneller. Mit einem kraftvollen Schlängeln schoss sie auf ihn zu, war im nächsten Augenblick unter ihm und schlug ihm die Fänge in die weiche Haut unterhalb seiner Rippen. Der Hunding jaulte schmerzerfüllt auf und stieß die Schnauze abwärts, doch bevor er nach ihr schnappen konnte, rammte sie ihren Leib gegen seinen Schädel. Aus dem Jaulen wurde ein Heulen, dann biss sie auch schon ein zweites Mal zu, schmeckte sein Blut und empfand dabei nichts als Triumph.

Sie nutzte das Überraschungsmoment und wickelte sich um ihn. Er fiel schwer auf die Seite, strampelte panisch und schnappte erneut nach ihr. Blitzschnell zog sie sich zusammen, spürte seine Knochen brechen, zerquetschte seine Rippen, die Lunge und die inneren Organe.

Wieder peitschten Schüsse, und als sie aufsah, erkannte sie, dass ein weiterer Hunding einer Kugel der Lehrerin zum Opfer gefallen war. Er war aus seiner Deckung gesprungen, um Rosas Gegner zu Hilfe zu eilen. Weit war er nicht gekommen.

Wusste Signora Falchi, wer die Schlange wirklich war? Hatte sie deshalb geschossen? Oder war Rosa die Nächste, auf die sie das Feuer eröffnen würde?

Der tote Hunding in Rosas Umschlingung begann sich in einen Menschen zu verwandeln. Rasch zog sie sich zurück, glitt über die Terrasse zur Außenwand des Hauses und folgte ihrem Verlauf nach Norden. Die Gitterstäbe vor den Fenstern standen zu eng, als dass sie das Glas mit dem Schädel hätte eindrücken können, die Türen waren mit Sicherheitsschlössern verriegelt;

ihre Großmutter hatte dafür gesorgt, dass Eindringlinge es nicht leicht hatten.

Sie hörte Hecheln und Knurren in den Schatten. Je weiter sie sich vom Pool und von seiner Unterwasserbeleuchtung entfernte, desto finsterer wurde es. Die Hundinga beobachteten sie. Sobald Rosa sich aus dem Schussfeld der Lehrerin bewegte, würde nichts mehr die Biester aufhalten. Vermutlich wussten sie, dass sie die einzige Lamia im Palazzo war.

Sie erreichte die Ecke des Gebäudes und damit das Ende der Terrasse. Schnell glitt sie zwischen den Steinstempeln des Geländers hindurch auf die Wiese, die an die Nordfassade grenzte. Sie suchte einen ebenerdigen Weg ins Innere, dazu musste sie die offene Fläche überqueren.

Hinter ihr setzte ein Hunding über das Geländer und landete im Gras. Ein zweiter – der größte Pitbull, den sie je gesehen hatte – jagte hinterher. Bei den Kastanien am Rand der Wiese bewegten sich weitere Silhouetten vor dem Dunkelgrau der Nacht.

Rosa schlängelte sich so schnell sie konnte vorwärts, selbst erstaunt über ihre Geschwindigkeit, und war womöglich doch nicht schnell genug. Die Pranken der Hundinga ließen den Boden erzittern, sie mussten unmittelbar hinter ihr sein. Schon schnappte der erste nach ihr. Er verfehlte ihren Reptilienleib nur um Haaresbreite.

Vor Rosa wuchs das Palmenhaus empor. Grünliches Licht schimmerte schwach in dem gläsernen Anbau. Die beschlagenen Scheiben verbargen den tropischen Dschungel im Inneren.

Eine Glasscheibe in der untersten Reihe war zersplittert. Rosa hielt genau darauf zu. Die Scherben waren nach innen gefallen. Offenbar hatten die Hundinga bereits den Versuch unternommen, auf diesem Weg in den Palazzo zu gelangen. Ein unbekleideter Leichnam lag inmitten der Glassplitter. Jemand hatte den Ansturm des Hunding aufgehalten, er war keine zwei Meter weit ins Innere vorgedrungen.

Einer ihrer Verfolger stieß ein kurzes, hartes Bellen aus, dann erbebte der Boden ein letztes Mal. Die Hundinga waren stehen geblieben. Rosa schoss über das Glas und den Toten hinweg und tauchte in die Tropenatmosphäre des Palmenhauses.

Grüner Dämmer, der zischelnd zum Leben erwachte. Sie kamen von allen Seiten, erst nur wenige, dann immer mehr. Die Schlangen, die hier lebten, die Totemtiere der Alacantaras, erkannten ihre Herrin und nahmen sie schützend in ihre Mitte. Einige wandten sich in Richtung der Hundinga, und Rosa roch den Duft ihres Giftes, sah es an den Spitzen ihrer Fangzähne glitzern. Sie hatte erst kürzlich erfahren, dass der Biss einiger dieser Reptile tödlich war. Sie selbst besaß keine Giftdrüsen; womöglich galt das für alle Lamien.

Die Hundinga folgten ihr nicht durch die zerbrochene Scheibe. Knurrend zogen sie sich zurück. Lange würden die verschlossenen Türen und Gitter sie nicht aufhalten, jetzt da ihr Anführer entschlossen war, den Angriff auch gegen den Befehl des Hungrigen Mannes durchzuführen. Rosa ging davon aus, dass sie Waffen dabeihatten, wahrscheinlich auch Sprengstoff. Selbst wenn sie es vorzogen, als Hundinga im Rudel zu jagen, waren auch sie letztlich nur Killer, die einen Auftrag zu erledigen hatten.

Die herandrängenden Schlangen liebkosten Rosa, rieben sich an ihrem Schuppenkleid, jede einzelne schien sie berühren zu wollen. Rosa bewegte sich im Pulk mit ihnen in Richtung der schweren Tür, die vom Glashaus in den Nordflügel führte.

Dort schloss sie die Augen, verdrängte die Bedrohung durch die Hundinga, konzentrierte sich ganz auf ihr Menschsein, erinnerte sich an das Gefühl, Arme und Beine zu haben. Und als sie hinsah, *waren* da wieder Arme und Beine. Die Reptilienschuppen auf ihrem Kopf und im Nacken teilten sich zu Strähnen, zerfaserten zu wirrem, hellblondem Haar.

Die Schlangen wimmelten weiterhin um ihre nackten Füße, zogen sich aber ein Stück zurück, als Rosa einen Schritt machte, um den Schlüssel von einem Haken an der Wand zu nehmen. Vorsichtig öffnete sie die Tür und blickte durch den Spalt hinaus auf einen Korridor. Imposante Fresken bedeckten die gewölbte Decke, Engel, Teufel und Heilige inmitten von Wolkengebirgen und Gartenlandschaften. Der Gang selbst war verlassen; eine der Nachtleuchten, die sich bei Dunkelheit automatisch einschalteten, spendete notdürftig Licht.

Der Steinboden war eisig unter ihren Fußsohlen, aber diesmal hieß sie die Kälte willkommen. Sie trat hinaus und zog die Tür hinter sich zu. Dann ging sie in die Hocke, schloss die Augen und machte es wie eine Schauspielerin, die für eine Szene Emotionen aus ihrer Erinnerung abruft. Sie dachte an Zoes Tod und an den Verrat ihres Vaters, beschwor die Bilder des Videos herauf, ihre aufgerissenen, wachen Augen, während er tatenlos zusah. Da regte sich das Reptil in ihr und mit der Kraft eines Stromschlags fuhr die Kälte in ihre Glieder und ließ sie im nächsten Moment als Schlange zu Boden sinken.

Augenblicklich glitt sie vorwärts, den Gang entlang zur nächsten Treppe nach oben. Niemand begegnete ihr und sie hörte nichts als das trockene Rascheln ihrer Schuppen auf den ausgetretenen Steinfliesen. Sie erreichte den ersten Stock und machte sich im Dämmerlicht der Nachtlampen auf den Weg in den Westflügel.

Signora Falchi feuerte nicht mehr, vielleicht waren ihr die Kugeln ausgegangen. Die Klinke ihrer Zimmertür war von außen mit einer Eisenstange blockiert. Rosa erkannte drei Einschusslöcher im Eichenholz; die Splitter wiesen auf den Flur. Es war unmöglich, die verbarrikadierte Tür von innen zu öffnen.

Aufmerksam schaute sie sich um und wartete, bis ihre Augen sich an die Dunkelheit gewöhnt hatten. Niemand zu sehen. Michele und Valerie mussten die Lehrerin in ihrem Zimmer eingeschlossen und sich selbst überlassen haben. Wahrscheinlich war sie dort auch jetzt noch am sichersten.

Rosa glitt weiter zu Costanzas ehemaligem Schlafzimmer. Die Tür stand offen, das Schloss war herausgebrochen worden. Es sah so aus, als hätte Iole Valerie nach Rosas Abreise doch noch eingesperrt – vergebens.

Valerie war fort. Auch von Sarcasmo gab es keine Spur. Rosa war übel vor Sorge um Iole, und das Verschwinden des Hundes machte es nicht besser. Hatte Michele dem Mädchen etwas angetan? Hatte er Sarcasmo erschossen? Und wo steckte Alessandro?

Eilig machte sie sich auf den Weg zu ihrem eigenen Zimmer und fand es unberührt vor. In der Ankleidekammer wurde sie zum Menschen, schlüpfte benommen in Jeans und T-Shirt und schlich barfuß hinaus auf den Gang. Im Arbeitszimmer gab es einen verschließbaren Schrank, in dem Florinda eine Pistole und Munition aufbewahrt hatte.

Vorsichtig bewegte sie sich durch die düsteren Korridore, lief von einer Nische zur anderen, tauchte in tiefe Schatten. In einem Durchgang stieß sie auf Giannis Leiche. Rosa wandte sich ab und rannte weiter.

Ihre Haut brannte wie aufgeschürft, aber sie wies weder Wunden noch Rötungen auf. Vielleicht hatte ihr Gehirn noch nicht vollends registriert, dass sie keine Schlange mehr war. Auch ihre Gelenke kamen ihr vor wie Fremdkörper, an deren Benutzung sie sich gewöhnen musste.

Sie lauschte auf Stimmen, auf Laute, auf Schritte. Nichts. Aber die Mauern des Palazzo waren dick und die alten Wandteppiche schluckten die meisten Geräusche.

Was hätte sie an Micheles Stelle getan? Er wollte sich rächen, weil er Alessandro für den Auftraggeber der Morde hielt. Teil seiner Vergeltung war Rosas Tod. Nachdem er sie nicht angetroffen hatte, musste er Iole über sie ausgefragt haben. Wahrscheinlich hatte sie ihm die Wahrheit gesagt: dass Rosa mit dem Wagen fortgefahren war. Sicher hatte er daraufhin begonnen den Palazzo zu durchsuchen, was in Anbetracht der zahllosen Zimmer und Flure ein hoffnungsloses Unterfangen war. Ob Valerie ihm geholfen oder Iole bewacht hatte, machte kaum einen Unterschied. Erst recht nicht, seit die Hundinga das Gemäuer belagerten. Michele blieb keine Zeit, gründlich zu sein; der Angriff musste ihn ebenso überrascht haben wie Iole und Signora Falchi. Vermutlich war er nervös. Wer nervös war, machte Fehler.

Das Arbeitszimmer lag am Ende eines langen Korridors im zweiten Stock und besaß keine Tür, nur einen offenen Rundbogen als Zugang, der es nahezu unmöglich machte, ungesehen dorthin zu gelangen. Als Mensch hatte sie keine Chance. Dennoch schob sie die Verwandlung auf, weil sie spürte, dass der schnelle Wechsel an ihren Kräften zehrte. Sie hatte keine Ahnung, was sie ihrem Körper zumuten durfte. Biologisch mochten die Metamorphosen nicht zu erklären sein, aber das bedeutete nicht, dass sie keine Spuren hinterließen. Genau genommen brach Rosa sich jedes Mal alle Knochen. Auf Dauer *musste* das etwas mit ihrem Körperbau, ihrem Kreislauf und Stoffwechsel anstellen.

Um in den zweiten Stock zu gelangen, benutzte sie eine der Nebentreppen für die ehemalige Dienerschaft des Palazzo. Die Zeit der Zofen und Kammerdiener war lange vorbei, und die schmalen Stufen, die sie einst benutzt hatten, waren spinnwebbehangen und staubig.

Durch eine schmale Tür hinter einem Vorhang betrat sie einen Flur im oberen Stockwerk. Niemand war zu sehen. Außer den schwefeligen Nachtleuchten brannte kein Licht. Zum ersten Mal meinte sie Stimmen zu hören, aber als sie den Atem anhielt, vernahm sie nichts als Schweigen.

Auf nackten Sohlen huschte sie hinter dem Vorhang hervor und wandte sich nach rechts. Das Arbeitszimmer befand sich im Nordflügel, dem Innenhof zugewandt. Vielleicht hätte sie den Umweg über die Küche nehmen sollen, um sich mit einem Messer zu bewaffnen. Aber spätestens bei ihrer nächsten Verwandlung würde sie es ohnehin verlieren.

Angespannt näherte sie sich einer Biegung, als sie plötzlich Geräusche bemerkte. Weiche Pfoten auf blankem Stein.

Alessandro? Michele?

Oder ein Hunding?

Mit kurzen, lautlosen Schritten rannte sie zurück hinter den Vorhang und presste sich mit dem Rücken an die geschlossene Tür zum Treppenhaus. Der weinrote Samt vibrierte vor ihrem Gesicht, keine Handbreit entfernt.

Durch einen Spalt an der Seite konnte sie den Gang hinuntersehen. Ein Schatten schob sich um die Ecke.

Rosa kämpfte die Kälte nieder. Wenn sie jetzt zur Schlange wurde, würden die Laute sie verraten.

Eine Raubkatze tastete sich langsam näher. Der lange Schwanz pendelte langsam von einer Seite zur anderen. Die Schulterblätter stachen hervor, weil sie den Schädel niedrig am Boden hielt, gebeugt und in Lauerstellung. Helle Augen glühten silbrig im Halbdunkel der Nachtbeleuchtung. Die langen Schnurrhaare und Brauen waren weiß, der muskulöse Körper mit gelblichem Fell bedeckt, gesprenkelt mit dunkelbraunen Flecken. Jede der vier Pranken war so groß wie Rosas Gesicht.

Der Leopard blieb stehen und spähte den Gang hinab. Dann setzte er sich wieder in Bewegung.

Rosa stand so dicht wie möglich an die Wand gepresst. Nur ja keinen Laut. Und nicht den Vorhang berühren!

Die Schlange rumorte in ihr, während der Leopard auf dem Korridor näher kam. Gleich würde sie ihn nicht mehr sehen, dann wäre der schwere Samt im Weg. Aber sie konnte ihn hören, seine Pfoten auf den Fliesen, das Scharren seiner Krallen.

Draußen auf der Terrasse hatte sie einen Hunding getötet, einen zentnerschweren, grobmotorischen Koloss. Ein Panthera aber war etwas anderes. Und Michele mochte selbst unter seinesgleichen eine Ausnahme sein. Sie hatte ihn jagen gesehen, von den anderen als Führer der Meute akzeptiert, weil er stärker, schneller und rücksichtsloser war als sie.

Sie spürte, wie sich ihre Haut spannte, schlagartig trocken wurde, in winzigen Schuppen von ihrer Stirn auf die Wangen rieselte. Ihr Haar verschmolz zu Strängen. Ihre Knie versteiften sich, die Ellbogen schmerzten. Ein furchtbarer Juckreiz wanderte in Schüben über ihren Körper.

Nicht jetzt!

Etwas stieß von außen ganz zart gegen den Vorhang. Tippte dagegen, zog sich wieder zurück. Die Berührung wiederholte sich ein Stück weiter links. Der pendelnde Leopardenschwanz. Seine Spitze streifte den Stoff, während sich das Tier an ihrem Versteck vorüberbewegte.

Das T-Shirt wurde ihr zu groß, sie hatte das Gefühl, als rutschte sie einfach hindurch wie der Held in *The Incredible Shrinking Man*. Sie war die schrumpfende Frau, das Schlangenmädchen und in ein paar Sekunden Katzenfutter.

Irgendwo im Haus zerbrach Glas.

Fernes Hundingaheulen ertönte, hallte lang gezogen durch Gänge und Treppenhausschächte.

Der Leopard stieß ein Fauchen aus. Plötzlich hörte sie seine Pfoten mehrfach auf den Steinboden schlagen, er verfiel aus dem Stand in schnellen Lauf. Dann war Stille.

Rosa rutschte mit dem Rücken an der Tür hinab in die Hocke. Ihre Knie stießen den Vorhang nach außen, sie konnte nichts dagegen tun. Ihr Kreislauf sackte zusammen, einen Moment lang wusste sie nicht mehr, ob sie Mensch oder Schlange war. Der schwere Vorhang erdrückte sie, nahm ihr die Luft. Energisch schob sie ihn beiseite und blickte hinaus auf den Korridor.

Der Leopard war verschwunden. Nach links davongerannt, glaubte sie. Das Arbeitszimmer lag in der entgegengesetzten Richtung.

Mühsam stand sie auf und lief los.

Suicide Queens

Der Korridor zum Arbeitszimmer dehnte sich vor ihr wie das Innere einer Ziehharmonika, länger und länger, eine optische Täuschung. Alles nur in ihrem Kopf. Im verdrehten, verwirrten Rosahirn.

Bilder in schweren Rahmen mit abgeblätterter Goldfarbe hingen an den Wänden. Tische und Stehlampen standen Spalier, selbst eine Rüstung, zu klein für einen Mann. In diesem Palazzo hatten schon früher streitbare Weibsbilder gelebt.

Rosa war es leid, sich zu verbergen. Entschlossen trat sie mitten auf den Korridor und ging auf den offenen Rundbogen des Arbeitszimmers zu.

Sie sah den Schreibtisch vor der Glastür zum Balkon über dem Innenhof. Sah die hohe Lehne des Stuhls – er war leer. Sah sich selbst als vage Spiegelung im Fensterglas, ein Schemen, der aus der Düsternis des Korridors tauchte, der Geist ihrer kämpferischen Ahninnen oder doch nur ein Mädchen, das gekommen war, um mit der Vergangenheit abzuschließen.

Der Raum öffnete sich vor ihr zu voller Weite, ein ehemaliger Salon, groß genug für einen Ball. Zwischen Eingang und Schreibtisch lagen zehn Meter gebohnertes Parkett. Die Deckenbeleuchtung war nicht eingeschaltet, wohl aber mehrere Tischlampen an den Seitenwänden.

»Rosa!«

Iole trug nur ein weißes Sleepshirt, das bis zu ihren Knien reichte. Sie saß mit gefesselten Händen auf einer Ledercouch an der Westwand. Sie wollte aufspringen, aber eine schmale Hand packte ihren Arm und zog sie zurück auf das Polster. Valerie hielt eine silberne Pistole in der Hand und presste die Mündung an Ioles Schläfe.

Rosas Mundwinkel zuckten. Fast ein Lächeln.

»Dein Hardcore ist mein Mainstream«, sagte sie leise – der Spruch auf dem T-Shirt, das Valerie bei ihrer ersten Begegnung in Brooklyn getragen hatte. Sie wusste nicht, warum sie sich gerade jetzt daran erinnerte. Oder warum sie mit einem Mal lachte, laut und verletzend. Die Worte standen in einem so absurden Gegensatz zu dem ausgezehrten, drogensüchtigen Mädchen mit der Waffe, dass sie nicht anders konnte. Sie lachte über Valeries Verrat, ihr Leid, ihre naive, besessene, fatale Liebe zu Michele Carnevare. Sie lachte, bis ein ersticktes Husten daraus wurde und der Blick aus Ioles aufgerissenen Augen mehr Sorge um sie als um ihr eigenes Schicksal verriet.

»Fertig?«, fragte Valerie. »Dann geh zum Tisch und nimm das, was dort liegt. Benutz es.«

Rosas Blick folgte ihrem Wink. Unter der Schreibtischlampe lag eine aufgezogene Spritze. Der Inhalt schimmerte gelblich im scharf umrissenen Lichtkreis.

Rosa rührte sich nicht von der Stelle. Stand mitten im Raum, hinter ihr der Rundbogen, vor ihr der riesige Eichenschreibtisch und zu ihrer Rechten, fünf Meter entfernt, die Couch mit den beiden Mädchen.

»Die Hundinga sind im Haus«, sagte sie, nicht sicher, ob Valerie überhaupt wusste, was sich hinter diesem Wort verbarg.

Aber Val war jetzt Micheles Vertraute. »Sie wollen dich«, sagte sie. »Dich und deinen Freund. Sie sind nicht meinetwegen hier oder wegen Michele.«

»Sagt er das? Dass sie dir nichts tun werden, wenn sie hier auftauchen? Dass sie überhaupt nicht wütend sein werden, weil ein paar von ihnen draußen am Pool liegen, und zwar nicht zum Sonnenbaden?«

Valerie schüttelte langsam den Kopf. »Ich bin die Suicide

Queen, Rosa. Ich hab keine Angst.« Die Ernsthaftigkeit, mit der sie das sagte, war erschütternd. Beinahe mitleiderregend. Beinahe.

»Du brauchst nicht mit diesem Ding auf Iole zu zielen«, sagte Rosa. »Sie hat dir nichts getan.«

»Ich hatte auch deinem Freund Trevini *nichts getan*, und trotzdem war er nicht besonders freundlich zu mir.«

»Ich war eben bei ihm. Er wird keinem mehr ein Haar krümmen.«

»Und wie lange hast du gebraucht, um zu entscheiden, dass er mich gehen lassen soll? Zwei Tage? Drei? Warum nicht sofort, Rosa?« Vals Tonfall wurde schärfer. »Was war so schwer daran, ihm zu befehlen, mich laufenzulassen?«

Rosa hielt ihrem Blick stand, bewegte sich aber nicht von der Stelle. »Weil du es verdient hast, Val. Jede verdammte Minute in Trevinis Folterkeller. Weil du mich nicht nur ein Mal verraten hast, in New York, sondern jetzt schon wieder. Was erwartest du? Dass alles besser wird, wenn du Iole erschießt? Dass es *dir* dann besser geht?«

»Mir geht es bestens. Michele ist hier. Alles wird gut.«

»Du hast sie ja nicht mehr alle.«

Valeries Augen blitzten. Die Pistole blieb an Ioles Kopf. »Wir wissen so viel voneinander, Rosa. Eine ganze Menge kleiner peinlicher Geheimnisse. Zeug, das man sich betrunken nachts im Club erzählt oder draußen in der Warteschlange. Wir waren mal gute Freundinnen.«

»Wir waren nie echte Freundinnen«, widersprach Rosa. »Du hast keine Freundin gesucht, sondern jemanden, der zu dir aufsieht. Dich bewundert.«

»Und – hast du mich vielleicht nicht bewundert?« Valerie lachte leise, ohne jeden Humor. »Warum brauchen unsichere, verletzliche Mädchen wie du so oft jemanden, an den sie sich klammern können? Jemanden, der ihnen immer wieder vor Augen führt, was sie selbst nicht sind und niemals sein werden?«

»Weil sie noch die Hoffnung haben, sich zu verändern. Dazuzulernen. Und nicht eines Tages einem Arschloch wie Michele Carnevare nachzukriechen, damit er ihnen den Kopf tätschelt und so tut, als bedeuteten sie ihm etwas.«

»Michele liebt mich!«, fuhr Valerie sie an.

»Kein Mensch liebt dich, Val. Und niemand hat dich jemals geliebt. Das ist dein Scheißproblem, oder? Das war's schon bei den Suicide Queens. Und jetzt willst du dir seine Zuneigung erkaufen, indem du Iole umbringst? Großartiger Plan.«

Iole runzelte die Stirn. »Ganz schön dumm.«

Val stieß die Waffe hart gegen ihren Schädel. »Du hältst den Mund! Das hier geht dich nichts an.«

»Ist *mein* Kopf«, sagte Iole.

»Lass sie in Frieden«, forderte Rosa noch einmal. »Das hier ist eine Sache zwischen dir und mir. Warum ziehst du sie mit hinein?«

»Was wäre wohl, wenn ich sie laufenlasse? Du verwandelst dich in eine Schlange und ich bin schneller tot, als ich schießen kann.«

»Niemand hier muss sterben, Val.«

Aber Valerie ließ sich darauf nicht ein. »Nun nimm schon das Besteck vom Schreibtisch und spritz dir das Zeug.«

»Was dann?«

»Michele wird gleich wieder hier sein. Du bleibst ein Mensch, wenn du dir das Serum spritzt. Er will das so.«

»Und was willst *du*?«

»Dass du endlich tust, was ich sage!«

Rosa wusste, dass sie tot war, wenn Michele sie als Mensch in die Klauen bekam. Ihre Chancen als Schlange waren nicht viel größer, aber in Menschengestalt würde er sie vor Alessandros Augen in Stücke reißen.

Was voraussetzte, dass Alessandro in der Nähe war.

Valerie fluchte, weil Rosa sich noch immer nicht in Bewegung setzte. Dann drückte sie ab.

Der Schuss hallte ohrenbetäubend von den Täfelungen wider und musste im ganzen Palazzo zu hören sein. Irgendwo in den endlosen Korridoren würde sich Michele jetzt umgehend auf den Rückweg zum Arbeitszimmer machen.

Valerie hatte die Waffe gesenkt. Die Kugel hatte nicht Ioles Kopf gegolten. Einen Moment lang glaubte Rosa, dass der Schuss Ioles Knie zertrümmert hatte.

Das Mädchen war kreidebleich, ihre Augen gerötet, aber sie saß schreckensstarr aufrecht. Rauch, vielleicht auch Staub, wölkte aus einem Einschussloch in der Couch, unmittelbar neben ihrem Bein.

»Die Spritze!«, verlangte Valerie erneut.

Rosa ging hinüber zum Schreibtisch. Sie widerstand dem Drang, über die Schulter durch den Rundbogen zu blicken. Falls sie entdecken würde, dass der riesige Leopard aus dem Dämmerschein der Nachtlampen auf sie zuraste, würde sie das nur lähmen.

Sie streckte die Hand aus und nahm die Spritze aus dem Lichtkreis der Schreibtischlampe. Das Serum funkelte golden.

»Mach schon«, sagte Valerie.

Rosa streckte den linken Arm. »Du hast mehr Erfahrung in so was als ich. Vielleicht solltest du mir helfen.«

»Weil ich ja auch total bescheuert bin. Du schaffst das schon allein.«

Iole stieß einen Schmerzenslaut aus, als Valerie ihr die Pistole in die Rippen rammte.

Rosa setzte die Kanüle an, atmete tief durch und stach sie sich in den Arm. Es tat zehnmal mehr weh als beim Arzt.

»Alles«, verlangte Valerie, »bis auf den letzten Tropfen.«

Das Serum strömte in Rosas Arm. Sie wusste, dass Ärzte

einem die meisten Injektionen direkt in die Vene setzten. Obwohl sie unter ihrer hellen Haut die Adern deutlich erkennen konnte, hatte sie danebengezielt. Wenn sie sich das Serum unmittelbar unter die Haut spritzte statt in den Blutkreislauf, dauerte es vielleicht länger, ehe die Wirkung einsetzte. Rund um den Einstich bildete sich bereits eine Beule, weil sich die Flüssigkeit nicht rasch genug verteilte.

Trotzdem drückte sie die Spritze vollständig aus, riss sie aus dem Arm und schleuderte sie zu Valerie aufs Sofa. Die zuckte zusammen, blickte auf das leere Röhrchen und nickte. »Okay«, sagte sie. »Michele ist gleich hier.«

Rosa legte die Hand über die Ausbeulung und tat, als massiere sie die Stelle. Ob sie so wirklich eine Verzögerung erreichte, wusste sie nicht; auch nicht, wie lang sie sein würde. Sie musste sich so schnell wie möglich verwandeln.

Aber die Pistole blieb weiterhin auf Iole gerichtet. Valerie schien zu allem fähig, um Michele ihre Liebe zu beweisen.

»Was ist mit Mattia?«, fragte Rosa. »War das alles nur gespielt? Fühlst du gar nichts dabei, dass er tot ist?« Sie versuchte, das leichte Beben in Valeries Zügen zu lesen, und setzte hinzu: »Und dass es Michele war, der ihn ermordet hat?«

»Das ist eine Lüge!«, platzte Val heraus. »Michele hat ihm kein Haar gekrümmt. Mattia ist tot, weil Alessandro ihn hat umbringen lassen. So wie alle anderen!«

»Michele lügt, wenn er den Mund aufmacht.«

Ein Raubkatzenbrüllen ertönte, nicht weit entfernt.

Valerie lächelte böse. »Sag ihm das ins Gesicht.«

Iole schob sich auf dem Sofa hin und her. »Mein Rücken juckt.«

Das Brüllen wiederholte sich.

Die Beule unter Rosas Hand wurde flacher. Das Serum verteilte sich schneller, als sie erwartet hatte.

Und noch ein Fauchen. Aber jetzt klang es anders. Als wäre

es nicht von derselben Raubkatze ausgestoßen worden, sondern von einer zweiten.

Im selben Moment heulten mehrere Hundinga auf.

Valerie sprang voller Sorge auf und zog Iole auf die Beine.

Ein dumpfes Bersten und Krachen ertönte. Brechendes Holz, sehr weit entfernt. Vielleicht eine Tür, die mit Gewalt geöffnet wurde. Tief im Haus, wahrscheinlich im Erdgeschoss, zwei Etagen unter ihnen.

»Riecht ihr das?« Ioles Stimme ging fast unter im Lärm des anschwellenden Tiergebrülls. »Irgendwas brennt.«

Rosa vergaß für einen Augenblick Valerie und die Pistole. »Sie wollen uns ausräuchern. Sie haben Feuer gelegt.«

Auf Valeries Gesicht legte sich Genugtuung. »Scheint so, als würde dein Märchenschloss in Flammen aufgehen. Schade drum.«

Rosa hätte ihr sagen können, wie gleichgültig ihr das war. Dass sie selbst schon mit dem Gedanken gespielt hatte, das Gemäuer niederzubrennen. Und dass sie genug Geld besaß, um sich ein neues Anwesen anderswo zu kaufen; ganz abgesehen von all den Immobilien, die sich ohnehin im Besitz der Alcantaras befanden.

Aber zugleich bemerkte sie, dass ihr das Schicksal des Hauses eben doch nicht gänzlich egal war. Dass diese Mauern unabänderlich ein Teil des Erbes waren, das sie angenommen hatte. Sie hing an diesem kalten, dunklen, feuchten Palazzo, das wurde ihr auf einen Schlag klar, und sie fragte sich, wie es dazu gekommen war. War sie doch mehr zu einer Alcantara geworden, als sie wahrhaben wollte?

Sie haben so viel von Ihrer Großmutter an sich, hatte Trevini gesagt. *Sie sehen mich an, aber aus Ihren Augen blickt Costanza.*

»Bleib, wo du bist!«

Valeries Stimme ließ sie herumwirbeln. Ohne sich dessen bewusst zu sein, hatte Rosa mehrere Schritte in Richtung des

Balkons gemacht. Sie musste sich einen Überblick darüber verschaffen, wo genau das Gebäude brannte.

»Du schießt nicht«, brachte sie wutentbrannt hervor.

Iole neigte besorgt den Kopf. »Vielleicht tut sie's doch.«

»Ganz sicher sogar«, sagte Valerie.

Rosas Hand lag noch immer auf dem Einstich. Die Wölbung unter der Haut war nahezu verschwunden. Sie versuchte, sich zu konzentrieren, so wie vorhin. Aber jetzt war das Serum in ihrem Blut. Sie hatte ihre Chance verpasst.

Aus dem Stand rannte sie los – auf Valerie zu.

Die riss die Pistole von ihrer Geisel fort, schwenkte sie in Rosas Richtung und drückte ab. Ob versehentlich oder geplant – die Kugel schlug unmittelbar vor Rosa in den Boden und riss das Parkett auf.

»Wag das ja nicht!«, brüllte Valerie.

Rosa blieb stehen.

»Mach noch einen einzigen Schritt, und ihr seid beide tot.« Zwischen ihnen lagen etwa vier Meter. Nicht viel. Aber doch genug für Valerie, um erneut abzudrücken.

»Michele wird nicht mehr kommen«, sagte Rosa beschwörend. »Er und Alessandro ... sie kämpfen miteinander. Verdammt, Val, du hörst es doch auch!«

»Verzweiflung steht dir nicht.«

»Bist du wirklich so dämlich? Er hat dich ausgenutzt! Und jetzt hat er bekommen, was er wollte. Er und Alessandro sind sich irgendwo im Haus begegnet. Und die Hundinga zünden uns die ganze Hütte unter den Füßen an. Willst du warten, bis wir hier nicht mehr rauskommen? Hasst du mich wirklich so sehr, dass du lieber mit mir verbrennst, als am Leben zu bleiben?«

»Ohne Michele gehe ich nirgendwohin.«

»Dann musst du zu ihm. Nicht mal er ist so irre, in den zweiten Stock eines brennenden Gebäudes zu laufen, nur um ...« Sie zögerte. »Nur weil er es versprochen hat.«

Ein diffuser Glanz erschien in Valeries Augen.

In diesem Moment ließ Iole sich fallen. Sackte in sich zusammen, als hätte sie das Bewusstsein verloren. Nur dass sie wach war. Und sich wieder einmal klüger anstellte, als alle es ihr zugetraut hatten.

Valerie war einen Moment lang abgelenkt, konnte sich nicht entscheiden, ob sie Iole erneut packen, auf sie schießen oder sie einfach ignorieren sollte.

Und Rosa sprang vorwärts.

Die Mündung schwenkte wieder in ihre Richtung.

Iole trat Valerie vom Boden aus mit aller Kraft in die Kniekehle. Mit einem Aufschrei verlor Val das Gleichgewicht, drückte ab, aber der Schuss ging meterweit fehl und schlug in die Decke. Stuck explodierte in einer weißen Kalkwolke.

Zornig und zugleich hilflos in ihrer Wut überlegte sie einen Sekundenbruchteil zu lang, auf wen sie nun schießen sollte.

Im selben Moment stürzte Rosa sich auf sie. Beide brüllten auf wie die Raubkatzen und Hundinga unten im Haus. Iole rollte zur Seite, bekam einen Fußtritt in den Bauch und krümmte sich schmerzerfüllt zusammen. Rosa ließ sich auf Valerie fallen, die sich unter ihr so dürr wie ein Haufen Zweige anfühlte. Kreischend wehrte sich das geschwächte Mädchen, schlug und trat und kratzte wie eine Tollwütige. Rosa musste ihre Augen schützen, stieß zugleich ein Knie in Valeries Unterleib, rollte zur Seite, riss sie mit sich und zog sie wieder unter sich.

Die Pistole war längst aus Valeries Fingern geglitten. Rosa wusste nicht, wo sie hingefallen war, und ihr blieb keine Zeit, sich umzuschauen. Sie hatte genug damit zu tun, Vals Fingern und Fäusten auszuweichen und zugleich zu versuchen, sie zu bändigen und mit Knien und Händen auf den Boden zu pressen.

Noch einmal drohte Valerie die Oberhand zu gewinnen, sie wälzten sich herum, sekundenlang kam Rosa unter ihr zu liegen, dann stemmte sie sich gegen Val und warf sie mit einem Schrei zur Seite. Vals Schulter und Kopf krachten gegen den steinernen Rundbogen. Rosa zerrte sie herum, warf sie auf den Bauch und ließ sich mit den Knien auf sie fallen. Etwas knackte unter ihr, die Rippen. Von hinten griff sie in Vals Haar, hämmerte ihr Gesicht auf den Steinboden und bemerkte, wie ihre Gegnerin erschlaffte.

Etwas berührte Rosa an der Schulter.

Mit einem Keuchen riss sie den Kopf herum und war auf das Schlimmste gefasst. Den Schlag einer Leopardenpranke. Ein aufgerissenes, fangzahnbewehrtes Maul.

Mit Unschuldsblick hielt Iole ihr die Pistole entgegen, der Griff zeigte in Rosas Richtung.

»Hier«, sagte sie, »und jetzt erschieß sie endlich.«

In Flammen

Rosa starrte unschlüssig die Pistole an. Sie hockte auf Valeries Rücken, keuchend, die Augen aufgerissen, das Haar zerzaust. Jetzt hatte sie die Möglichkeit, Rache zu nehmen für alles, was sie in den vergangenen anderthalb Jahren durchgemacht hatte. Die Vergewaltigung. Die Abtreibung. All die Monate in Trauer und Therapie.

Das alles hatte sie Valerie zu verdanken.

Und Val lag benommen unter ihr am Boden.

Rosa nahm die Pistole aus Ioles Hand. Der Griff fühlte sich kühl und schwer an.

»Sie hat's verdient«, stellte Iole fest, ganz sachlich.

»Ich weiß«, flüsterte Rosa.

Sie setzte die Mündung in die Kuhle über Valeries Genick, in die kleine Vertiefung zwischen Wirbelsäule und Hinterkopf. Ihr Zeigefinger lag am Abzug. Das schmale Stück Metall schien ungeduldig gegen ihre Fingerkuppe zu pochen, als wollte es ihr die Entscheidung abnehmen.

Valerie stöhnte leise.

Rosa drückte die Waffe noch fester an Vals Nacken. Es fühlte sich richtig an abzudrücken. Es war angemessen, ihr alles heimzuzahlen.

Das Heulen der Hundinga unten im Haus wurde wilder, Wut und Schmerz klangen aus ihren Stimmen. Dazwischen das Fauchen der Raubkatzen. Wäre die Vorstellung nicht so abwegig gewesen, hätte man den Eindruck haben können, die beiden Panthera kämpften gemeinsam gegen die Kreaturen des Hungrigen Mannes.

Rosa senkte den Blick wieder auf Valeries Kopf und die Pistolenmündung. Aus dem Augenwinkel bemerkte sie, dass Iole durch den Rundbogen lief, hinaus auf den langen Korridor. Sie war barfuß, ihre nackten Beine sahen blass und verletzlich aus unter dem Saum des langen Shirts.

»Worauf wartest du?«, fragte Valerie stockend. Falls wirklich Rippen gebrochen waren, musste sie starke Schmerzen haben. Sie hatte den Kopf auf die Seite gedreht, ihr kurzes dunkles Haar war strähnig von Schweiß. Eine Schürfwunde auf ihrem Wangenknochen verriet, wo sie gegen den Steinbogen geprallt war. Ihre Lippen bewegten sich. Aber es kam kein weiterer Ton heraus.

Rosa konzentrierte sich ganz auf die Waffe in ihrer Hand, die Berührung des aufgerauten Griffs, das Gewicht, das Gefühl der Macht, die sie ihr verlieh.

Aber sie wollte keine Macht. Und je länger sie so dasaß, desto weniger wollte sie Vergeltung. Es war, als wäre Valerie bereits tot, ganz sicher die Valerie von damals, die sie einmal gemocht und, ja, bewundert hatte, weil sie immer ein wenig mutiger, schlagfertiger und erwachsener gewesen war. Hatte Rosa sich damals in ihr getäuscht? Hatte sie sich ein falsches Bild von ihr erschaffen, eine Projektionsfläche für all das, was sie selbst gern gewesen wäre?

»Rosa!« Iole war aus einem der Seitenzimmer des Korridors zurückgekehrt. »Komm und schau dir das an.«

Rosas Hand war mit der Pistole verwachsen, sie spürte die Kugel im Magazin wie einen Teil von sich selbst. Die Valerie von damals existierte nicht mehr. Es war nicht nötig, das Mädchen zu töten. Wer immer da am Boden lag – liebesblind, drogenkrank, verletzt –, war eine andere. Die Valerie, der sie den Tod vielleicht gewünscht hätte, war längst fort. Die Zeit und Rosas Erwachsenwerden hatten sie ausradiert, und was immer die Pistolenkugel noch bewirken mochte, sie konnte nichts ungeschehen machen.

Sie blickte zu Iole auf, durch einen Schleier aus Schweiß

und Tränen. Einen Moment lang sah es aus, als stünde das Mädchen auf einer Bühne, umgeben von Trockeneis.

Rauch quoll durch den Korridor auf sie zu, ein dünner, grauer Streifen über dem Boden. Iole trat von einem Fuß auf den anderen.

»Sie kämpfen unten im Hof«, sagte sie aufgeregt, »Alessandro und der Leopard gegen die großen Hunde. Sie haben ein paar von ihnen umgebracht.«

Rosa glitt seitlich von Valeries Rücken und erhob sich mit schmerzenden Knien. »Steh auf«, sagte sie zu ihr.

Valerie bewegte sich, noch immer flach auf dem Bauch, als wollte sie davonkriechen. Aber ihre Glieder erschlafften, als die Schmerzen zu heftig wurden. Ein Stöhnen drang aus ihrer Kehle und wurde zu Worten: »Michele kommt, um mich zu holen.«

»Glaubst du das wirklich?«

»Er ist hier, weil ich ihn darum gebeten habe.«

»Er ist hier, weil er sich an Alessandro rächen will.«

Val stieß ein röchelndes Lachen aus. »Das denkt er. Aber er konnte gar nicht anders. Er liebt mich.«

Besorgt sah Rosa, wie sich der Rauchteppich auf sie zuschob. Mit der freien Hand packte sie Vals Arm und versuchte, sie hochzuziehen.

Valerie schrie auf.

Rosa hatte gar nicht bemerkt, dass Iole schon wieder verschwunden war, aber jetzt stürmte sie erneut aus einem der Zimmer auf den Gang. »Es brennt im Erdgeschoss! Ich glaube, in mehreren Flügeln!«

Etwas Dunkles bewegte sich am Ende des Korridors, ein schwarzer Buckel, der durch den Qualm pflügte und immer schneller wurde. Ein Knurren erklang, als gefletschte Zähne nach Rauchschwaden schnappten.

Rosa riss die Pistole herum.

»Nein!« Iole sprang in ihr Schussfeld und riss die Arme hoch.

Sarcasmo machte einen Satz, als Iole gerade zu ihm herumwirbelte. Dann stand er auf den Hinterbeinen und schleckte ihr aufgeregt das Gesicht. Sie drohte nach hinten umzukippen, fand ihr Gleichgewicht wieder und umarmte ihn.

Valerie hustete erbärmlich. Sie wollte den Oberkörper hochstemmen, aber ihr Gesicht befand sich weiterhin im Qualm.

»Los!« Rosa trieb Iole und Sarcasmo in Richtung des Korridors. »Wir müssen hier raus!«

Sie schob einen Arm unter Valeries Achsel und zog sie mit aller Kraft nach oben. Diesmal gelang es ihr. Val heulte auf, und einen Moment lang schien es, als wollte sie Rosa erneut mit sich zu Boden reißen. Dann aber fand sie genug Halt, um sich an ihrer Seite durch den Rundbogen zu schleppen. Iole und Sarcasmo liefen vorneweg.

»Benutzt die Dienstbotentreppen«, rief Rosa Iole zu, »und dann durch die Küche nach draußen.« Sie hoffte, dass die Hundinga sich auf den Kampf mit den Panthera im Innenhof konzentrierten.

»Was ist mit euch?«, rief Iole.

»Wir kommen schon hinterher.«

»Warum lässt du sie nicht liegen?«

Valerie lachte. »Weil Rosa noch immer glaubt, dass sie was Besseres ist. Wenn sie mich sterben lässt, dann wäre sie genau wie der Rest. Jemand, der sich einen Dreck um andere Menschen schert.«

Rosa ließ sie fallen.

Valerie prallte auf die Knie, schlug mit der Schulter, dann mit der Seite auf den Boden.

»Spar dir den Mist«, fauchte Rosa.

Iole stieß einen Pfiff aus, dann verschwand sie mit Sarcasmo hinter der Gangbiegung. Rosa war drauf und dran ihr zu folgen. Stattdessen rannte sie ohne Valerie in eines der angrenzenden Gästezimmer und blickte durch das hohe Fenster hinab in den Innenhof.

Nur eine einzige Lampe oberhalb der Treppe zum Haupteingang spendete Licht. Die übrige Beleuchtung reagierte auf Bewegungsmelder, die die Hundinga genau wie jene an der Außenseite zerstört hatten.

Trotzdem erkannte sie mit pochendem Herzschlag einen schwarzen Umriss, der in diesem Moment durch den wirbelnden Rauch schnellte und sich auf einen riesenhaften Mastiff stürzte. Alessandro! Andere Hundinga umkreisten die beiden, aber ihr Ring wurde schon im nächsten Moment von einem Leoparden gesprengt, der von einem reglosen Gegner abließ und mitten unter sie fuhr.

Rosa war nicht sicher, ob der Rauch den beiden Panthera half oder sie eher behinderte; erst recht verstand sie nicht, weshalb Michele an Alessandros Seite kämpfte. Wahrscheinlich blieb ihm keine Wahl. Wenn er überleben wollte, musste er sich die Hundinga vom Leib halten.

Schweren Herzens wandte sie sich ab und lief zurück auf den Gang.

Valerie war fort.

Rosa hielt noch immer die Pistole in der Hand. Sie schwor sich, sie zu benutzen, wenn Val ihr noch einmal in die Quere kam. Weit konnte sie nicht sein.

Halb erstickt von dem beißenden Rauch rannte sie los, den Korridor hinab, um die Ecke und zu dem Vorhang, hinter dem sie sich vorhin versteckt hatte. Er war beiseitegeschoben, die Tür dahinter stand offen. Iole und Sarcasmo hatten hoffentlich schon das Erdgeschoss erreicht.

Sie musste noch etwas erledigen. Eilig sprang sie die Treppe hinunter, betrat den ersten Stock und erschrak, als sie sah, wie dicht hier der Rauch durch die Gänge trieb. Sie hielt sich die Armbeuge vor Nase und Mund, stolperte durch die Schwaden in den Westflügel und stieß mit einem heftigen Tritt die Eisenstange beiseite, die die Tür von Signora Falchis Zimmer versperrte.

»Nicht schießen!«, brüllte sie, bevor sie die Tür aufriss.

Niemand war im Raum. Das Fenster stand weit offen, genau wie vorhin, als die Lehrerin von dort aus die Hundinga auf der Terrasse unter Feuer genommen hatte. Das Bettzeug lag zerwühlt am Boden.

»Signora Falchi?« Sie lief ins Zimmer, hinüber zur Badtür.

»Ich bin's. Rosa Alacantara.«

Auch das Badezimmer war leer. Sie stürmte zum Fenster und sah nach unten. Bis zum Steinboden der Terrasse waren es über vier Meter. Die Matratze vom Bett lag am Fuß der Fassade.

Signora Falchi paddelte mitten im Swimmingpool auf der Stelle und stieß angewidert den treibenden Leichnam eines nackten Mannes von sich, als müsse sie sich seiner Zudringlichkeiten erwehren.

»Signora!« Rosa beugte sich aus dem Fenster. »Hier oben!«

Die Lehrerin blickte auf. »Signorina Alcantara! Wo steckt Iole? Ist sie in Sicherheit?«

»Ja«, log sie. »Was ist mit den Hunden?«

»Eben waren sie noch hier. Ich dachte, vielleicht sind sie wasserscheu. Ich hatte mal einen Dackel, der –«

»Sind alle in den Innenhof gelaufen?«

»Woher soll ich das wissen?«

»In Richtung des Haupttors?«

»Ja ... ja, ich denke schon.«

Wie viele mochten noch am Leben sein. Acht? Zehn? Vielleicht viel mehr? Alessandro würde nicht lange durchhalten. Sie musste zu ihm. Sie hatte noch immer die Pistole. Vielleicht –

»Kommen Sie da raus!«, rief die Lehrerin zu ihr herauf. »Der ganze Palazzo steht in Flammen!«

Rosa wandte sich wortlos von der Lehrerin im Pool ab und rannte über den Flur in ein Gästezimmer, das zum Innenhof gelegen war. Sie fegte den Vorhang beiseite, riss das Fenster auf und blickte hinaus.

Durch den Rauch erkannte sie, dass gekämpft wurde, aber von hier aus sah sie nicht mehr als zwei Knäuel aus Körpern, hörte das Schnappen und Heulen und Fauchen der Gegner. Und sie entdeckte weitere Hundinga, die in einer losen Reihe vom Tor her näher rückten.

Ohne nachzudenken, legte sie an und feuerte. Sie hatte in den letzten vier Monaten geübt, mit einer Waffe umzugehen, aber sie war alles andere als treffsicher.

Der zweite Schuss erwischte einen schwarzen Dobermann – womöglich der Anführer – und schleuderte ihn zu Boden. Der nächste ging fehl, aber die vierte Kugel verletzte einen in der Seite. Sie musste sein Herz getroffen haben, denn noch während er stürzte, verwandelte er sich zurück in einen Menschen. Die Übrigen, die vom Tor herangekommen waren, knurrten sie an, machten aber kehrt und zogen sich in den Tunnel zurück. Sie brauchten nur zu warten. Irgendwann würde das Feuer die Panthera und die letzten Menschen aus dem Inneren des Palazzo in ihre Arme treiben.

Auch der Panther blickte zu ihr herauf. Als sein Gegner den Moment nutzen wollte, fuhr Alessandro gerade noch rechtzeitig herum, entging einem mörderischen Biss und versetzte dem Hunding einen kräftigen Schlag mit der Pranke. Der heulte auf, aus seiner zerrissenen Kehle sprühte Blut. Alessandros Fell glänzte nass. Rosa konnte nicht erkennen, wie viel von dem Blut aus seinen eigenen Wunden stammte.

Sie feuerte erneut. Die Hundinga ließen von dem Leoparden ab und folgten ihren Gefährten in den Tortunnel.

Einen Augenblick später standen die beiden Panthera allein im Rauch, der jetzt immer heftiger aus allen Gebäudeteilen in den Innenhof quoll. Flammenschein zuckte hinter Fensterscheiben und tauchte die Szenerie in rotes Flackerlicht.

»Alessandro!« Rosa sah, dass der Leopard sich von hinten auf ihn stürzte.

»Nein!« Ihre Stimme überschlug sich und wurde zu einem heiseren Krächzen. Von hier aus konnte sie nichts tun. Das Risiko, Alessandro zu treffen, war zu groß.

Der Panther wurde zu Boden gerissen, zog den Leoparden mit sich, beide verschwanden in einer dichten Qualmwolke. Eines der Fenster ganz in ihrer Nähe zerplatzte in einer Scherbenkaskade.

Rosa spielte kurz mit dem Gedanken, hinab in den Hof zu springen. Die Lehrerin hatte es heil überstanden, warum also nicht sie? Aber selbst ein verstauchter Knöchel wäre dort unten ihr Todesurteil. Wenn die Hundinga zurückkehrten oder Michele sie angriff, dann war sie ihnen hilflos ausgeliefert.

Hustend und mit tränenden Augen rannte sie zurück auf den Gang, zum Dienstbotentreppenhaus und hinab ins Erdgeschoss. Auf den Stufen spürte sie erstmals die Hitze des Feuers. Als sie kurz darauf die Küche betrat, war die Tür nach außen verriegelt. Im Freien erklang wildes Gebell. Iole und Sarcasmo mussten einen anderen Weg genommen haben. Aber welchen?

Vielleicht gab es eine Möglichkeit. Doch dazu benötigte sie Zeit – und das Handy, mit dem der Hunding telefoniert hatte. Das aber lag unterhalb der Terrasse zwischen den Olivenbäumen, am Fuß der Palmen.

Der Rauch nahm ihr den Atem und die Sicht. Hastig durchnässte sie eines der Spültücher unter dem Wasserhahn und band es vor Mund und Nase. Dadurch bekam sie noch schlechter Luft, aber das bisschen, das zu ihr durchdrang, ließ sich atmen. Sicherheitshalber machte sie zwei weitere Tücher nass und nahm sie mit, als sie hinaus auf den Gang lief, einen Lagerraum durchquerte und dort eine niedrige Tür zum Innenhof entriegelte.

Der Rauch hing wie dichter Nebel in dem Geviert zwischen den Mauern. Hecheln und vereinzeltes Knurren drangen aus dem Grau, wahrscheinlich vom Tortunnel her, wo die Luft noch klarer war. Die Hundinga blieben auf Distanz, lauerten, warteten ab.

Etwa fünfzehn Meter vor Rosa kämpften Alessandro und Michele miteinander, Panther und Leopard, dunkle Umrisse inmitten des stinkenden Qualms. Flammenprasseln ertönte hinter den zerstörten Scheiben des Ostflügels, Feuer tanzte über hölzerne Fensterkreuze. Die beiden Raubkatzen umkreisten sich, preschten immer wieder nach vorn, schlugen mit den Pranken und bissen aufeinander ein.

Rosa bekam kaum noch Luft. Auf den Beinen zu bleiben erforderte ihre ganze Kraft. Halb blind überprüfte sie das Magazin der Pistole. Drei Kugeln.

Mit der Waffe im Anschlag lief sie ins Freie.

»Michele!«

Das Tuch dämpfte ihre Stimme, aber die beiden hörten sie trotzdem. Für einen Augenblick hielten sie inne. Der Leopard fauchte sie an. Sein Fell war blutverklebt, scheußliche Wunden klafften inmitten dunkelroter Flecken. Auch der Panther hatte Bissverletzungen und tiefe Kratzer davongetragen.

»Es endet hier«, sagte sie mit grimmiger Miene zu Alessandro. »Dieser Katze ziehe *ich* die Krallen.«

Der Mündungsblitz schlug eine Bresche in den Rauch, die Druckwelle trieb die Schwaden auseinander.

Das Schulterblatt des Leoparden wurde von der Gewalt des Einschlags zerschmettert. Michele heulte auf, machte einen taumelnden Satz über Alessandro hinweg und jagte auf Rosa zu.

Sie feuerte erneut.

Micheles Pfoten berührten noch einmal den Boden, als er sich zum letzten Sprung abstieß.

Ihr dritter Schuss traf ihn am Hals.

Er stieß ein Brüllen aus, geriet ins Schlingern, flog dennoch weiterhin auf sie zu, die Vorderbeine ausgestreckt. Dann begrub er Rosa unter sich.

Als sie am Boden aufkamen, war sein aufgerissenes Maul genau über ihrem Gesicht.

Erbarmungslos schnappten die Kiefer zu.

Arkadiens Stimme

Ein Albtraum in Einzelbildern.

Eine zerhackte, zerkleinerte Bewegung in ein paar Dutzend Bildern pro Sekunde.

Der aufgerissene Schlund des Leoparden nahm Rosas ganzes Sichtfeld ein, ein schwarzes Loch, umrahmt von blutverschmierten Zähnen. Sie schien geradewegs hineinzustürzen, während das Maul auf sie niederstieß. Sein Atem roch nach Eisen und rohem Fleisch. Das Gewicht der Raubkatze drückte sie zu Boden, aber das spürte sie kaum.

Und während sie ihn in diesem endlosen Augenblick auf sich zukommen sah, verwandelte er sich zurück in einen Mann. Sein Blick brach. Blut schoss aus der Wunde am Hals, vorn, wo die Kugel in ihn eingedrungen war, und hinten, wo sie das Genick zerschmettert und seinen Körper verlassen hatte.

Die zuschnappenden Kiefer schrumpften zu denen eines Menschen, die Schnauze verkürzte sich, gelbes Fell verschmolz zu glatter Haut. Das alles sah sie vor sich, in der extremen, quälenden Zeitlupe ihres Schocks. Sie hörte seine Wangenknochen brechen und wieder zusammenwachsen, sah, wie sich Nasenbein und Augenhöhlen verformten, die Mundwinkel zusammenrückten, wie sich die Grübchen einkerbten, die denen von Alessandro so ähnlich waren. Und dabei senkten sich seine Züge weiter auf sie herab. Was als tödliches Schnappen, als gieriger, hasserfüllter Biss begonnen hatte, wurde zu einer Berührung, einem unfreiwilligen Kuss, als sein lebloses Gesicht auf ihrem zu liegen kam und einen Augenblick später seitlich abrutschte.

Rosa lag da, begraben unter Micheles Körper, und für einen Moment war sie wieder zurück in jener Nacht im Village. Aber zugleich erkannte sie, dass dies der Schlussstrich war. Tano war seit langem tot und nun auch Michele. Es war vorbei.

»Sie kommen zurück!«, brüllte jemand dumpf durch einen Mundschutz. »Wir müssen runter vom Hof.« Iole.

Dann hörte Rosa ein vertrautes Bellen drüben am Eingang, und dort stand Sarcasmo neben dem vermummten Mädchen, das wild in Richtung Tunnel gestikulierte.

Bald wird das alles egal sein, dachte Rosa entrückt. Der Rauch bringt uns um, hat uns vielleicht längst vergiftet.

Ein Ruck erschütterte ihren Körper, ein Rammstoß des schwarzen Panthers in Micheles Seite. Der Leichnam wurde fortgeschleudert und sie war frei.

Alessandro, noch immer Raubkatze, zerschunden und blutend, stieß sie an und bedeutete ihr aufzustehen. Iole kam herangelaufen und half ihr auf die Beine, stützte sie, dieses schmale, unterschätzte, gar nicht so hilflose Mädchen, führte sie zurück ins Haus und Sekunden später fiel die Tür hinter ihnen zu.

Rosa glitt aus Ioles Griff zu Boden, spürte Sarcasmos Zunge aufmunternd auf ihrer Wange und sah zugleich Alessandro vor sich, der keine Anstalten machte, wieder zum Menschen zu werden.

Die Kälte breitete sich in ihr aus. Das Serum hatte seine Wirkung verloren, Schuppen bildeten sich unter ihrer transparenten Haut, wuchsen und schoben sich nach außen. Sie wollte es aufhalten, aber sie war zu schwach.

Mit letzter Kraft legte sie ihren Plan dar. Ihre Worte endeten in Zischen und Fauchen. Sarcasmo knurrte sie an und wich zurück. Iole streichelte sein rußiges Fell. Alessandro aber kam näher, beugte das Pantherhaupt über sie und stupste sie mit der schwarzen Nase an.

Er hatte verstanden.

Er wusste, was sie gemeinsam zu tun hatten.

Iole riss die Tür ins Freie auf.

»Jetzt!«, flüsterte sie und hielt mit einer Hand Sarcasmo fest, der sonst mit hinaus in die Nacht gestürmt wäre. Er zog und zerrte am Halsband, aber sie ließ ihn nicht los.

Rosa schlängelte sich über die Schwelle nach draußen. Alessandro setzte mit einem Sprung über sie hinweg, landete vor ihr auf dem Schotterweg und nahm Kampfstellung ein.

Hundinga heulten im Dunkeln, kamen hechelnd heran, wühlten Erdreich auf. Speichel flog von ihren Lefzen.

Es waren drei und Rosa konnte nur hoffen, dass Alessandro mit ihnen fertigwurde. Sie glitt flach am Boden durch die Finsternis, an der Fassade entlang, in den Winkel zwischen Mauer und Schotter geschmiegt. Hinter ihr ertönten Schnappen und Fauchen, während oben in der Wand die Hitze ein Fenster zerplatzen ließ. Glas und Glutfunken regneten herab und prallten von ihrem Schuppenpanzer ab.

Sie erreichte die Terrasse, entdeckte einen Hunding in der Nähe des Pools und sah zugleich die Lehrerin im Wasser, die sich eng unter den Steinrand presste, damit das Biest sie nicht entdeckte.

Keiner der beiden bemerkte Rosa, als sie sich um das Steingeländer schlängelte, ein wilder Slalom, der sie schließlich zur Treppe führte. Sie glitt hinunter, folgte dem Verlauf der Mauer und stieß bald auf die Taschen der Hundinga.

Die eine war noch immer geöffnet, das Handy lag inmitten zerknüllter Tarnkleidung.

Diesmal ging es so schnell, dass sie beinahe aufgeschrien hätte, als die Verwandlung einsetzte, aber aus ihrem Schlangenmaul kam nur ein Zischen. Bis ihre Lippen daraus wurden, war der Drang bereits vorüber.

Nackt lag sie neben der Ausrüstung der Hundinga auf der

Erde, schwer atmend von der Anstrengung und dem Qualm, der noch immer in ihrem Hals brannte.

Ihre zitternde Hand tastete nach dem Handy.

Es gab keine Anrufliste, nur eine einzige gewählte Nummer. Rosa tippte sie an.

»Ja?«, meldete sich eine heisere Männerstimme. Alt und ungesund. Nicht hungrig.

Rosa hustete Rauch aus der Lunge, sammelte ihre Kräfte und sagte, was sie zu sagen hatte.

ରଓ

Wenig später näherte sich aus der Ebene der Lärm starker Rotoren.

Der Hubschrauber kam unbeleuchtet, unsichtbar in der Nacht. Erst unmittelbar vor dem brennenden Palazzo schaltete der Pilot einen Scheinwerfer ein. Durch die Rauchschwaden stach das Licht in die Tiefe, strich über die Kronen der Olivenbäume, wanderte an Rosa vorbei, ging dreimal aus und wieder an. Ein Signal.

Ein vielstimmiges Heulen wurde rund um das Anwesen laut, oben auf der Terrasse, an der Nordseite und im Süden am Tortunnel.

Vom Fuß der Palmen aus beobachtete Rosa, wie der Hubschrauber auf die Wiese neben dem Vorplatz zuhielt. Kastanien und Buschwerk verbargen seine Landung. Es war eine schwere Transportmaschine, gewiss dreißig Meter lang, mit zwei gegenläufigen Rotoren über der Kanzel und dem Heck. Der dunkelgrüne Rumpf wies keine sichtbaren Kennzeichnungen auf. Womöglich eine ausgemusterte Militärmaschine.

Rosa hörte hastige Schritte auf der Treppe und sprang zurück in den Schatten der Mauer. Zwei Männer rafften die Taschen zusammen und rannten damit in die Richtung des Helikopters. Dass das Handy fehlte, bemerkten sie nicht. Rosa hielt es noch immer in der Hand, als sie sich aus ihrem Versteck löste. Ihre eigene Kleidung, die bei ihrer ersten Verwandlung zurückgeblieben war, lag an der Wurzel eines Olivenbaums. Sie schlüpfte hastig in Hose und Shirt und huschte wieder die Stufen zur Terrasse hinauf.

Die Hundinga waren fort und mit ihnen die Körper ihrer Toten. Selbst den Leichnam im Pool hatten sie herausgefischt. Rosa erkannte vage Gestalten mit ihren Lasten am südlichen Ende der Terrasse. Im Gegenlicht der Scheinwerfer sah sie sie ein letztes Mal, scharze Striche vor dem gleißenden Lichtfanal hinter den Bäumen.

Einen Augenblick später erhob sich die Maschine steil in den Himmel. Oberhalb der Baumkronen erloschen die Scheinwerfer. Rosa war sekundenlang blind, weil sie direkt in die Strahler geblickt hatte. Als sie wieder sehen konnte, war der Hubschrauber mit dem Nachthimmel verschmolzen. Sein Rotorenlärm entfernte sich nach Westen und wurde bald vom Prasseln der Flammen übertönt.

Signora Falchi hatte sich an den Rand des Pools gezogen, so weit fort wie möglich von den wallenden Blutwolken im Wasser. Rosa half der totenbleichen Lehrerin ins Trockene, vergewisserte sich, dass ihr nichts zugestoßen war, und rief ihr über das Brandgetöse zu, dass sie die Auffahrt hinablaufen sollte.

»Schaffen Sie das?«, fragte sie keuchend.

»Was ist mit Iole?«

»Sie ist in Sicherheit!« Keine Zeit für Diskussionen. »Nun hauen Sie schon ab!«

»Und Sie?«

Im Inneren des Palazzo krachte es. Eine Eruption aus Funken und Hitze schoss aus mehreren Fenstern zugleich.

»Ich komme gleich hinterher«, brüllte Rosa gegen den Lärm an.

Triefend und hustend machte sich die Lehrerin auf den Weg.

Rosa rannte in entgegengesetzter Richtung über die Terrasse zur Wiese an der Nordwand. Sie bekam kaum Luft, der Rußgestank war entsetzlich, die Hitze ohnehin, aber der Wind aus der Ebene trieb den Qualm nach Osten den Hang hinauf in die Pinienwälder, und das bewahrte sie vor Schlimmerem.

Vor der Tür zur Küche war niemand mehr zu sehen. Ein Stück weiter spiegelte sich Feuerschein auf den Scheiben des Glashauses, Rauch quoll aus dem zerbrochenen Fenster. Hoffentlich waren die Schlangen ins Freie geflohen.

»Alessandro?«, rief sie heiser. »Iole?«

Sie sah keine Leichen vor der Tür, keine Verletzten. Falls dort Tote gewesen waren, hatten die Hundinga auch sie mitgenommen.

Hundegebell, links von ihr. Zwischen den Kastanien am Ende der Wiese tänzelte Sarcasmo um Iole, die mit dem Rücken an einem der Baumstämme lehnte und erschöpft eine Hand hob, um Rosa zuzuwinken.

Wo war Alessandro?

Sie suchte die Umgebung ab und entdeckte ihn in seiner Panthergestalt, als er mit einem mächtigen Sprung über das Steingeländer der Terrasse setzte. Er musste sie unten an der Mauer gesucht und verpasst haben. Jetzt jagte er über die Wiese auf sie zu, und noch im Laufen wurde er zum Menschen. Seine blutüberströmte Haut glänzte im Flammenschein, während er die letzten Meter heranlief und vor Erschöpfung ins Taumeln geriet. Rosa rannte ihm entgegen und fing ihn auf, als er zu stürzen drohte.

Gemeinsam schleppten sie sich hinter die Kastanien, weit genug fort vom Haus, um durchatmen zu können. Dort sanken sie zu Boden. Blut sickerte aus seinen Wunden und die Kräfte verließen ihn.

Rosa hielt ihn eng umschlungen, während Glutlohen über die Fassade leckten und die Dächer des Palazzo in Flammen aufgingen.

Der Hungrige Mann

Kupferrotes Licht fiel durch die Fenster in das Krankenzimmer. Die Morgensonne stand tief über dem Meer, beschien die Parkwege und Wiesen der Klinik und verlieh der Felsenkante einen goldenen Rand.

»Und Valerie?«, fragte Alessandro.

Rosa schüttelte den Kopf. »Keine Spur von ihr. Vielleicht hat sie's ins Freie geschafft. Vielleicht liegt sie auch unter den Trümmern des Palazzo.« War es ihr wirklich derart gleichgültig? Sie wusste darauf keine Antwort.

Die Ärzte hatten einige seiner Wunden im Gesicht mit Steri-Strips zusammengezogen; bis die Schwellungen und Abschürfungen verschwunden waren, würde eine Weile vergehen.

Er musterte sie eindringlich. »Du hast gar nicht vor, den Palazzo wieder aufzubauen, oder?«

»Ich bin nicht mal sicher, ob es eine gute Idee wäre, die Reste beseitigen zu lassen. Möglicherweise ist es so am besten. Alles liegt unter zig Tonnen Stein und Asche begraben, all die schmutzigen Familiengeheimnisse.«

Alessandro saß aufrecht im Bett, Ungeduld im Blick, das Haar zerstrubbelt. Seit seiner Einlieferung vor zwei Tagen lag er hier auf heißen Kohlen. Der breite Verband um seine Brust sah besorgniserregend aus, aber die Verletzungen darunter würden in ein paar Wochen verheilt sein, sagten die Ärzte. Was sie gedacht hatten, als der Erbe des Carnevare-Vermögens mit zahllosen Kratz- und Bisswunden in ihre Klinik eingeliefert worden war, behielten sie für sich. An diesem Ort verstand man sich darauf, den Mund zu halten, weil Schweigen hier buchstäblich Gold war. Die Carnevares waren nicht der einzige Clan, der regelmäßig seine Verletzten hier versorgen ließ.

Ein Zimmer weiter lag Fundling nach wie vor im Koma. Rosa war an diesem Morgen bereits bei ihm gewesen und hatte lange seine Hand gehalten.

Am Vortag hatten die Ärzte Alessandro mit Schmerzmitteln ruhiggestellt, aber jetzt sprühte er nur so vor Tatendrang. Es war ein wenig unheimlich, wie rasch er sich erholte; vielleicht war doch etwas dran an den neun Leben einer Katze.

»Was hast du am Telefon zu ihm gesagt?«, wollte er wissen. Dabei wäre es ihr lieber gewesen, vorerst nicht über den Hungrigen Mann zu sprechen.

»Die Wahrheit. Dass es nicht die Carnevares gewesen sind, die ihn damals verraten haben.«

»Und das hat er dir geglaubt?«

»Sieht so aus.«

»Komm schon«, sagte er, »das war doch nicht alles. Er hat die Hundinga auf der Stelle abgezogen, ohne Wenn und Aber?«

Sie trat ans Fenster, blickte in den Sonnenaufgang und entschied sich, ihm nicht alles zu verraten. Noch nicht. »Ich hab ihm von der Aufnahme aus dem Hotel erzählt«, sagte sie, als sie sich wieder zu ihm umwandte. »Das ist der beste Beweis für Trevinis Schuld. Außerdem hab ich ihn an ein paar Geschäfte erinnert, die er vor Jahrzehnten gemeinsam mit meiner Großmutter gemacht hat und aus denen Trevini ihm einen Strick gedreht hat. Vielleicht hat es ihn stutzig gemacht, dass ich meine eigene Familie beschuldige. Jedenfalls hat ihm Di Santis am nächsten Tag das Video zukommen lassen, dazu die Kopie eines Schriftstücks, das belegt, dass Trevini vor dreißig Jahren für seine Zusammenarbeit mit der Staatsanwaltschaft Straffreiheit zugesichert worden ist. Er war der Verräter, nicht ihr Carnevares.«

»Aber deine Großmutter hat die Fäden gezogen«, sagte er beunruhigt. »Was nach der Logik des Hungrigen Mannes bedeuten müsste, dass jetzt die Alcantaras auf seiner Abschussliste stehen. Deine Familie hat ihn ans Messer geliefert. Und du bist Costanzas letzte direkte Nachfahrin. Warum also hat er dich am Leben gelassen?«

Sie war drauf und dran, seinem bohrenden Blick auszuweichen, aber sie nahm sich zusammen und brachte sogar ein Lächeln zu Stande. »Vielleicht ist er der Erste, der bemerkt hat, dass ich *nicht* die wiedergeborene Costanza Alcantara bin.« Sie beugte sie sich über ihn und gab ihm einen Kuss.

»Irgendwas verschweigst du mir doch«, stellte er fest.

»Darüber waren wir uns einig, oder? Wir müssen uns nicht *alles* erzählen.«

Entnervt wollte er sich mit den Händen durchs Haar fahren, aber er ließ die Arme mit einem Fluch wieder sinken, als sich die frisch vernähten Wunden unter seinen Achseln spannten. »So ein Mist.«

»Tut's sehr weh?«

Seufzend schüttelte er den Kopf. »Wie geht es Iole?«

»Sie ist seit gestern Abend in Portugal. Bei ihrem Onkel.«

Alessandro riss die Augen auf. »Bei Dallamano? Diesem Irren?«

»Nur weil er dich am liebsten umgebracht hätte, ist er kein Irrer.«

»Vielen Dank.«

Sie küsste ihn erneut, diesmal länger.

»Wie hast du das hinbekommen?«, fragte er beeindruckt. »Das Zeugenschutzprogramm –«

»Ist nicht mehr so wasserdicht, wie es einmal war. Dallamano hat damals gegen Cesare und deinen Vater ausgesagt, deshalb wollten sie ihn umbringen wie den Rest seiner Familie. Aber seit Cesares Tod ist die Lage für Dallamano nicht mehr so kritisch. Die übrigen Clans haben andere Sorgen, als sich im Namen eines toten Carnevare um eine Sache zu kümmern, die Jahre her ist. Jedenfalls sieht das Richterin Quattrini so. Und er selbst scheint auch ganz froh zu sein, dass die Sicherheitsmaßnahmen gelockert worden sind.«

Mit einem Stöhnen ließ er seinen Kopf zurück ins Kissen sinken. »Quattrini! Du hast schon wieder mit ihr gesprochen.«

»Gleich gestern früh, nachdem mich die Ärzte durchgecheckt hatten. Quattrini war ziemlich neugierig, was im Palazzo vorgefallen ist. Und sie war stinksauer, weil ich mir Iole anvertraut hatte – womit sie Recht hat, schätze ich. Ich hätte mir niemals verziehen, wenn ihr etwas zugestoßen wäre.« Sie machte eine nachdenkliche Pause, weil der Gedanke daran sie stärker belastete, als sie zugeben wollte. »Jedenfalls fand sie die Idee, Iole eine Weile aus meiner Nähe zu schaffen, gar nicht so schlecht. Und da Dallamano ihr einziger lebender Verwandter ist und er nicht mehr in akuter Gefahr schwebt, hat Quattrini zugestimmt, Iole für ein, zwei Wochen zu ihm zu schicken.«

»Einfach so«, kommentierte er argwöhnisch.

»Im Großen und Ganzen, ja.«

»Was bedeutet …?«

»Dass ich … na ja, ihr dafür ein paar Brocken zuwerfen musste.«

»Du kannst nicht immer, wenn es dir gerade in den Kram passt, zur Staatsanwaltschaft gehen und –«

»Lampedusa«, unterbrach sie ihn. »Ich hab ihr das Lampedusa-Geschäft auf dem Silbertablett präsentiert. Alle Unterlagen, die nicht im Palazzo verbrannt sind. Lampedusa war vor allem die Lieblingsbeschäftigung von Florinda und Trevini. Ich wollte nie was mit Menschenhandel zu tun haben.«

»Aber an Lampedusa hängen ein paar deiner Firmen und ihre Geschäftsführer. Sie werden –«

»*Meine* Geschäftsführer, ganz richtig«, sagte sie kühl. »Das heißt, dass ich ihnen sage, wo es langgeht. Keiner von ihnen ist auf Lampedusa angewiesen, um all die Villen und Jachten und Schweizer Internate für ihre Kinder zu bezahlen. Und sie sind gewarnt worden, drei Stunden bevor Quattrinis Leute vor ihren Türen standen. Die meisten dürften jetzt schon in der Südsee Cocktails schlürfen.«

Alessandro schüttelte langsam den Kopf. »So kannst du keinen Clan führen.«

»Immerhin *führe* ich jetzt, statt nur dazusitzen und abzuwarten, was man mir zur Unterschrift vorlegt. Vielen wird das nicht gefallen. Aber das kannst ausgerechnet du mir wohl kaum zum Vorwurf machen.«

»Ich will nur nicht, dass du so endest wie ich. Als *capo* eines Clans, de facto aber der Nächste auf der Todesliste deiner eigenen Verwandtschaft.«

»Wir können uns nicht aussuchen, was wir sind – das hast du selbst mal gesagt.« Sie zwang sich zu einem Grinsen. »Und jetzt sei ein braver Patient, trink deinen Pfefferminztee, iss Zwieback und guck dir schlechte Gameshows im Fernsehen an.«

»Du gehst schon?«

»Ich muss noch was erledigen.«

In seinen Augen sah sie tiefe Beunruhigung. »Tu das nicht, Rosa.«

Sie trat zur Tür.

Alessandros Oberkörper ruckte vor, aber mit seinen Verletzungen konnte er kaum das Bett verlassen, geschweige denn sie aufhalten. »Lass dich nicht auf einen Deal ein! Nicht mit ihm!«

Erst wollte sie ihm keine Antwort geben, aber an der Tür drehte sie sich um. Kam zurück, küsste ihn noch einmal und sagte ganz leise: »Zu spät.«

☙❧

Das Gefängnistor fiel hinter ihr mit stählernem Klirren ins Schloss. Durch die Gitterfenster im Korridor konnte sie den Innenhof der Haftanstalt sehen, menschenleer im grellen Licht der Scheinwerfer. Oben auf den Mauern schimmerten Stacheldrahtspiralen vor dem schwarzen Himmel. Es war kurz vor zehn, die offizielle Besuchszeit war seit Stunden vorüber.

Der wortkarge Uniformierte, der sie am Nebeneingang in Empfang genommen hatte, machte keinen Hehl aus seiner Ablehnung. Er mochte sie für Gott weiß was halten – vielleicht für eine Prostituierte, die sich der Hungrige Mann ins Gefängnis bestellt hatte –, aber im Augenblick war ihr das egal.

Eine Menge hing von ihrem Auftreten ab. Trotzdem bezweifelte sie, dass der Gefangene nicht auf den ersten Blick durchschauen würde, wie angespannt sie war. In Wahrheit hatte sie eine Heidenangst vor ihm. Für die meisten Arkadier war der Hungrige Mann so viel mehr als ein *capo dei capi*, der seit drei Jahrzehnten eingesperrt war: Sie hielten ihn tatsächlich für den wiedergeborenen Lykaon, der sie in ein neues Zeitalter der glorreichen Barbarei führen würde.

Sie hatte ein altes Foto von ihm gesehen, schwarz-weiß und grobkörnig. Darauf war er bereits kein junger Mann mehr gewesen, mit grauen Schläfen, schulterlangem Haar und einem Vollbart; das Foto war während seiner Verhaftung in Gela gemacht worden. Seine Augen hatten in tiefem Schatten gelegen. Aber anhand seiner Mundwinkel hatte Rosa erkennen können, dass er lächelte, trotz der Polizisten, die neben ihm auf dem Foto posierten. Lächelte, als wären sie die Beute, nicht er.

Sie kannte seinen wahren Namen, aber niemand innerhalb der Dynastien benutzte ihn. Für alle war er nur der Hungrige Mann. Wenn man seinen Anhängern Glauben schenkte, so war er die Vergangenheit und Zukunft Arkadiens. Oder aber, dachte Rosa, ein größenwahnsinniger Mafiaboss, der nicht wahrhaben wollte, dass er wie zahllose andere *capi* der Staatsanwaltschaft ins Netz gegangen war.

Zwischen den Sicherheitsschranken hallten Rosas Schritte von den Betonwänden wider. Sie trug Stiefel mit hohen Absätzen und einen schwarzen Gehrock, was sie größer erscheinen ließ. Sogar Make-up hatte sie aufgelegt, zum ersten Mal seit der Nacht im Village. Sie wollte so erwachsen wirken wie nur möglich.

Der Wärter blieb vor einer Tür stehen, schaute prüfend nach rechts und links, dann öffnete er sie. Er machte einen Schritt beiseite und gab Rosa einen Wink. »Klopfen Sie, wenn Sie fertig sind.«

Sie betrat einen Besuchsraum, der durch eine Trennwand geteilt war. In der Mitte befand sich auf halber Höhe ein Fenster wie an einem Bankschalter. Davor stand ein weißer Plastikstuhl.

Hinter ihr wurde die Tür geschlossen. Sie war jetzt allein in ihrer Hälfte des Raumes. Nur hier brannte Licht, auf der anderen Seite der Scheibe herrschte Dunkelheit. Das Glas war getönt, die Helligkeit drang kaum hindurch. Rosa machte sich mit dem Gedanken vertraut, dass sie ihr Gegenüber nicht sehen würde, während sie selbst im Hellen auf dem Präsentierteller saß.

»Nimm Platz.«

Es war dieselbe Stimme wie am Telefon. So rau, dass Rosa schon nach den ersten Worten ein Husten erwartete – das jedoch ausblieb. Etwas stimmte nicht mit seinem Kehlkopf. Krebs vielleicht. Die Vorstellung fand sie einigermaßen erbaulich.

Rosa setzte sich. Schlug die Beine übereinander, legte die Hände verschränkt in den Schoß. Nur nicht anfangen, an irgendetwas herumzufummeln, dem Saum ihrer Jacke oder ihrem Haar.

»Ich respektiere es«, sagte er, »wenn jemand Mut beweist.« Seine Stimme kam aus einem faustgroßen Lautsprecher unterhalb der Scheibe. Rosa widerstand dem Impuls, zu blinzeln, um besser durch das Glas sehen zu können. Sie erkannte nur einen vagen Umriss. Er saß nicht, sondern stand aufrecht. Blickte reglos auf sie herab.

»Es ist nicht besonders mutig, sich hinter Panzerglas zu verstecken«, hörte sie sich sagen.

»Wie alt bist du, Rosa?«

»Achtzehn.«

»Wie alt warst du, als dein Vater gestorben ist?«

»Ist er denn gestorben?«

Er gab keine Antwort.

»Ich habe sein Grab geöffnet.« Eigentlich hatte sie die verdammte Steinplatte mit einer Spitzhacke eingeschlagen, aber das lief wohl auf dasselbe hinaus. »Der Sarg war leer.«

»Warum erzählst du mir das?«

»Ich weiß nichts über meine Familie. Oder viel zu wenig. Ich dachte, ich wüsste ein paar Dinge, aber das meiste davon war keinen Cent wert. Die Wahrheit ist: Ich habe nicht die geringste Ahnung, was meine Großmutter oder mein Vater all die Jahre über getrieben haben.«

»Und du glaubst, dass dich das von aller Schuld befreit? Denn darum geht es dir doch, nicht wahr?«

»Ich war nicht mal geboren, als Trevini und meine Großmutter Sie ins Gefängnis gebracht haben. Selbst mein Vater war damals noch ein Kind.«

»Hat dir der junge Carnevare Glück gebracht?«

»Glück ist relativ.«

»Unsinn!«, fuhr er auf, wurde aber gleich wieder ruhig. »Glück ist das Gegenteil von Pech. Von Unglück. Also, sag mir, Rosa: Hat Alessandro Carnevare dir Glück gebracht?«

»Ich bin glücklich, wenn ich bei ihm bin.«

»Immer?«

»Oft.«

»Vieles ist geschehen, seit ihr zusammen seid. Nicht nur Gutes.«

Im Schoß ballte sie eine Hand zur Faust. »Dass der Palazzo bis auf die Grundmauern abgebrannt ist, ist für mich kein Unglück. Und der Tod meiner Tante war ihre eigene Schuld, schätze ich.«

»Wie sieht es mit dem Tod deiner Schwester aus?«

»Zoe hat mich belogen. Sie hat mich ausspioniert, in Florindas Auftrag.«

»Zweifellos Gründe, ihr den Tod zu wünschen«, bemerkte er sarkastisch.

Er reizte sie und es machte sie wütend, dass sie so leicht zu manipulieren war. »Ich habe Zoe gerngehabt, trotz all ihrer Fehler. Sehr gern sogar.«

»Damit kommen wir der Sache schon näher.«

»Zoes Tod war nicht Alessandros Schuld.«

»Aber du siehst eine Verbindung. Natürlich siehst du die. Du müsstest blind sein, wäre es anders.«

Sie stand auf und trat ganz nah an die Scheibe, bis ihre Nasenspitze fast das Glas berührte. »Können wir die Psychospielchen nicht überspringen?«

Die Silhouette im Dunkeln kam näher. Die Entfernung zwischen ihnen betrug nicht einmal mehr eine Handbreit, und dennoch konnte sie durch das getönte Glas sein Gesicht nicht sehen. Dass seine Stimme aus dem Lautsprecher auf Höhe ihres Bauchnabels kam, irritierte sie außerdem.

»Hast du eine Ahnung«, fragte er, »wie deine Großmutter gestorben ist?«

»Im Bett. Sie war krank, wohl schon eine ganze Weile lang.«

»Florinda hat sie vergiftet.«

»Und wennschon.«

»Du hast Costanzas Augen.«

»Und gerade dachte ich noch, wir könnten Freunde werden.«

»Sie hat dir überhaupt sehr ähnlich gesehen, als sie jung war. Sie war ein hübsches Mädchen und später eine sehr schöne Frau.«

Im Grunde war sie dankbar dafür, dass er sie zornig machte. Das machte es einfacher, nicht allzu beeindruckt zu sein von der Überlegenheit, die er ausstrahlte. »Warum wollten Sie, dass ich herkomme?«, fragte sie, um das Gerede über Costanza zu beenden. »Am Telefon haben Sie gesagt, dass das eine Ihrer Bedingungen ist. Jetzt bin ich hier. Wieso?«

»Weil ich sehen wollte, wer du bist. Was du bist.« Mit einem dumpfen Laut hieb er seine Handfläche an die Scheibe und presste sie mit gespreizten Fingern dagegen. Sie schimmerte hell vor der Finsternis. »Wie lange ist es her«, fragte er, »dass du von den Arkadischen Dynastien erfahren hast?«

»Ein paar Monate.« Sie konnte nicht anders, als seine Hand anzustarren, die tief eingefurchten Linien, die langen, schlanken Finger.

»Deine Mutter hat es dir verschwiegen?«

»Ich hätte sie für eine Irre gehalten, wenn sie's mir gesagt hätte.« Während sie das aussprach, musste sie sich eingestehen, dass Gemma Recht gehabt hatte. Womöglich nicht nur damit.

»Wie war es, als du dich zum ersten Mal verwandelt hast?«

»Es hat sich ... verboten angefühlt. Wie wenn man als Kind zum ersten Mal bis spätnachts aufbleibt, weil niemand zu Hause ist.«

»Ist es nicht eine Schande, dass wir etwas so Wundervolles vor der Welt verstecken müssen?«

»Nicht so wundervoll für die Welt.«

»Es hat immer Jäger und Gejagte gegeben. Die einen, die ihren Willen durchsetzen, weil sie die nötige Stärke besitzen.

Und die anderen, die vor ihnen niederknien. Keine Zivilisation, kein Fortschritt wird daran etwas ändern. Nicht wir haben diese Gesetze aufgestellt, sondern das Leben selbst. Das, wofür ich stehe, ist kein Rückschritt. Es ist das Ende unserer Selbstverleugnung. Das Ende der großen Lüge.«

Es fiel ihr zunehmend schwerer, sich seinem Charisma zu entziehen. Das Labyrinth der Linien in seiner Hand, die Eindringlichkeit seiner Stimme – als stünde man vor einem uralten Tempel, der auch nach Jahrtausenden noch Ehrfurcht gebot.

»Wir haben lange genug im Verborgenen gelebt und vor anderen verheimlicht, was wir in Wahrheit sind«, fuhr er fort. »Es ist an der Zeit, wieder wir selbst zu sein. Und es hat bereits begonnen. Auch du bist ein Baustein des Wandels, Rosa.«

»Ich.«

»Lamien haben sich immer von anderen Arkadiern unterschieden. Darum gibt es nicht mehr viele von euch. Ihr habt euch aufgelehnt und eure eigenen Ziele verfolgt. Hinterlist und Tücke waren seit jeher eure schärfsten Waffen.«

»Ich mag's eigentlich ziemlich direkt«, sagte sie und dachte an ihren Tacker.

»Ihr seid Schlangen. Euer Gift wirkt langsam und im Verborgenen. Ich hätte ahnen müssen, dass es Costanza war, der ich die letzten dreißig Jahre hinter Gittern zu verdanken habe. Stattdessen habe ich an die gefälschten Beweise geglaubt, die auf die Carnevares gedeutet haben. Wusstest du, dass sie einmal meine engsten Vertrauten waren?«

Sie nickte.

»Heute habe ich da draußen andere treue Helfer. Sie sind effektiver, als es die Carnevares jemals waren. Ich sollte deiner Großmutter dankbar sein. Die Zeit in meiner Zelle hat mir die Augen für neue Verbündete geöffnet. Bald werde ich diesen Ort verlassen, und das verdanke ich ihnen.«

Rosa sah zu, wie er die Finger an der Scheibe krümmte. Die

Handfläche zog sich einige Zentimeter zurück, wurde dunkler, während die Fingerkuppen als Halbkreis aus hellen Punkten vor dem schwarzen Hintergrund schwebten. Rosa konnte den Blick nicht davon lösen.

»Ist es wahr«, fragte sie, »dass es die Lamien waren, die Lykaon vom Thron Arkadiens gestürzt haben?«

Die Hand verschwand abrupt in der Finsternis. Auch sein Umriss war kaum noch zu sehen. Er musste einen Schritt zurückgetreten sein. »Ich hätte Grund genug, jeder von euch den Tod zu wünschen«, sagte er nach einer Pause, ohne ihre Frage zu beantworten. »Aber auch ich habe meine Lektion gelernt. Es war falsch, mich von meinem Wunsch nach Rache an den Carnevares leiten zu lassen. Ich will einen Neuanfang, keine Vergeltung. Die Dynastien haben zu lange Gangster gespielt, ihre Geschäfte als Clans der Cosa Nostra sind ihnen wichtiger geworden als ihre Abstammung und Bestimmung. Wenn sich die Dinge ändern sollen, dann muss das durch frisches Blut geschehen. Neue Oberhäupter, denen es nicht darum geht, den Drogenmarkt in Paris oder Immobilienfonds in Hongkong zu kontrollieren. Komm an meine Seite, Rosa, und alle Verfehlungen deiner Vorfahren werden vergessen. Und wenn der junge Carnevare lernt, dass sein Vermächtnis als Arkadier bedeutender ist als sein Erbe als *capo*, dann soll auch er mir willkommen sein.« Er setzte erneut eine wirkungsvolle Pause, dann fügte er hinzu: »Das ist mehr, als du von den anderen Clans zu erwarten hast. Sie alle verachten euch für eure Liebe. Und wie lange mag es dauern, bis sie herausfinden, dass du Beziehungen zu dieser Richterin unterhältst?«

Auch davon wusste er? Sie hätte es ahnen müssen.

»Früher oder später«, sagte er, »werden sie dich und den Carnevare töten. Viele wollen es jetzt schon, eure eigene Verwandtschaft schmiedet Pläne, euch aus dem Weg zu räumen. Ich dagegen biete euch die Zukunft.«

»Die Hundinga wollten mich umbringen«, wandte sie ein. »In Ihrem Auftrag.«

»Sie sollten euch beobachten, euch Respekt einflößen«, widersprach er. »Es ist immer mit Risiken verbunden, die Hunde von der Kette zu lassen, und diesmal sind sie zu weit gegangen. Ich habe das nicht gewollt, und sie haben dafür bezahlt. Schau in die Zeitungen. Es gab einen Hubschrauberabsturz vor der Küste.«

Je länger er redete, desto mehr verfiel er in den Tonfall eines Feudalherrn. Dass er vom König Lykaon besessen war, stand außer Frage; ob von einer Wahnidee oder einem Geist, spielte letztlich keine Rolle. Sobald er hier herauskam, würde wieder er es sein, der über die anderen gebot.

»Ich habe getan, was Sie von mir verlangt haben«, sagte sie. »Ich habe Ihnen Beweise gegen Trevini geliefert. Und ich bin hergekommen, weil Sie mit mir reden wollten. Werden Sie Alessandro jetzt in Frieden lassen?«

Sie hatte ein langes Schweigen erwartet. Große Theatralik, um ihr zu zeigen, wie klein und ohnmächtig sie im Vergleich zu ihm war. Aber stattdessen sagte er nur: »Natürlich.«

Sie schob den Plastikstuhl nach hinten und wollte zur Tür gehen.

»Irgendwann«, sagte er, »werde ich dich um einen Gefallen bitten. Vielleicht wird er groß und bedeutend sein, vielleicht auch nur ganz klein. Aber du wirst ihn mir erfüllen.«

Sie blieb mit dem Rücken zu ihm stehen, auf halbem Weg zur Tür.

»Du wirst das für mich tun, Rosa Alcantara. Das ist meine Bedingung.«

Es wäre so leicht gewesen, Nein zu sagen. Damit hatte sie früher nie Schwierigkeiten gehabt. Nur ein kurzes Nein, das war alles. Damit wären die Fronten geklärt. Sie auf der guten, er auf der bösen Seite.

Nur dass es so einfach nicht war.

»Einverstanden«, sagte sie.

Sie machte die letzten paar Schritte und klopfte an die Tür, viel zu schnell und heftig, im Rhythmus ihres hämmernden Herzschlags.

»Leb wohl, Rosa. Und vergiss nicht –«

Über die Schulter blickte sie auf die schwarze Glasfläche, in der sie nur ihr eigenes Spiegelbild entdeckte. Sie sah sich selbst in die Augen.

»– ich bin nicht dein Feind.«

Die Alchimisten

Der Nachmittag war mild, die Luft roch nach Frühling. Nicht selten Ende Februar, das hatte zumindest der Taxifahrer in brüchigem Englisch erklärt, als er Rosa vom Lissaboner Flughafen nach Sintra fuhr. Sie waren anderthalb Stunden unterwegs gewesen, zuletzt über die schmale, gewundene Straße, die ins historische Zentrum der Stadt führte.

Der farbenprächtige Palast, der Sintra überragte, thronte auf einem dicht bewaldeten Berg. Um dessen Flanke schlängelte sich die Rua Barbosa do Bocage, ein Sträßchen im ewigen Schatten mächtiger Bäume. Rosa erkannte die Mauer und das Tor der Quinta da Regaleira wieder; hier, in der ehemaligen Villa eines Freimaurers und Alchimisten, waren Alessandro und sie im vergangenen Oktober Augusto Dallamano begegnet. Er hatte Rosa hinab in einen Schacht im Erdreich geführt, über eine glitschige Wendeltreppe, dreißig Meter in die Tiefe. Dort hatte er ihr mehr über die Statuen am Meeresgrund erzählt, die steinernen Panther und Schlangen, die ihnen die *Stabat Mater* vor der Nase weggeschnappt hatte.

Heute passierte sie das Portal der Quinta, ohne anzuhalten. Das Taxi folgte dem Verlauf der engen Straße, vorbei an dichtem Buschwerk und moosbewachsenen Mauern, hinter denen sich einige der ältesten und prachtvollsten Villen Portugals verbargen.

Nach einem Kilometer meldete sich das Navigationsgerät. Der Fahrer hielt vor einem schmalen Einschnitt in einer efeubewachsenen Bruchsteinmauer. Ein steiler Weg führte bergauf und machte nach wenigen Schritten eine Biegung nach links. Schwere Äste beugten sich tief über die Auffahrt. In den Fugen geborstener Steinplatten wucherte Unkraut. Die Erbauer des

Anwesens mochten Wert darauf gelegt haben, nicht auf Anhieb gefunden zu werden; heutzutage machte ihnen GPS einen Strich durch die Rechnung.

Der Taxifahrer gestikulierte und sagte etwas auf Portugiesisch.

»Das ist es?«, fragte sie.

Er nickte und klopfte ungeduldig auf die Preisanzeige.

Rosa bezahlte ihn und stieg aus.

Sie streifte sich ihre Umhängetasche über und begann den Aufstieg. Ein paar bewachsene Steinfiguren standen auf Sockeln rechts und links des Weges, kaum noch zu erkennen unter dichten Ranken. In einigen Monaten würden sie vollends unter Laub verschwunden sein.

Die Auffahrt machte eine weitere Biegung, ehe vor Rosa die dreistöckige Villa sichtbar wurde. Einem Vergleich zur märchenhaften Quinta da Regaleira auf der anderen Seite des Berges konnte sie nicht standhalten. Kastenförmig, mit verputzten Fassaden in dunklem Gelb, stand sie inmitten eines verwilderten Gartens. Baumkronen neigten sich bis an die Mauern. Schlingpflanzen hingen als braune, vertrocknete Vorhänge im Geäst und hielten die Sonne von den hohen Fenstern fern.

Das flache Dach des Hauses wurde von einer gläsernen Kuppel beherrscht, eingefasst von einem Steingeländer. Mit ihrem rostigen Gitterwerk und den blinden Scheiben erinnerte sie Rosa an das zerstörte Glashaus. Beim Gedanken an den niedergebrannten Palazzo verspürte sie mit einem Mal Wehmut, so heftig wie nie zuvor. Einen Moment lang fragte sie sich, ob dort oben auch Tiere gehalten wurden, verwarf den Gedanken aber gleich. Nur ein altes Gewächshaus aus der Zeit des Jugendstils.

Die Haustür der Villa wurde aufgerissen und Iole sprang ins Freie. Sie trug eines ihrer heiß geliebten weißen Sommerkleider. Rosa hatte es aufgegeben, sie ihr austreiben zu wollen; vielleicht würde Signora Falchi mehr Erfolg damit haben, wenn Iole erst zurück auf Sizilien war.

Sie fielen sich in die Arme, und Rosa war überrascht, vor allem jedoch erfreut darüber, wie glücklich das Mädchen wirkte. Sie selbst hatte Augusto Dallamano als abweisenden, mürrischen Mann kennengelernt. Iole aber schien sich in seiner Nähe wohlzufühlen.

»Geht's dir gut?«, fragte Rosa mit gerunzelter Stirn.

Iole nickte. »Und Alessandro?«

»Nervt die Krankenschwestern.« Mit Verschwörermiene beugte sie sich vor. »Er ist der schrecklichste Patient der Welt. Aber verrat's ihm nicht.«

»In den Fernsehserien sind das die, die am Ende die Oberschwester heiraten.«

»Die ist mindestens sechzig. Außerdem wird er morgen entlassen.« Rosa seufzte. »Eigentlich entlässt er sich selbst. Ich glaube, danach werden sich alle betrinken und ein Feuerwerk veranstalten.«

Iole drehte sich einmal im Kreis. »Ich könnte hier noch ewig bleiben«, schwärmte sie.

»Das würde Signora Falchi nie mitmachen. Die Hundinga hat sie heil überstanden, aber das hier wäre wohl ein Kündigungsgrund.«

Iole strahlte. »Innen ist es noch schöner!«

Sie nahm Rosa bei der Hand und führte sie die Stufen zur Haustür hinauf.

☙❧

Am späten Nachmittag saßen sie mit Augusto Dallamano im Wintergarten der Villa, einem klapprigen Glasanbau an der Rückseite des Anwesens. Von außen drängte der Garten bis an die Fenster. Zwischen Türmen aus Büchern standen zwei Sessel und eine Couch. Rosa und Dallamano saßen sich gegenüber, während Iole das Sofa für sich hatte. Auf ihrem Schoß lag ein Albinokater, schneeweiß mit roten Augen; er schnurrte genüsslich, während sie ihn streichelte.

Dallamano war erst vor einer halben Stunde nach Hause gekommen. Offenbar betrieb er drüben in der Quinta da Regaleira irgendwelche Forschungen. Rosa hatte gewusst, dass er sich seit dem Fund der Statuen mit Bildhauerei beschäftigte; die Entdeckung, die er gemeinsam mit Ioles Vater gemacht hatte, lag sechseinhalb Jahre zurück, Zeit genug, sich einiges an Wissen anzueignen. Dennoch erstaunte sie, dass er sich den Mysterien der Quinta mit solchem Ehrgeiz widmete. Dallamano war Akademiker – Ingenieur, wenn sie sich recht erinnerte – und Bücher waren ihm nicht fremd. Auf sie selbst, die gerade mal die Highschool zu Ende gebracht hatte, machte das mehr Eindruck, als ihr lieb war.

Er trug das dunkle Haar noch immer schulterlang und wirr, doch er versteckte sich nicht mehr hinter dem voluminösen Vollbart von damals. Stoppeln lagen wie ein Schatten auf Kinn und Wangen. Im Brunnen der geheimen Weihe hatte er einen Nadelstreifenanzug angehabt; heute trug er eine kakifarbene Arbeitshose mit vielen aufgesetzten Taschen und einen braunen Pullover. Beides war mit Staub bedeckt, den er nach seiner Ankunft nur notdürftig abgeklopft hatte.

Er hatte sich im Sessel zurückgelehnt und rauchte eine Zigarette nach der anderen. Der Aschenbecher stand auf einem wackeligen Bücherstapel neben der Armlehne. Sein dunkler, intensiver Blick war durch die Qualmschwaden auf Rosa gerichtet.

»Iole sagt, es gehe ihr gut bei dir«, brach er das Schweigen.

Rosa sah sie zweifelnd an. Es war erst wenige Tage her, dass Iole von Val mit einer Pistole bedroht worden war.

Iole blickte von dem Albinokater auf, schenkte Rosa ein stummes Lächeln und widmete sich wieder dem Tier.

»Ich tu mein Bestes«, sagte Rosa.

»Sie hat eine Privatlehrerin, hat sie berichtet. Das ist gut. Iole hat eine Menge nachzuholen.«

»Sie wollte Sie unbedingt wiedersehen, Signore Dallamano. Sie beide müssen sich sehr gernhaben.«

Er hielt die Zigarette reglos in der Hand und starrte in den Rauch, der sich von der Glut emporkräuselte. »Mein Bruder hat sich nicht immer so viel Zeit für seine Tochter genommen, wie nötig gewesen wäre. Jemand musste sich um sie kümmern.«

Rosa erinnerte sich an etwas, das Iole ihr erzählt hatte. »Sie haben ihr Schießen beigebracht. Da war sie, ich weiß nicht, acht? Vielleicht neun?«

»Ich war ein anderer Mensch damals.« Seine Anwandlung von Reue erstaunte sie. »Heute würde ich manches anders machen, und nicht nur diese Sache.«

Iole warf Rosa einen Blick zu, der nicht schwer zu deuten war: Dass sie mit einer Waffe umgehen konnte, hatte ihnen beiden am Monument von Gibellina das Leben gerettet.

»Warum bist du hier?«, fragte er Rosa. »Iole ist allein nach Portugal geflogen. Sie hätte auch ohne dich den Weg zurück gefunden.«

»Können Sie sich das nicht denken?«

»Mehr Fragen? Über die Statuen in der Straße von Messina?« Er inhalierte den Rauch und ließ ihn genüsslich über die Lippen entweichen. »Ich habe dir und deinem Carnevare-Freund alles erzählt, was ich weiß.«

»Die Statuen sind fort«, sagte sie. »Jemand ist uns zuvorgekommen.«

Er holte tief Luft und sah dabei aus, als wäre er einen Atemzug ohne Nikotin und Teer nicht mehr gewohnt. »Jemand?«

»Evangelos Thanassis.«

»Der Reeder?«

»Die Statuen sind auf eines seiner Schiffe verladen worden. Die *Stabat Mater*. Sagt Ihnen das etwas?«

»Das ist ein Musikstück.«

Rosa nickte. »Ein vertontes Gedicht aus dem Mittelalter. Die erste Zeile lautet *Stabat mater dolorosa. Die Mutter stand unter Schmerzen.*«

»Noch vor ein paar Jahren wäre ich beeindruckt gewesen«, sagte er. »Aber heute hat Wissen nichts mehr mit Bildung zu tun. Nur noch damit, die richtigen Buchstaben auf einer Tastatur zu finden.«

Iole horchte auf. »Das sagt Signora Falchi auch immer.«

»Offenbar weiß die Frau, wovon sie spricht.«

»Die *Stabat Mater* ist das Flaggschiff von Thanassis' Kreuzfahrtflotte«, erklärte Rosa unbeirrt. »Jedenfalls war sie das, bevor er sich aus der Öffentlichkeit zurückgezogen hat. Eigenwilliger Name für einen Urlaubsdampfer, oder?«

»Thanassis ist ein eigenwilliger Charakter, soweit ich weiß.«

»Hatten die Dallamanos je mit ihm zu tun? Ich meine, Ihre Unternehmen haben doch Hafenanlagen gebaut und solche Sachen.«

Er schüttelte den Kopf. »Thanassis hat genug eigene Firmen, die das für ihn erledigen können.«

»Wie steht es mit TABULA? Sagt Ihnen das etwas?«

»Hermes Trismegistos«, sagte er, ohne nachzudenken.

Rosa nickte. »Die Smaragdtafel.«

»*Tabula Smaragdina Hermetis.* Was haben die Hermetiker mit einem griechischen Reeder zu tun?« Abrupt rückte er sich aufrecht und löschte die Zigarette im Aschenbecher. »Deshalb bist du hergekommen? Um mich danach zu fragen?«

»Sie wussten damals so viel über die Quinta und diesen verrückten Freimaurer mit seinem Alphabet aus Stein. So haben Sie die Quinta doch genannt, oder?«

»Ein steinernes Alphabet der Alchimie.«

Der Albinokater gähnte ausgiebig, und Iole ließ sich anstecken. Aber Rosa nahm ihr das zur Schau gestellte Desinteresse nicht ab, mittlerweile kannte sie Iole zu gut. Das Mädchen hatte die Ohren überall und zog oft mit erstaunlicher Geschwindigkeit die richtigen Schlüsse.

»Sie beschäftigen sich ziemlich intensiv mit diesen Dingen.« Rosa deutete mit einer Kopfbewegung auf die Bücherberge im Wintergarten.

»Das meiste gehört meiner Vermieterin. In den oberen Etagen gibt es noch viel mehr Material. Sie hat mir das Erdgeschoss untervermietet.«

Rosas Argwohn rührte sich. »Ist sie so eine Hermetikerin?«

»Sie ist dies und sie ist jenes. Sie spricht nicht viel über sich. Aber ihretwegen bist du nicht hier, oder? Was genau also willst du wissen?«

Rosa ertappte sich dabei, wie sie durch die Glasdecke des Wintergartens hinauf zum ersten Stock blickte. »Es gibt eine Gruppe von Leuten … eine Organisation … Sie nennen sich selbst TABULA, und wahrscheinlich leiten sie das von der Smaragdtafel dieses Hermes Trismegistos ab.«

»Es gibt viele solcher Gruppierungen. Die meisten bestehen aus Wirrköpfen, irgendwelchen Esoterikern, und jetzt sind auch noch die ganzen Dan-Brown-Spinner dazugekommen. Möchtegern-Freimaurer und Hobby-Templer. Wahre Alchimisten sind von Natur aus Einzelgänger, die sich in ihren Laboratorien verschanzen. Das war vor fünfhundert Jahren so, und daran hat sich nichts geändert.«

»Und hinter Büchern?«, fragte sie mit einem Blick in den Raum.

Er steckte sich eine neue Zigarette an. »Natürlich.«

»Ich glaube nicht, dass TABULA wirklich etwas mit Alchimie zu tun hat. Die Tafel ist nur so was wie ein Symbol für sie.

Diese Leute sind Wissenschaftler. Und sie müssen ein paar ziemlich wohlhabende Gönner haben.«

»Evangelos Thanassis?«

»Könnte sein. Bislang ist das eine Vermutung, mehr nicht.«

»Du verschweigst mir doch etwas.«

Irgendwo im Haus klingelte laut ein Telefon. Der Kater sprang erschrocken von Ioles Schoß, hüpfte auf einen schwankenden Bücherturm und stieß sich gerade noch ab, ehe die Säule in einer Staubwolke zusammenstürzte.

Dallamano stand mit der Zigarette im Mundwinkel auf und beugte sich über das Chaos. Im nächsten Moment hatte er den Kater am Nackenfell gepackt und trug ihn aus dem Wintergarten ins Haus. Wenig später hörten sie undeutlich seine Stimme am Telefon.

Rosa wandte sich flüsternd an Iole. »Wie viel weiß er?«

»Über die Dynastien? Ich hab ihm nichts erzählt.«

»Ganz sicher?«

»Rosa!«

»Entschuldige. Es ist nur —«

Dallamano kehrte zurück und blieb neben seinem Sessel stehen. »Wissenschaftler also. Hochkarätige Leute, vermute ich. Sollten sie jedenfalls sein, wenn jemand eine Menge Geld in sie investiert. In sie *und* in die Geheimhaltung.«

»Klingt logisch.«

»Nobelpreisträger?«

»Woher soll ich das wissen?«

»Falls du eine Ahnung hast, mit was für Forschungen sich diese Organisation beschäftigt, dann solltest du dir als Erstes die Liste der Nobelpreisträger der letzten paar Jahrzehnte ansehen. Am besten informierst du dich auch, wer als Preisträger gehandelt wurde, dann aber leer ausgegangen ist. Und danach überprüfst du, wer von ihnen Untersuchungen zu deinem Thema angestellt hat. Möglich, dass du auf ein paar Leute stößt, die mit TABULA zu tun haben könnten. Je nachdem, wie viel du wirklich weißt, findest du vielleicht sogar einen Namen oder zwei, die du schon mal gehört hast.«

»Ich versuch's«, sagte sie. »Danke.«

Dallamano wandte sich an Iole. »Der Taxifahrer hat angerufen. Er wartet unten an der Straße. Wenn ihr eure Maschine bekommen wollt, dann müsst ihr jetzt los.«

»Falls ich etwas finde«, sagte Rosa im Aufstehen, »macht es Ihnen dann etwas aus, wenn wir noch mal darüber sprechen?«

»Natürlich macht es mir etwas aus«, fuhr er sie an, um dann versöhnlicher hinzuzufügen: »Aber das schert dich eh nicht, oder? Eines Tages wirst du wieder vor meiner Tür stehen und mich löchern. Sieh nur zu, dass dieser Carnevare sich nicht hier blickenlässt.«

Sie lächelte. »Mach ich.«

Draußen, in der weitläufigen Diele der Villa, fiel Rosas Blick auf eine Gestalt am oberen Ende der Treppe zum ersten Stock.

»Olá«, rief sie.

»Olá«, erwiderte die Frau. Sie war zierlich und höchstens Mitte zwanzig. Ihre Hose und die enge Bluse waren schwarz wie das lange Haar, das ihr glatt über die Schultern fiel. Viel mehr konnte Rosa nicht erkennen, aber sie bemerkte, wie kräftig ihre dunklen Augenbrauen waren.

Die Frau blieb dort oben stehen, eine schmale Hand auf dem Treppengeländer, und Rosa fragte sich, ob sie mit angehört hatte, worüber sie im Wintergarten gesprochen hatten.

»Ihre Vermieterin?«, wandte sich Rosa an Dallamano, während der Ioles Koffer aufhob, um ihn hinaus zum Taxi zu bringen.

Er nickte und trat mit seiner Nichte ins Freie. Rosa blickte noch einmal hinauf zum Treppenabsatz.

Die Frau war fort. Oben im Haus wurde eine Tür geschlossen.

»Kommst du?«, rief Iole von draußen.

Rosa gab sich einen Ruck, eilte die Stufen hinunter und folgte den beiden Dallamanos über den verwunschenen Weg zur Straße.

Die Insel und der Mond

Zwischen den Lavafelsen meckerte eine Ziege auf ihrer Suche nach Grasbüscheln. Möwen kreisten über den Hängen des grauen Vulkankegels. Ein paar Hundert Meter weiter unten brachen sich die Wellen in Schaumkaskaden an den zerklüfteten Ufern der Isola Luna.

Rosa und Alessandro stiegen über loses Geröll bergauf. Den ganzen Vormittag hatten sie damit verbracht, über poröses Gestein, bizarre Grate und erstarrte Lavagletscher zu klettern. Rosa hatte sich Knöchel und Handflächen aufgeschürft, keine Gelegenheit für Flüche verstreichen lassen und sich dennoch seit langem nicht mehr so zufrieden, so glücklich gefühlt.

Der Rand des Kraters lag jetzt unmittelbar über ihnen. So kurz vor dem Ziel tat es ihr beinahe leid, dass der Aufstieg bald vorüber sein würde. Sie blieb stehen, schaute zurück in die Tiefe und erkannte die Dächer des verschachtelten Hauses weiter unten im Berg. Von hier aus wirkte es winzig, eine Ansammlung rechteckiger Klötze. Neben der ehemaligen Bunkeranlage am Ufer war die Villa das einzige Gebäude auf der Privatinsel der Carnevares.

Der Hubschrauber hatte Rosa und Alessandro am Vorabend abgesetzt und war zurück zur sizilianischen Küste geflogen, fünfzig Kilometer entfernt im Süden. Sie waren allein auf der Insel, abgesehen von den Ziegen, die hier angesiedelt worden waren, nachdem Alessandro Cesares Raubkatzengehege aufgelöst hatte.

Rosa stand mit dem Rücken zum Berg und genoss den Wind, der von der See her über ihr Gesicht strich. Ein paar Atemzüge lang schloss sie die Augen, dachte an gar nichts, fühlte nur das sanfte Liebkosen der Böen auf ihrer Haut. Dann spürte sie Alessandros Nähe und gleich darauf seine Lippen auf ihren.

»So kann es bleiben«, sagte sie.

»Was?«

»Das Leben. Alles. Du und ich.«

»Nicht, bevor wir den Krater gesehen haben«, erwiderte er mit einem gequälten Lächeln. Es war furchtbar unvernünftig, mit all seinen halb verheilten Verletzungen diese Kletterpartie zu unternehmen. Aber er behauptete, er wäre noch nie oben auf dem Gipfel gewesen und dies sei der allerbeste Tag dafür. Warum das so war, verriet er ihr nicht, und sie hatte den Verdacht, dass auch jeder andere Tag der allerbeste gewesen wäre. Solange sie nur zu zweit waren und niemand sie störte.

»Du hast wirklich noch nie hineingeschaut?«

»Nie.«

»Nicht mal vom Hubschrauber aus?«

Er schüttelte den Kopf.

Sie blickte das letzte Stück nach oben. »Das sind noch … was, hundert Meter? Das hier ist die letzte Gelegenheit, um uns zu überlegen, was wir erwarten.«

»Einen Krater?«

»Du kannst *so* langweilig sein.«

Er erwiderte ihr Grinsen. »Eine Basis von Außerirdischen.«

»Den Einstieg ins Innere der Erde.«

»Eine Abschussrampe für Atomsprengköpfe.«

»Die Ruinen von Arkadien.«

»Die geheime Zentrale von TABULA.«

Sie neigte den Kopf. »Wäre das gut oder schlecht?«

»Was weiß ich. Lass uns heute nicht darüber reden.«

»Du hast davon angefangen.«

»Nur im Eifer des Gefechts.«

Sie setzten sich wieder in Bewegung. Unterwegs sagte sie: »Ich war gestern noch mal am Palazzo. Ich hab mich entschieden, das Ganze vorerst so zu lassen, wie es ist. Rundum ist alles voller Asche. Sogar die Zitronen sind grau.«

»Die wäscht der Regen irgendwann wieder ab.«

»Weißt du, was ich gern gemacht hätte?«

»Was?«

»Einen Schneeengel. In der Asche.«

»Gute Idee.«

»Im Ernst. Ich war ganz kurz davor. Mir ist klar geworden, dass ich tun und lassen kann, was ich will. Und wenn ich mich mit meinen Klamotten in die Asche legen und darin einen Schneeengel machen will, dann kann niemand was dagegen sagen.«

»Schneeengel sind nur romantisch, wenn man sie zu zweit macht.«

»Dann komm beim nächsten Mal mit.«

»Worauf du wetten kannst. Ich wollte mich schon immer mal mit dir im Dreck wälzen.«

Sie nahm seine Hand und gemeinsam überwanden sie die verbleibende Strecke bis zum Kraterrand. Es war Rosas Idee gewesen, hier heraufzusteigen, gleich heute Morgen, nachdem sie den Radiobericht über den Mord an einem Anwalt in Taormina gehört hatten. Sie brauchte dringend frische Luft und wenigstens für eine Weile das Gefühl, mit Alessandro allein auf der Welt zu sein.

»Okay«, sagte sie, als sie stehen blieben und nach vorn über die Steinkante blickten. »Ganz offiziell: Wow!«

Vor ihnen öffnete sich eine karge Felsenschüssel, mindestens dreihundert Meter im Durchmesser und halb so tief. Helle und dunkle Steinadern mäanderten über die Abhänge und verschlangen sich in der Mitte zu einem Muster aus zahllosen Grautönen. Es gab keine versteckte Basis und keine Landebahnen für fliegende Untertassen, nur lebensfeindliches Lavagestein, das vor Jahrtausenden zu Schollen und Buckeln erstarrt war. Ein Flirren hing über dem Boden wie die Hitze eines bevorstehenden Ausbruchs, aber das war nur eine Luftspiegelung.

»Also gibt es mehr als nur ein Ende der Welt«, sagte Rosa leise und deutete auf einen Löwenzahn, der einsam aus einem Spalt wuchs.

»Oder einen Anfang.« Er lächelte. »Seit einer Ewigkeit war niemand mehr hier oben. Vielleicht überhaupt noch keiner. Also nehmen wir den Ort ganz offiziell als Entdecker in Besitz.«

»Wir können eine Kolonie gründen. Und eine Missionsstation für die einheimische Käfer- und Spinnenpopulation.«

»Und unsere Fußspuren sind die allerersten, wie oben auf dem Mond.«

»Da gibt's nur ein Problem«, sagte sie. »Die Insel gehört seit Jahrzehnten euch Carnevares. Erzähl mir nicht, es gäbe irgendeinen abgelegenen Ort, den deine Familie nicht für ihre Geschäfte genutzt hätte.«

»Oh«, machte er und legte die Stirn in Falten. »Glaubst du das wirklich?«

Ein Lächeln schlich sich auf ihre Züge. »Die Insel war der Lieblingsort deiner Mutter. Sie hätte das nicht zugelassen.«

»Sie hätte auch nicht zugelassen, dass Cesare sie umbringt, wenn sie eine Wahl gehabt hätte.«

Sie seufzte leise. »Nein.« Ein Windstoß fuhr von hinten in ihr Haar und ließ es um ihr Gesicht flattern. Sie musste es mit den Händen bändigen, um sich zu ihm hinüberzubeugen und ihn zu küssen.

Als sie die Augen öffnete, bemerkte sie, dass er sie ansah.

»Unfair«, beschwerte sie sich. »Nicht gucken beim Küssen.«

»Sagt wer?« Sein Lächeln war ansteckend wie eh und je, und sie war froh, dass er den Gedanken an seine Mutter wieder verdrängte.

»Küssen erfordert Konzentration, wenn man es ordentlich machen will.«

»Wir verwandeln uns nicht mehr dabei. Schon bemerkt?«

Sie tat verwundert. »Und ich hab noch überlegt, was wohl anders ist als sonst.«

Sein Grinsen wurde breiter, die Grübchen tiefer. »Willst du da runtergehen?« Er deutete in den Krater.

Rosa schüttelte den Kopf. »Ich hab schon einen Sonnenbrand.«

»Der ist nach der nächsten Verwandlung wieder weg.«

Sie löste sich von ihm und kletterte auf eine kleine Erhebung mit abgeflachter Oberfläche. »Komm hier rauf.«

Er folgte ihr flink, trotz seiner Blessuren. Auf dem Fels setzten sie sich mit dem Rücken zum Krater, hielten sich an den Händen und schauten über den Vulkanhang hinaus in die Weite des Mittelmeers.

»Sie ist da draußen«, sagte sie nachdenklich.

»Die *Stabat Mater*?«

»Die Antwort. Das Schiff ist nur ein Teil davon.«

»Wahrscheinlich.«

»Und irgendwo dort lag mal Arkadien.«

Sie schwiegen, während sich ihre Blicke am Horizont verloren, auf der Suche nach etwas, das vielleicht vor Tausenden von Jahren existiert hatte. Sie selbst waren nur ein Echo davon, der Schatten, den Arkadien bis in die Gegenwart warf.

»Wir sollten es noch mal ausprobieren«, sagte er nach einer Weile.

»Küssen, ohne zum Monster zu werden?«

»Ich mag dich auch als Monster.«

»Aber am Ende solcher Liebesgeschichten stürzt das Ungeheuer vom Empire State Building.«

»Nur, dass wir beide welche sind. Oder alle anderen, ganz wie man's nimmt.«

Diesmal dauerte der Kuss viel länger. Rosa blinzelte, aber Alessandros Augen blieben zu. Mit einem warmen Gefühl im Bauch schloss sie die Lider, suchte in sich nach der Schlangenkälte und fand nichts als einen feinen Eishauch, den sie mühelos zurückdrängte. War es nur eine Frage der Übung? Der Bereitschaft? Des Erwachsenwerdens?

Die Sonne stand hoch am klaren Himmel und trotzdem war der Mond zu erkennen, blass im strahlenden Blau.

»Um diese Jahreszeit sieht man ihn tagsüber nur von der Isola Luna aus«, behauptete er.

Sie glaubte ihm kein Wort. »Ach was.«

Er zögerte, dann sagte er sehr ernst: »Ich möchte dir das alles hier schenken, wenn du es haben willst.«

Mit offenem Mund starrte sie ihn an. »Die Sonne? Den Mond?«

»Die Insel. Auch den Mond, wenn ich drankäme.«

»Einfach so?«

»Du magst die Villa, hast du gesagt. Meine Mutter hat sie geliebt, und du hast mal gemeint, dass du das gut verstehen kannst.«

»Ich bin gern hier. Aber was ist mit dir? Ich will keine Insel, auf der du mich nie besuchen kommst.«

»Ich hab die Isola Luna immer gemocht, und daran wird sich nichts ändern.«

»Den schrägen Siebziger-Look der Villa?«

»Schmeiß raus, was dir nicht gefällt.«

»Mir gefällt alles. Vor allem die Plattensammlung.«

»Du bist verrückt.«

»Verliebt.«

Die Sonne sank tiefer und der Mond zog weiter. Das Flirren unten im Krater verblasste.

»Es wird bald dunkel«, sagte Alessandro.

»Nicht hier oben.«

Er steichelte ihr Haar und küsste sie.

»Nicht mit dir«, flüsterte sie.

Niemals mit dir.

Später, auf halber Strecke den Berg hinab, klingelte Alessandros Handy. Mit schuldbewusster Miene ging er ran. Rosa beobachtete ihn, während er zuhörte.

Schon nach wenigen Augenblicken bedankte er sich und beendete das Gespräch.

»Die Klinik.«

Der Mond schwebte über dem Vulkan, die Sonne war hinter den Felsen verschwunden. Schatten lagen über dem Hang.

»Fundling.«

Wem dieses Buch gefallen hat, der kann es unter www.carlsen.de weiterempfehlen und mit etwas Glück ein Buchpaket gewinnen.